MY CHINESE
PICTURE DICTIONARY
汉语图解词典

  Hanban 创于1897 创布新 CREATIVE KNOWLEDGE LTD 读图时代 DuToTime

商务印书馆
The Commercial Press
北京　BEIJING

汉语图解词典

总策划	许 琳　王 涛
总监制	马箭飞　周洪波　李慧勤
监制	孙文正　张彤辉　王锦红　蒋一谈
主编	吴月梅（美）
编者	朱 宁　　　吴月梅（美）　华 莎
英文翻译	吴月梅（美）　魏令查　　　朱 宁
英文审订	冯 睿（加）　Read Taylor（美）
	Nicholas Richards（加）　　Peter Pangarov（英）
	Jenny Bai（美）
责任编辑	华 莎　朱俊玄
整体设计	读图时代
设计总监	钟 鸣
3D制作	李鑫楠　刘 烜
插图手绘	权迎升　赵维明　农彩英　王新喜
	李法明　徐侨唯

My Chinese Picture Dictionary

Publisher	Lin Xu　Tao Wang
Publishing Senior Supervisor	Jianfei Ma　Hongbo Zhou　Dr. Huiqin Li
Publishing Supervisor	Wenzheng Sun　Tonghui Zhang　Jinhong Wang　Yitan Jiang
Chief Editor	Dr. Yuemei Wu (USA)
Chinese Editor	Ning Zhu　Dr. Yuemei Wu (USA)　Sha Hua
English Translator	Dr. Yuemei Wu (USA)　Lingcha Wei　Ning Zhu
English Reviewer	Rui Feng (CA)　Read Taylor (USA)
	Nicholas Richards (CA)　Peter Pangarov (UK)　Jenny Bai (USA)
Executive Editor	Sha Hua　Junxuan Zhu
Art Design	DuToTime
Art Director	Ming Zhong
3D Design	Xinnan Li　Xuan Liu
Hand Painting	Yingsheng Quan　Weiming Zhao　Caiying Nong
	Xinxi Wang　Faming Li　Qiaowei Xu

项目统筹	汉语世界杂志社
Project Coordinator	The World of Chinese　www.hanyushijie.com

前　言

　　长期以来，外国朋友对汉语学习有一种观念，认为汉语难学。本词典用语义关联的模式，将词语按主题进行分类，用图解的方式解释词语，帮助学习者轻松地达到学习效果，为消除汉语难学的传统观念提供了全方位的解决方案。

　　本词典包括15个主题，主题单元下又细化出142个话题，共收录约4200个常用词语。主题主要根据国家汉办《国际汉语教学通用课程大纲》划分，覆盖日常生活的方方面面；话题则采用大场景或连续小图的方式展现真实生活情景，让学习者在较短的时间内，以轻松有趣的方式理解词义，快速掌握词语。在词汇选择标准上，本着既重词频又重实用的原则，参照了中国媒体和各有关国家汉语教材的词频统计结果。除了名词、动词、形容词以外，还收录了大量词组，以方便学习者了解词语的搭配关系。

　　本词典具有两个特点：一是词汇的收录不局限于表现单一文化，在强调突出中国文化元素的同时，也兼顾文化的多元性。学习者不仅可以加深对中国文化的了解，提高汉语水平，还可以利用书中词汇描述其他文化现象；二是兼顾中国传统与现代两个方面，通过相关话题介绍传统文化，同时又与当代中国人生活紧密联系，为读者提供全景式的中国体验。

　　本词典每个词条包括简体汉字、拼音和英语释义，并在图中相应的位置标出序号。拼音以《现代汉语词典》（第5版）和《新华拼写词典》为标准。书后附有中文和英文索引，中文索引中还特别标出简体和繁体不同的词条。

　　根据学习者需求，本词典还配有网络版，通过趣味动漫和人机互动，为学习者提供了词语听读、跟读、汉字书写和词语查询等多种多媒体辅助学习方式。学习者还可以根据个人需要，进行游戏化的词汇练习，以巩固已学知识。

　　孔子学院总部（国家汉办）对本词典的编写工作给予了大力支持和认真细致的指导，国内外许多专家、在华工作的外籍人士和留学生都为本书的编写提供了很好的意见，在此一并表示诚挚的谢意！

编者
2008年10月

Preface

My Chinese Picture Dictionary is designed to help students to learn Chinese words in meaningful contexts through engaging illustrations and photos. It includes 15 thematic units, 142 graphic topics and more than 4,000 commonly used words. The 15 units are categorized according to the International Curriculum for Chinese Language Education published by the Office of Chinese Language Council International. They are further specified into 142 topics to cover all aspects of daily life. The word lists of the dictionary include both single word entries and phrases. Nouns, verbs as well as many prepositions and adjectives are defined by situational artwork and presented in thematic scenes. To demonstrate the natural use of words in conjunction with one another, many phrases are also introduced.

Unlike many other dictionaries on the market, *My Chinese Picture Dictionary* presents new vocabulary that is useful not only in Chinese culture but also in Western societies. This enables students to learn and use Chinese words to talk about different cultures. Another main difference between our Chinese dictionary and others is that our book is not only intended to help students to understand traditional Chinese culture such as teahouses, Peking opera, rituals and customs, etc., but also the modern lives of Chinese people such as their housing, schooling and work. It intends to bring out the real China with combined characteristics of tradition and contemporary society in vivid color.

My Chinese picture dictionary uses simplified characters and each word or phrase is companies by a *pinyin* and an English translation. The *pinyin* is spelled according to *Xiandai Hanyu Cidian* (现代汉语词典 第5版 Modern Chinese Dictionary 5ᵗʰ version) and *Xinhua Pinxie Cidian* (新华拼写词典 Xinhua Pinyin Spelling Dictionary). To help students to find a word in the dictionary easily, both Chinese and English indexes are provided at the end of the book. In addition, the Chinese index also provides the traditional version of each character in order to allow traditional character learners to use the dictionary easily.

The online version of *My Chinese Picture Dictionary* contains additional vocabulary practice through activities, games and word webs. It can be customized for individual use and offers students more options. We hope this dictionary will benefit Chinese language learners to the greatest possible degree. Please write to us with your comments or questions at:

The Commercial Press
36 Wang Fu Jing Street
Beijing, China 100710

Contents │目录

• **Preface** 前言   1
• **Contents** 目录   3

1 General Knowledge 常识

Numbers 数字	8
Measure Words 量词	10
Time 时间	12
Calendar 日历	14
Holidays 节日	16
Money 钱币	18
Weights and Measures 度量衡	20
Colors and Shapes 颜色和形状	22
Opposites (1) 反义词语（1）	24
Opposites (2) 反义词语（2）	26

2 Personal Information 个人信息

Resume 简历	28
Documents 证件	30
Countries and Languages 国家和语言	32
Ethnic Groups in China (1) 中国民族（1）	34
Ethnic Groups in China (2) 中国民族（2）	36
Appearance 体貌	38
Personalities 性格	40
Hobbies 爱好	42
Religions 宗教	44

3 Family 家庭

Marriage 婚姻	46
Family 家庭	48
Housing 住房	50
Living Room 客厅	52
Bedroom 卧室	54

Kitchen 厨房 56

Kitchen Supplies 厨房用品 58

Bathroom 浴室 60

Bathroom Supplies 梳妆用品 62

Cleaning Supplies 清洁用品 64

Family Life 居家生活 66

Household Chores 家务琐事 68

Raising a Child 抚养孩子 70

Weddings and Funerals 婚礼与葬礼 72

Special Occasions 家庭聚会 74

4 School 学校

Schools 学校 76

Campus 校园 78

Library 图书馆 80

Curricula and Majors 课程专业 82

Student Life 学生生活 84

School Supplies 学生用品 86

Classroom and Lab 教室和实验室 88

Classroom Activities 课堂活动 90

Studying Abroad 留学生活 92

5 Work 工作

Jobs (1) 职业（1） 94

Jobs (2) 职业（2） 96

Office 办公室 98

Computer 电脑 100

Telephone 电话 102

Company 公司 104

Construction Site 工地 106

Farm 农场 108

Tools 工具 110

Job Hunting 找工作 112

6 Shopping 逛街

Stores 商店 114

Department Store 百货大楼 116

Supermarket 超市 118

Clothing Store 服装店 120

Electronics Store 家电城   122
Hair Salon 发廊   124
Beauty and Plastic Surgery 美容和整形   126

7 Dining 餐饮

Nutrition 营养   128
Fruits and Nuts 水果和坚果   130
Vegetables 蔬菜   132
Meat, Eggs and Seafood 肉、蛋、海鲜   134
Rice and Flour 米、面   136
Seasonings and Flavors 调料和味道   138
Beverage 饮料   140
Dairy and Soy Bean Products 豆奶制品   142
Cooking 烹饪   144
Restaurants 餐馆   146
Chinese Restaurant 中餐馆   148
Western Restaurant 西餐馆   150
Tea House 茶馆   152
Coffee Shop 咖啡馆   154
Dining Out 外出就餐   156

8 Hospital 医院

Hospital 医院   158
Human Body (1) 人体（1）   160
Human Body (2) 人体（2）   162
Internal Organs 内脏   164
Skeleton 骨骼   166
Symptoms and Illnesses 病症和疾病   168
To see a Doctor and Have a Medical Exam
看病和体检   170
Medical Supplies 医药用品   172
Chinese Medicine 中医   174

9 Post Office, Bank and Police Station
邮局、银行和公安局

Post Office 邮局   176
Sending Packages and Money, Paying Bills
寄包裹、汇款、付账单   178
Bank 银行   180

Deposit, Withdrawal and Money Exchange
存取款、换钱   182
Police Station 公安局   184

10 Transportation and Travel 交通旅游

Directions 方向   186
Transportation 交通工具   188
Airplane 飞机   190
Airport 飞机场   192
Taking an Airplane 坐飞机   194
Train 火车   196
Subway, Bus and Taxi 地铁、公交和出租车   198
Driving 开车   200
Traffic Signs 交通标记   202
Travel 旅行   204
Hotel 宾馆   206

11 Leisure and Entertainment 娱乐休闲

Theaters 影剧院   208
Park 公园   210
Amusement Park 游乐场   212
Museums 博物馆   214
Excursion 郊游   216
Beach 海滩   218
Gym 健身中心   220
Entertainment Center 娱乐城   222

12 Actions and Feelings 行为与情感

Expressions (1) 表情（1）   224
Expressions (2) 表情（2）   226
Actions 动作   228
Body Functions 身体功能   230
Feelings and Attitudes 心情与态度   232

13 Weather and Seasons 天气季节

Weather 天气   234
Climate Zones 气候带   236
Spring and Summer 春夏   238
Fall and Winter 秋冬   240

14 Art, Sports and the Army 艺术、体育和军事

Fine Arts 美术	242
Art Supplies 美术工具	244
Music 音乐	246
Instruments 乐器	248
Film and TV 电影电视	250
Sports 体育竞赛	252
Track and Field 田径	254
Ball Games (1) 球类（1）	256
Ball Games (2) 球类（2）	258
Water Sports 水中运动	260
Martial Arts 武术	262
Army 部队	264
Weapons and Military Supplies 武器装备	266

15 The World 世界

The Universe 宇宙	268
Sky 天空	270
Land 陆地	272
Ocean 海洋	274
Birds 鸟类	276
Insects 昆虫	278
Other Animals 其他动物	280
Disasters and Pollution 灾祸和污染	282
Chinese Geography 中国地理	284
Chinese History 中国历史	286
Chinese Language 中国语言文字	288
World Map 世界地图	290
• Index in Chinese 中文索引	292
• Index in English 英文索引	322

零/〇 líng	一 yī	二 èr	三 sān
zero	one	two	three

四 sì	五 wǔ	六 liù	七 qī
four	five	six	seven

八 bā	九 jiǔ	十 shí
eight	nine	ten

20 二十 èrshí twenty

30 三十 sānshí thirty

40 四十 sìshí forty

50 五十 wǔshí fifty

60 六十 liùshí sixty

70 七十 qīshí seventy

80 八十 bāshí eighty

90 九十 jiǔshí ninety

100 一百 yìbǎi one hundred

1 000
一千 yìqiān
one thousand

10 000
一万 yíwàn
ten thousand

1 000 000
一百万 yìbǎi wàn
one million

10 000 000
一千万 yìqiān wàn
ten million

100 000 000
一亿 yíyì
one hundred million

1%
百分之一 bǎi fēnzhī yī
one percent

10%
百分之十 bǎi fēnzhī shí
ten percent

100%
百分之百 bǎi fēnzhī bǎi
one hundred percent

二分之一 èr fēnzhī yī
one half

三分之二 sān fēnzhī èr
two thirds

四分之一 sì fēnzhī yī
one fourth

第三 dì-sān
third

第二 dì-èr
second

第一 dì-yī
first

9

1 一座楼 yí zuò lóu
one building

2 一所学校 yì suǒ xuéxiào
one school

3 一个女生 yí gè nǚshēng
one girl

4 一幅画 yì fú huà
one painting

5 一帮人 yì bāng rén
one group of people

6 一套茶具 yí tào chájù
one tea set

8 一群羊 yì qún yáng
one flock of sheep

9 两副筷子 liǎng fù kuàizi
two pairs of chopsticks

7 一扇门 yí shàn mén
one door

10 两头牛 liǎng tóu niú
two oxes

11 两匹马 liǎng pǐ mǎ
two horses

12 两张照片 liǎng zhāng zhàopiàn
two photographs

13 两件大衣 liǎng jiàn dàyī
two overcoats

14 两份快餐 liǎng fèn kuàicān
two servings of fast food

15 两篇文章 liǎng piān wénzhāng
two articles

16 两棵树 liǎng kē shù
two trees

17 两块奶酪 liǎng kuài nǎilào
two pieces of cheese

18 两条鱼 liǎng tiáo yú
two fish

19 两双袜子 liǎng shuāng wàzi
two pairs of socks

20 三颗星星 sān kē xīngxing
three stars

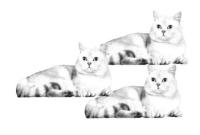

21 三只猫 sān zhī māo
three cats

22 三部手机 sān bù shǒujī
three cellphones

23 三把刀 sān bǎ dāo
three knives

24 三本书 sān běn shū
three books

25 三粒药 sān lì yào
three pills

26 三枝花 sān zhī huā
three flowers

27 三片叶子 sān piàn yèzi
three leaves

11

时间 Shíjiān
Time

一秒钟 yì miǎozhōng
one second

一分钟 yì fēnzhōng
one minute

一刻钟 yí kèzhōng
a quarter of an hour

一小时/一个钟头
yì xiǎoshí/yí gè zhōngtóu
one hour

一天 yì tiān
one day

一星期/一周
yì xīngqī/yì zhōu
one week

半个月
bàn gè yuè
half a month

一个月 yí gè yuè
one month

2008-2009

一年 yì nián
one year

2008-2108

一个世纪 yí gè shìjì
one century

凌晨 língchén
the wee hours

黎明 límíng
dawn

早上/早晨 zǎoshang/zǎochén
early morning

上午 shàngwǔ
morning

中午 zhōngwǔ
noon

下午 xiàwǔ
afternoon

傍晚 bàngwǎn
dusk

晚上 wǎnshang
evening

午夜 wǔyè
midnight

六点 liù diǎn
six o'clock

六点零五分 liù diǎn líng wǔ fēn
five past six

六点十五分 liù diǎn shíwǔ fēn
six fifteen

六点一刻 liù diǎn yí kè
a quarter past six

六点半 liù diǎn bàn
half past six

六点四十五分 liù diǎn sìshíwǔ fēn
six forty-five

差一刻七点 chà yí kè qī diǎn
a quarter to seven

六点五十分 liù diǎn wǔshí fēn
six fifty

差十分七点 chà shí fēn qī diǎn
ten to seven

13

1 阴历/农历 yīnlì/nónglì
lunar calendar

2 阳历/公历 yánglì/gōnglì
the Gregorian calendar

3 今天 jīntiān
today

4 昨天 zuótiān
yesterday

5 前天 qiántiān
the day before yesterday

6 明天 míngtiān
tomorrow

7 后天 hòutiān
the day after tomorrow

8 星期一/周一 Xīngqīyī/Zhōuyī
Monday

9 星期二/周二 Xīngqī'èr/Zhōu'èr
Tuesday

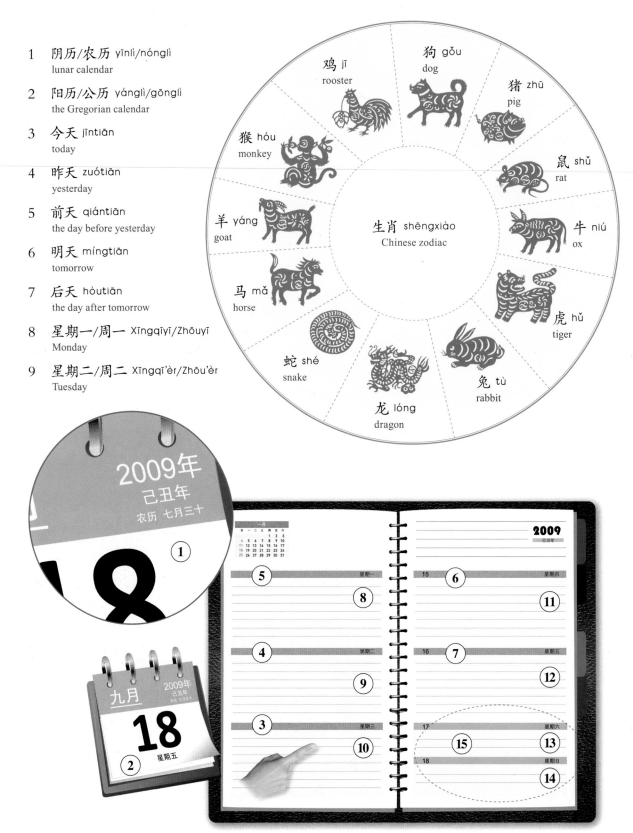

鸡 jī
rooster

狗 gǒu
dog

猪 zhū
pig

猴 hóu
monkey

鼠 shǔ
rat

生肖 shēngxiào
Chinese zodiac

羊 yáng
goat

牛 niú
ox

马 mǎ
horse

蛇 shé
snake

龙 lóng
dragon

兔 tù
rabbit

虎 hǔ
tiger

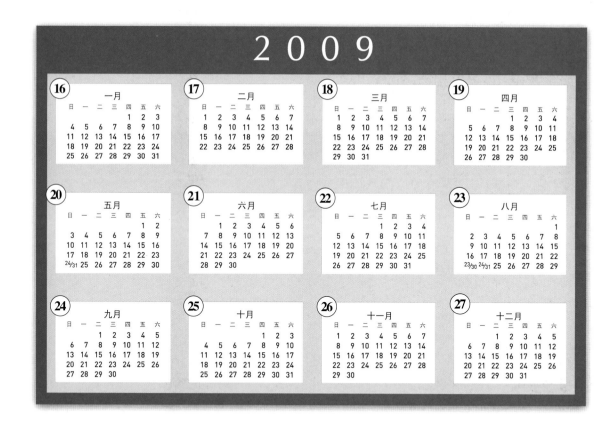

2 0 0 9

| ⑯ 一月 | ⑰ 二月 | ⑱ 三月 | ⑲ 四月 |

(2009 calendar grid, months 一月 through 十二月, numbered 16–27)

10 星期三/周三 Xīngqīsān/Zhōusān
Wednesday

11 星期四/周四 Xīngqīsì/Zhōusì
Thursday

12 星期五/周五 Xīngqīwǔ/Zhōuwǔ
Friday

13 星期六/周六 Xīngqīliù/Zhōuliù
Saturday

14 星期天/周日 Xīngqītiān/Zhōurì
Sunday

15 周末 zhōumò
weekend

16 一月 Yīyuè
January

17 二月 Èryuè
February

18 三月 Sānyuè
March

19 四月 Sìyuè
April

20 五月 Wǔyuè
May

21 六月 Liùyuè
June

22 七月 Qīyuè
July

23 八月 Bāyuè
August

24 九月 Jiǔyuè
September

25 十月 Shíyuè
October

26 十一月 Shíyīyuè
November

27 十二月 Shí'èryuè
December

北京2008年奥运会
Beijing 2008 Olympic Games

㉘ 开幕

2008 年 08 月
08 日 星期 五
20:00

28 二〇〇八年八月八日星期五晚上八点
èr líng líng bā nián Bāyuè bā rì Xīngqīwǔ wǎnshang bā diǎn
8 pm on Friday, August 8, 2008

1 元旦 Yuándàn
New Year's Day

2 除夕 chúxī
Chinese New Year's Eve

3 放鞭炮 fàng biānpào
to set off firecrackers

4 春节 Chūnjié
Chinese New Year

5 逛庙会 guàng miàohuì
to go to a temple fair

6 元宵节 Yuánxiāojié
Lantern Festival

7 焰火 yànhuǒ
fireworks

8 元宵 yuánxiāo
sticky rice balls

9 清明节 Qīngmíngjié
Tomb-Sweeping Day

10 端午节 Duānwǔjié
Dragon Boat Festival

11 赛龙舟 sài lóngzhōu
dragon boat race

12 粽子 zòngzi
sticky rice dumplings

13 七夕节 Qīxījié
Chinese Valentine's Day

14 鹊桥 quèqiáo
magpie bridge

15 中秋节 Zhōngqiūjié
Mid-Autumn Festival

16 月饼 yuèbing
mooncake

17 劳动节 Láodòngjié
Labor Day

18 国庆节 Guóqìngjié
National Day

19 阅兵式 yuèbīngshì
military parade

20 母亲节 Mǔqīnjié
Mother's Day

21 康乃馨 kāngnǎixīn
carnation

22 感恩节 Gǎn'ēnjié
Thanksgiving

23 火鸡 huǒjī
turkey

24 万圣节 Wànshèngjié
Halloween

25 南瓜灯 nánguādēng
jack-o-lantern

26 复活节 Fùhuójié
Easter

27 彩蛋 cǎidàn
Easter egg

28 情人节 Qíngrénjié
Valentine's Day

29 玫瑰 méigui
rose

30 巧克力 qiǎokèlì
chocolate

31 圣诞节 Shèngdànjié
Christmas

32 圣诞树 shèngdànshù
Christmas tree

33 圣诞老人 Shèngdàn Lǎorén
Santa Claus

16

分 fēn
fen

角 jiǎo
jiao

毛 máo
mao (vernacular form of jiao)

元/圆 yuán
yuan

块 kuài
kuai (vernacular form of yuan)

正面 zhèngmiàn
heads

 硬币 yìngbì
coin

一分 yì fēn
one *fen*

二分 èr fēn
two *fen*

五分 wǔ fēn
five *fen*

反面/背面 fǎnmiàn/bèimiàn
tails

一角 yì jiǎo
one *jiao*

五角 wǔ jiǎo
five *jiao*

一元 yì yuán
one *yuan*

二元 èr yuán
two *yuan*

五元 wǔ yuán
five *yuan*

十元 shí yuán
ten *yuan*

二十元 èrshí yuán
twenty *yuan*

五十元 wǔshí yuán
fifty *yuan*

一百元 yìbǎi yuán
one hundred *yuan*

人民币 rénmínbì
RMB

¥1.23

一块两毛三分
yí kuài liǎng máo sān fēn
one *kuai* two *mao* and three *fen*

¥19.05

十九块零五分
shíjiǔ kuài líng wǔ fēn
nineteen *kuai* and five *fen*

¥300.80

三百块零八毛
sānbǎi kuài líng bā máo
three hundred *kuai* and eight *mao*

¥5781.46

五千七百八十一块四毛六分
wǔqiān qībǎi bāshíyī kuài sì máo liù fēn
five thousand seven hundred eighty-one *kuai*
four *mao* and six *fen*

支票 zhīpiào
check

零钱 língqián
change

整钱 zhěngqián
bill

外币 wàibì
foreign currency

19

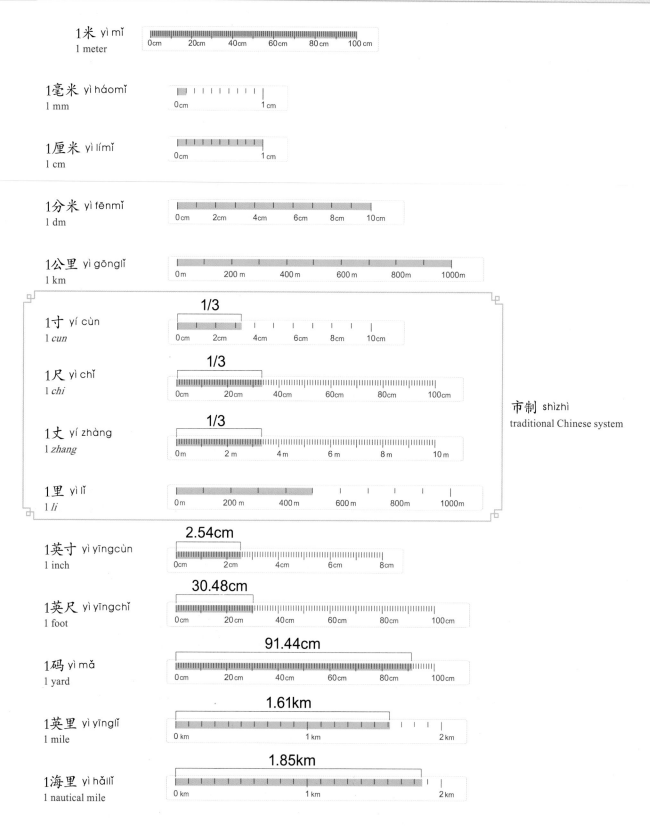

1米 yì mǐ
1 meter

1毫米 yì háomǐ
1 mm

1厘米 yì límǐ
1 cm

1分米 yì fēnmǐ
1 dm

1公里 yì gōnglǐ
1 km

1寸 yí cùn
1 cun
1/3

1尺 yì chǐ
1 chi
1/3

1丈 yí zhàng
1 zhang
1/3

1里 yì lǐ
1 li

市制 shìzhì
traditional Chinese system

1英寸 yì yīngcùn
1 inch
2.54cm

1英尺 yì yīngchǐ
1 foot
30.48cm

1码 yì mǎ
1 yard
91.44cm

1英里 yì yīnglǐ
1 mile
1.61km

1海里 yì hǎilǐ
1 nautical mile
1.85km

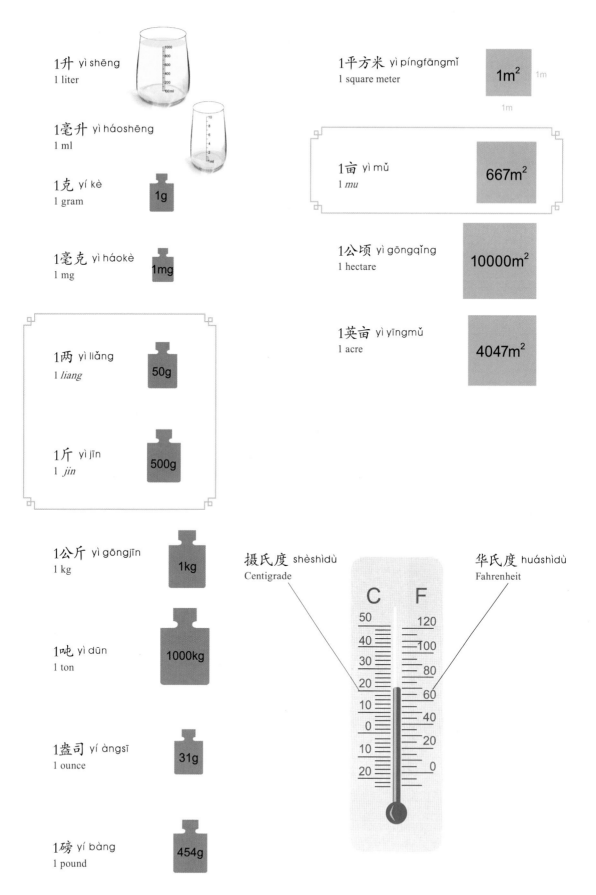

1升 yì shēng
1 liter

1毫升 yì háoshēng
1 ml

1克 yí kè
1 gram

1毫克 yì háokè
1 mg

1两 yì liǎng
1 *liang*

1斤 yì jīn
1 *jin*

1公斤 yì gōngjīn
1 kg

1吨 yì dūn
1 ton

1盎司 yí àngsī
1 ounce

1磅 yí bàng
1 pound

1平方米 yì píngfāngmǐ
1 square meter

1亩 yì mǔ
1 *mu*

1公顷 yì gōngqǐng
1 hectare

1英亩 yì yīngmǔ
1 acre

摄氏度 shèshìdù
Centigrade

华氏度 huáshìdù
Fahrenheit

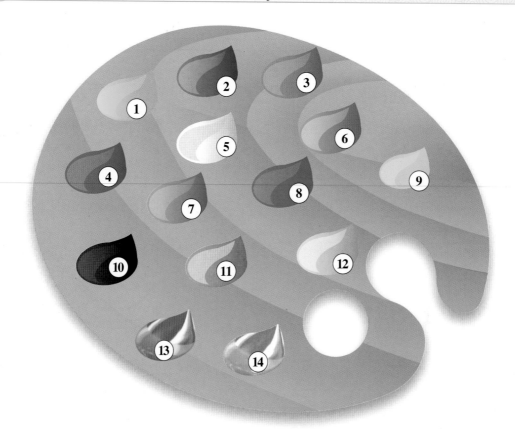

1	橙色 chéngsè orange	8	红色 hóngsè red
2	紫色 zǐsè purple	9	黄色 huángsè yellow
3	棕色 zōngsè brown	10	黑色 hēisè black
4	褐色 hèsè dark brown	11	灰色 huīsè gray
5	白色 báisè white	12	粉色 fěnsè pink
6	绿色 lǜsè green	13	金色 jīnsè gold
7	蓝色 lánsè blue	14	银色 yínsè silver

15 深色 shēnsè
dark color

16 浅色 qiǎnsè
light color

17 鲜艳 xiānyàn
bright-colored

18 暗 àn
dark-colored

19 正方形 zhèngfāngxíng
square

20 长方形 chángfāngxíng
rectangle

21 三角形 sānjiǎoxíng
triangle

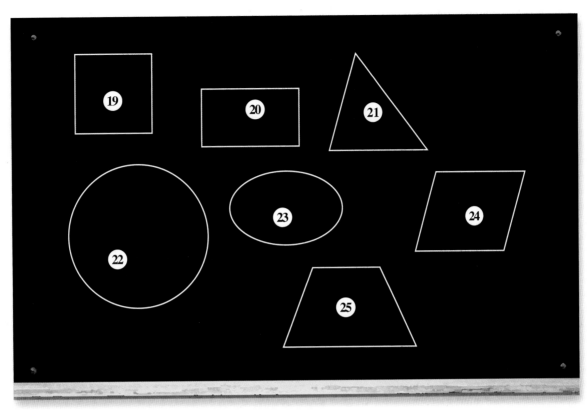

22 圆形 yuánxíng
circle

23 椭圆形 tuǒyuánxíng
oval

24 菱形 língxíng
rhombus

25 梯形 tīxíng
trapezoid

26 正方体 zhèngfāngtǐ
cube

27 长方体 chángfāngtǐ
cuboid

28 球体 qiútǐ
sphere

29 棱锥体 léngzhuītǐ
pyramid

30 圆锥体 yuánzhuītǐ
cone

31 圆柱体 yuánzhùtǐ
cylinder

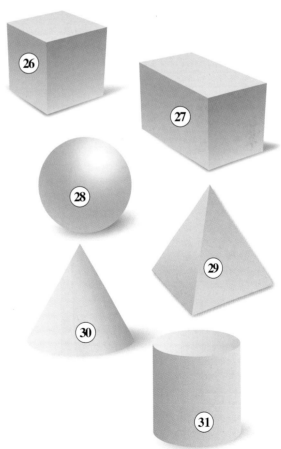

反义词语（1）
Fǎnyì Cíyǔ（1）
Opposites (1)

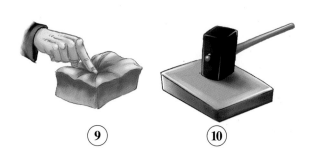

1 好 hǎo good	11 强 qiáng strong
2 坏 huài bad	12 弱 ruò weak
3 轻 qīng light	13 松 sōng loose
4 重 zhòng heavy	14 紧 jǐn tight
5 干 gān dry	15 远 yuǎn far
6 湿 shī wet	16 近 jìn near
7 香 xiāng fragrant	17 快 kuài fast
8 臭 chòu stinky	18 慢 màn slow
9 软 ruǎn soft	19 生 shēng alive
10 硬 yìng hard	20 死 sǐ dead

21 清楚 qīngchu clear	31 干净 gānjìng clean
22 模糊 móhu blurred	32 脏 zāng dirty
23 舒服 shūfu to feel good	33 粗 cū thick
24 难受 nánshòu to feel sick	34 细 xì thin
25 聪明 cōngming smart	
26 笨 bèn dumb	
27 勤快 qínkuai diligent	
28 懒 lǎn lazy	
29 便宜 piányi cheap	
30 贵 guì expensive	

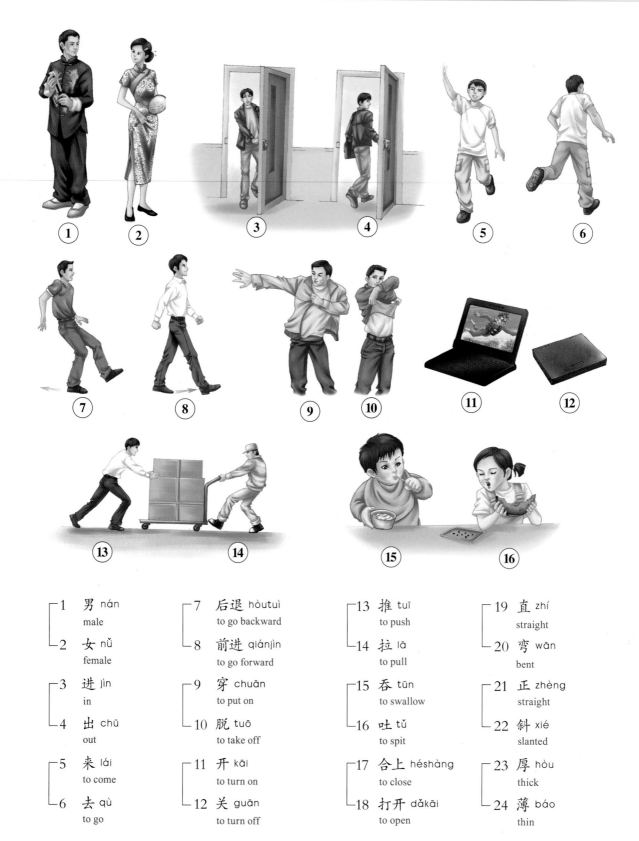

1 男 nán male	7 后退 hòutuì to go backward
2 女 nǚ female	8 前进 qiánjìn to go forward
3 进 jìn in	9 穿 chuān to put on
4 出 chū out	10 脱 tuō to take off
5 来 lái to come	11 开 kāi to turn on
6 去 qù to go	12 关 guān to turn off

13 推 tuī to push	19 直 zhí straight
14 拉 lā to pull	20 弯 wān bent
15 吞 tūn to swallow	21 正 zhèng straight
16 吐 tǔ to spit	22 斜 xié slanted
17 合上 héshàng to close	23 厚 hòu thick
18 打开 dǎkāi to open	24 薄 báo thin

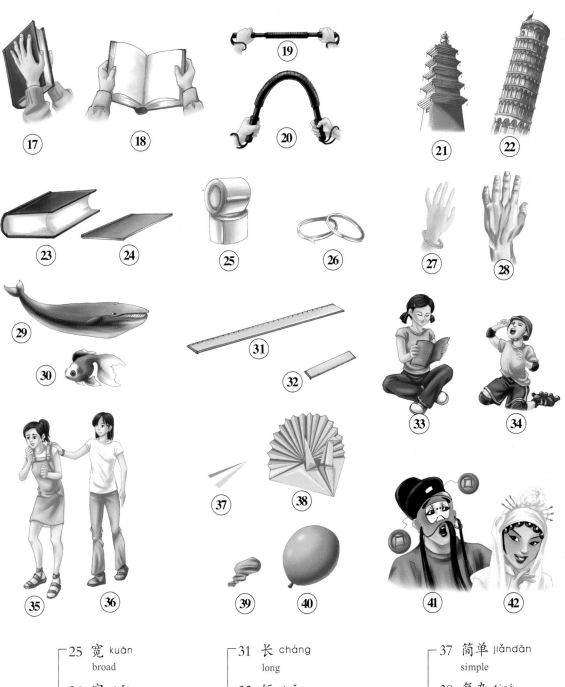

25 宽 kuān broad	31 长 cháng long	37 简单 jiǎndān simple
26 窄 zhǎi narrow	32 短 duǎn short	38 复杂 fùzá complicated
27 光滑 guānghuá smooth	33 安静 ānjìng quiet	39 扁 biǎn flat
28 粗糙 cūcāo coarse	34 吵 chǎo noisy	40 鼓 gǔ inflated
29 大 dà big	35 慌张 huāngzhāng anxious	41 难看 nánkàn ugly
30 小 xiǎo small	36 镇定 zhèndìng calm	42 漂亮 piàoliang pretty

个人简历

① 姓名：王小明		② 性别：男	
③ 年龄：35		④ 民族：汉	
⑤ 出生日期：1973年9月16日			
⑥ 籍贯：北京		⑦ 身高：182cm	
⑧ 学历：本科		⑨ 专业：法律	
⑩ 毕业院校：中国人民大学			
⑪ 健康状况：良好		⑫ 婚姻状况：已婚	
⑬ 联系方式：13031008400 ⑭		⑮ 住址：人民大学10-4-302	

1　姓名 xìngmíng name	8　学历 xuélì educational background
2　性别 xìngbié gender	9　专业 zhuānyè major
3　年龄 niánlíng age	10　毕业院校 bìyè yuànxiào Alma Mater
4　民族 mínzú ethnicity	11　健康状况 jiànkāng zhuàngkuàng health status
5　出生日期 chūshēng rìqī date of birth	12　婚姻状况 hūnyīn zhuàngkuàng marital status
6　籍贯 jíguàn family origins, place of birth	13　联系方式 liánxì fāngshì contact information
7　身高 shēngāo height	14　手机号码 shǒujī hàomǎ cellphone number

15 住址 zhùzhǐ
address

16 工作经历 gōngzuò jīnglì
work experience

17 担任职务 dānrèn zhíwù
current position

18 语言能力 yǔyán nénglì
language skills

19 兴趣爱好 xìngqù àihào
interests

20 个人特长 gèrén tècháng
special skills

21 获奖情况 huòjiǎng qíngkuàng
scholarships and awards

22 证书 zhèngshū
certificate

23 应聘职位 yìngpìn zhíwèi
the position applied for

24 人力资源部 Rénlì Zīyuán Bù
HR department

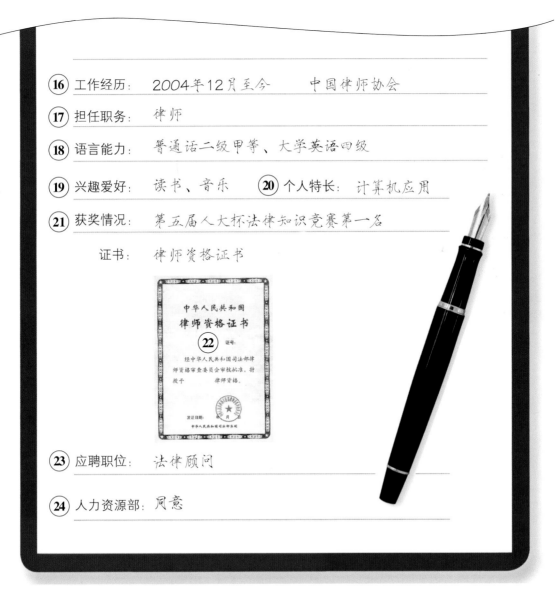

（16）工作经历：2004年12月至今　　中国律师协会

（17）担任职务：律师

（18）语言能力：普通话二级甲等、大学英语四级

（19）兴趣爱好：读书、音乐　　（20）个人特长：计算机应用

（21）获奖情况：第五届人大杯法律知识竞赛第一名

证书：律师资格证书

中华人民共和国
律师资格证书
（22）证号：

（23）应聘职位：法律顾问

（24）人力资源部：同意

证件 Zhèngjiàn
Documents

1	居民身份证 jūmín shēnfènzhèng Chinese ID card	10	警官证 jǐngguānzhèng police ID
2	户口簿 hùkǒubù residence booklet	11	护照 hùzhào passport
3	驾驶执照 jiàshǐ zhízhào driver's license	12	结婚证 jiéhūnzhèng marriage certificate
4	准考证 zhǔnkǎozhèng examination admission card	13	离婚证 líhūnzhèng divorce papers
5	出入证 chūrùzhèng pass	14	毕业证 bìyèzhèng diploma
6	会员证 huìyuánzhèng membership card	15	老年证 lǎoniánzhèng senior citizen ID
7	学生证 xuéshēngzhèng student ID	16	营业执照 yíngyè zhízhào business license
8	工作证 gōngzuòzhèng employee ID	17	会计证 kuàijìzhèng accountant's certificate
9	教师证 jiàoshīzhèng teaching certificate	18	导游证 dǎoyóuzhèng tourist guide license

①

②

③

④

⑤

⑥

⑦

⑧

⑨

⑩

⑪

⑫

⑬

⑭

(15) **(16)** **(17)** **(18)** **(19)**

(20) **(21)** **(22)** **(23)** **(24)**

19 学位证 xuéwèizhèng
degree certificate

20 律师资格证 lǜshī zīgézhèng
lawyer's certificate

21 医师资格证 yīshī zīgézhèng
medical license

22 国际旅行健康证 guójì lǚxíng jiànkāngzhèng
health certificate for international travel

23 港澳通行证 Gǎng-Ào tōngxíngzhèng
Permit for Traveling to and from Hong Kong and Macau

24 外国人就业证 wàiguórén jiùyèzhèng
alien employment permit

25 房产证 fángchǎnzhèng
deed

26 出生证明 chūshēng zhèngmíng
birth certificate

27 残疾人证 cánjírénzhèng
handicapped ID

28 外国人居留许可证 wàiguórén jūliú xǔkězhèng
residence permit for a foreigner in China

29 军官证 jūnguānzhèng
military officer ID

(25) **(26)** **(27)**

(28) **(29)**

国家和语言 Guójiā hé Yǔyán
Countries and Languages

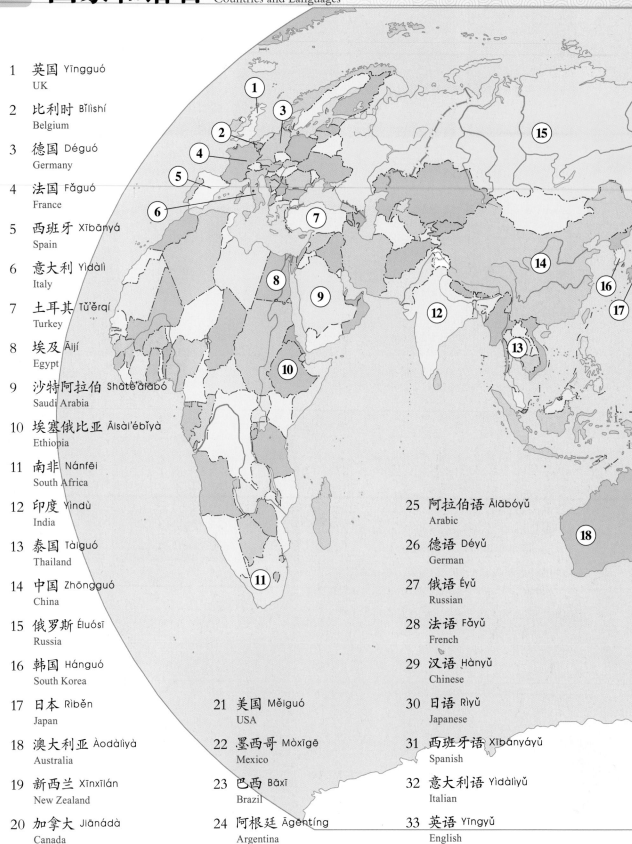

1 英国 Yīngguó
UK

2 比利时 Bǐlìshí
Belgium

3 德国 Déguó
Germany

4 法国 Fǎguó
France

5 西班牙 Xībānyá
Spain

6 意大利 Yìdàlì
Italy

7 土耳其 Tǔ'ěrqí
Turkey

8 埃及 Āijí
Egypt

9 沙特阿拉伯 Shātè'ālābó
Saudi Arabia

10 埃塞俄比亚 Āisài'ébǐyà
Ethiopia

11 南非 Nánfēi
South Africa

12 印度 Yìndù
India

13 泰国 Tàiguó
Thailand

14 中国 Zhōngguó
China

15 俄罗斯 Éluósī
Russia

16 韩国 Hánguó
South Korea

17 日本 Rìběn
Japan

18 澳大利亚 Àodàlìyà
Australia

19 新西兰 Xīnxīlán
New Zealand

20 加拿大 Jiānádà
Canada

21 美国 Měiguó
USA

22 墨西哥 Mòxīgē
Mexico

23 巴西 Bāxī
Brazil

24 阿根廷 Āgēntíng
Argentina

25 阿拉伯语 Ālābóyǔ
Arabic

26 德语 Déyǔ
German

27 俄语 Éyǔ
Russian

28 法语 Fǎyǔ
French

29 汉语 Hànyǔ
Chinese

30 日语 Rìyǔ
Japanese

31 西班牙语 Xībānyáyǔ
Spanish

32 意大利语 Yìdàlìyǔ
Italian

33 英语 Yīngyǔ
English

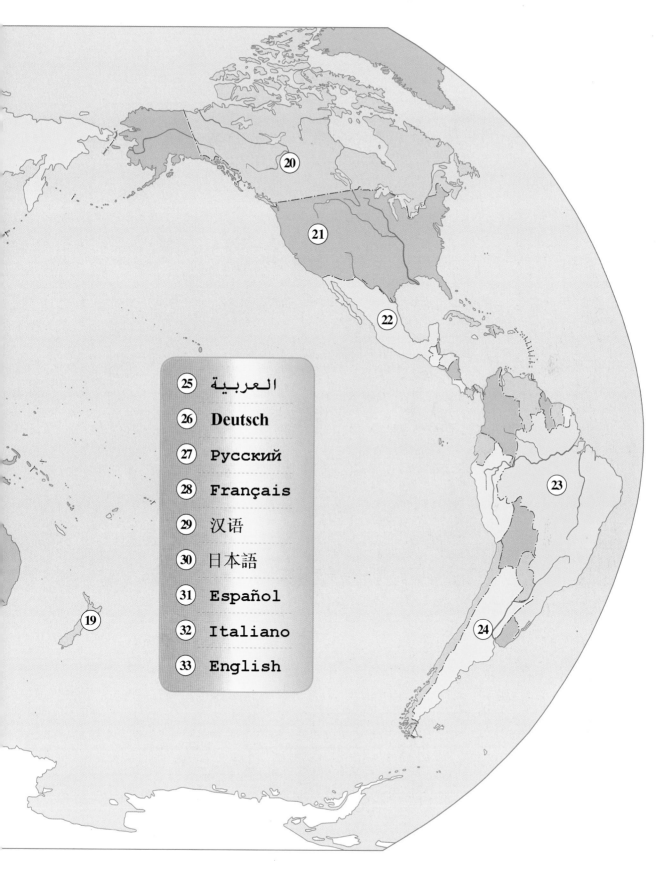

25 العربية

26 **Deutsch**

27 Русский

28 Français

29 汉语

30 日本語

31 Español

32 Italiano

33 English

1 少数民族 shǎoshù mínzú
minorities

2 蒙古族 Měnggǔzú
Mongol

3 回族 Huízú
Hui

4 藏族 Zàngzú
Tibetan

5 维吾尔族 Wéiwú'ěrzú
Uygur

6 苗族 Miáozú
Miao

7 彝族 Yízú
Yi

8 壮族 Zhuàngzú
Zhuang

9 布依族 Bùyīzú
Bouyei

10 朝鲜族 Cháoxiǎnzú
Korean

11 满族 Mǎnzú
Manchu

12 侗族 Dòngzú
Dong

13 瑶族 Yáozú
Yao

14 白族 Báizú
Bai

15 土家族 Tǔjiāzú
Tujia

16 哈尼族 Hānízú
Hani

17 哈萨克族 Hāsàkèzú
Kazak

18 傣族 Dǎizú
Dai

19 黎族 Lízú
Li

20 僳僳族 Lìsùzú
Lisu

21 佤族 Wǎzú
Va

22 畲族 Shēzú
She

23 高山族 Gāoshānzú
Gaoshan

24 拉祜族 Lāhùzú
Lahu

25 水族 Shuǐzú
Sui

26 东乡族 Dōngxiāngzú
Dongxiang

27 纳西族 Nàxīzú
Naxi

中国民族（2）

Zhōngguó Mínzú (2)

Ethnic Groups in China (2)

1 景颇族 Jǐngpōzú

Jingpo

2 柯尔克孜族

Kē'ěrkèzīzú

Kirgiz

3 土族 Tǔzú

Tu

4 达斡尔族 Dáwò'ěrzú

Daur

5 仫佬族 Mùlǎozú

Mulam

6 羌族 Qiāngzú

Qiang

7 布朗族 Bùlǎngzú

Blang

8 撒拉族 Sālāzú

Salar

9 毛南族 Máonánzú

Maonan

10 仡佬族 Gēlǎozú

Gelao

11 锡伯族 Xībózú

Xibe

12 阿昌族 Āchāngzú

Achang

13 普米族 Pǔmǐzú

Primi

14 塔吉克族 Tǎjíkèzú

Tajik

15 怒族 Nùzú

Nu

16 乌孜别克族

Wūzībiékèzú

Uzbek

17 俄罗斯族 Éluósīzú
Russian

18 鄂温克族 Èwēnkèzú
Ewenki

19 德昂族 Dé'ángzú
De'ang

20 保安族 Bǎo'ānzú
Bonan

21 裕固族 Yùgùzú
Yugur

22 京族 Jīngzú
Gin

23 塔塔尔族 Tǎtǎ'ěrzú
Tatar

24 独龙族 Dúlóngzú
Derung

25 鄂伦春族
Èlúnchūnzú
Oroqen

26 赫哲族 Hèzhézú
Hezhen

27 门巴族 Ménbāzú
Monba

28 珞巴族 Luòbāzú
Lhoba

29 基诺族 Jīnuòzú
Jino

30 汉族 Hànzú
Han

体貌 Tǐmào
Appearance

1 高 gāo
tall

2 矮 ǎi
short

3 胖 pàng
fat

4 瘦 shòu
thin

5 长相 zhǎngxiàng
appearance

6 身材 shēncái
figure

7 秃顶 tūdǐng
bald

8 戴眼镜 dài yǎnjìng
to wear glasses

9 双眼皮 shuāngyǎnpí
double-edged eyelid

10 酒窝 jiǔwō
dimples

11 高鼻梁 gāobíliáng
Roman nose (nose with a high bridge)

12 单眼皮 dānyǎnpí
single-edged eyelid

13 痣 zhì
mole

14 疤痕 bāhén
scar

15 络腮胡 luòsāihú
whiskers

16 五官端正 wǔguān duānzhèng
regular features

17 高颧骨 gāoquángǔ
high cheekbones

18 肤色 fūsè
skin color

19 柔弱 róuruò
frail

20 结实 jiēshí
tough

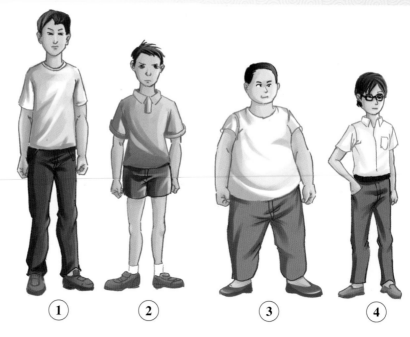

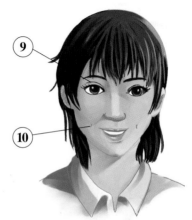

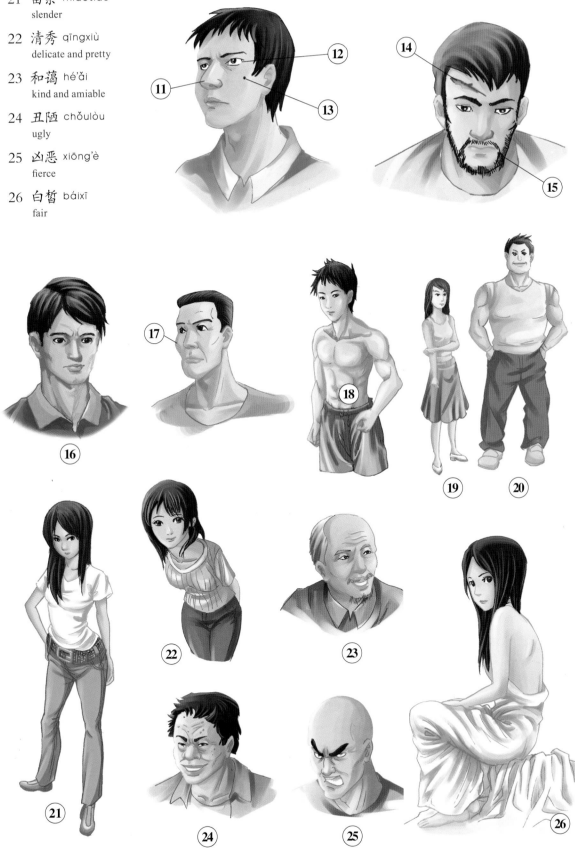

21 苗条 miáotiao
   slender

22 清秀 qīngxiù
   delicate and pretty

23 和蔼 hé'ǎi
   kind and amiable

24 丑陋 chǒulòu
   ugly

25 凶恶 xiōng'è
   fierce

26 白皙 báixī
   fair

39

1 开朗 kāilǎng
broad-minded and outspoken

2 乐观 lèguān
optimistic

3 悲观 bēiguān
pessimistic

4 外向 wàixiàng
extroverted

5 内向 nèixiàng
introverted

6 果断 guǒduàn
decisive

7 犹豫 yóuyù
irresolute

8 温和 wēnhé
mild

9 暴躁 bàozào
irritable

10 马虎/粗心 mǎhu/cūxīn
careless

11 细心 xìxīn
careful

12 沉默 chénmò
quiet

13 大胆 dàdǎn
bold

14 腼腆 miǎntiǎn
bashful

15 任性 rènxìng
self-willed, willful

16 软弱 ruǎnruò
weak

17 大方 dàfang
generous

18 小气 xiǎoqi
stingy

19 谦虚 qiānxū
modest

20 谨慎 jǐnshèn
cautious

21 自私 zìsī
selfish

22 傲慢 àomàn
arrogant

23 理智 lǐzhì
rational

24 情绪化 qíngxùhuà
emotional

25 冷静 lěngjìng
calm

26 固执 gùzhi
stubborn

27 幼稚 yòuzhì
naive

28 调皮/淘气 tiáopí/táoqì
naughty

29 听话/乖 tīnghuà/guāi
obedient

41

爱好 Àihào
Hobbies

1　唱歌 chànggē
to sing

2　跳舞 tiàowǔ
to dance

3　摄影 shèyǐng
to take photos

4　聊天儿 liáotiānr
to chat

5　看书 kànshū
to read a book

6　跑步 pǎobù
to jog

7　打球 dǎqiú
to play ball

8　踢球 tīqiú
to kick a ball

9　下棋 xiàqí
to play chess

10　看电影 kàn diànyǐng
to watch movies

11　健身 jiànshēn
body-building

12　旅游 lǚyóu
to travel

13　开车 kāichē
to drive

14　养花 yǎnghuā
to grow flowers

15 园艺 yuányì
to garden

16 逛街 guàngjiē
to shop

17 弹琴 tánqín
to play piano

18 画画儿 huàhuàr
to draw

19 拉二胡 lā èrhú
to play *erhu*

20 轮滑 lúnhuá
in-line skating

21 骑车 qíchē
to ride a bicycle

22 烹饪 pēngrèn
to cook

23 养宠物 yǎng chǒngwù
to raise a pet

24 缝纫 féngrèn
to sew

25 刺绣 cìxiù
to embroider

26 织毛衣 zhī máoyī
to knit

27 写作 xiězuò
to write

28 剪纸 jiǎnzhǐ
paper-cutting

29 集邮 jíyóu
to collect stamps

宗教 Zōngjiào
Religions

1 佛教 Fójiào
   Buddhism

2 菩萨 púsa
   Bodhisattva

3 佛 Fó
   Buddha

4 观音 Guānyīn
   Guanshiyin Bodhisattva

5 寺庙 sìmiào
   temple

6 佛经 fójīng
   sutra

7 和尚 héshang
   Buddhist monk

8 尼姑 nígū
   Buddhist nun

9 道教 Dàojiào
   Taoism

10 道观 dàoguàn
   Taoist temple

11 神仙 shénxian
   immortal being

12 道士 dàoshi
   Taoist

13 伊斯兰教 Yīsīlánjiào
   Islam

14 古兰经 Gǔlánjīng
   the Koran

15 阿訇 āhōng
   imman

16 清真寺 qīngzhēnsì
   mosque

17 穆斯林 mùsīlín
   Muslim

18 基督宗教 Jīdū Zōngjiào
   Christianity

19 上帝 Shàngdì
   God

20 教士 jiàoshì
   clergy

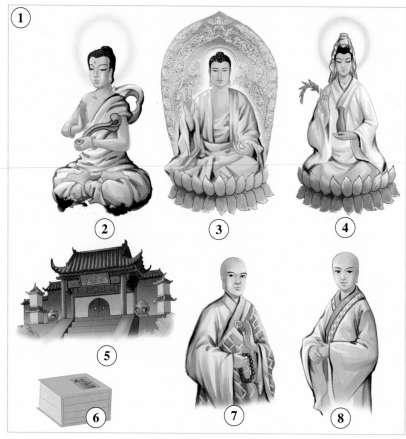

21 牧师 mùshī
priest

22 神父 shénfu
Catholic priest

23 祈祷 qídǎo
to pray

24 弥撒 mísa
Mass

25 主教 zhǔjiào
bishop

26 礼拜 lǐbài
to worship

27 圣经 Shèngjīng
the Holy Bible

28 十字架 shízìjià
cross

29 耶稣基督 Yēsū Jīdū
Jesus Christ

30 教堂 jiàotáng
church

31 东正教 Dōngzhèngjiào
Orthodoxy

32 基督教 Jīdūjiào
Protestantism

33 天主教 Tiānzhǔjiào
Catholicism

45

1	找女朋友 zhǎo nǚpéngyou to look for a girlfriend	9	订婚 dìnghūn to get engaged
2	征婚 zhēnghūn to seek marriage	10	买房子 mǎi fángzi to buy a house
3	媒人 méiren matchmaker	11	装修 zhuāngxiū to furnish
4	介绍 jièshào to introduce	12	布置新房 bùzhì xīnfáng to decorate a new home
5	相亲 xiāngqīn to meet a prospective mate for marriage	13	登记结婚 dēngjì jiéhūn to register a marriage
6	约会 yuēhuì to go on a date	14	举办婚礼 jǔbàn hūnlǐ to hold a wedding
7	谈恋爱 tán liàn'ài to be in love	15	丈夫 zhàngfu husband
8	拜见父母 bàijiàn fùmǔ to meet the parents	16	妻子 qīzi wife

17 度蜜月 dù mìyuè
to go on a honeymoon

18 回娘家 huí niángjia
to return to the bride's home

19 庆祝周年 qìngzhù zhōunián
to celebrate an anniversary

20 怀孕 huáiyùn
to be pregnant

21 生孩子 shēng háizi
to give birth to a child

22 三口之家 sānkǒu zhī jiā
a family of three

23 独生子女 dúshēngzǐnǚ
only child

24 成长 chéngzhǎng
to grow up

25 抱孙子 bào sūnzi
to have a grandchild

26 吵架 chǎojià
to quarrel

27 婚外恋 hūnwàiliàn
extra-marital affair

28 离婚 líhūn
to get divorced

29 单亲家庭 dānqīn jiātíng
single-parent family

30 再婚 zàihūn
to remarry

31 继母 jìmǔ
stepmother

32 继父 jìfù
stepfather

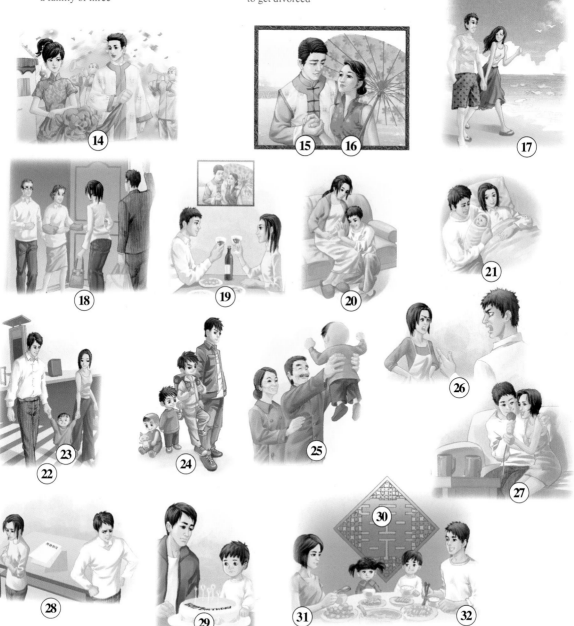

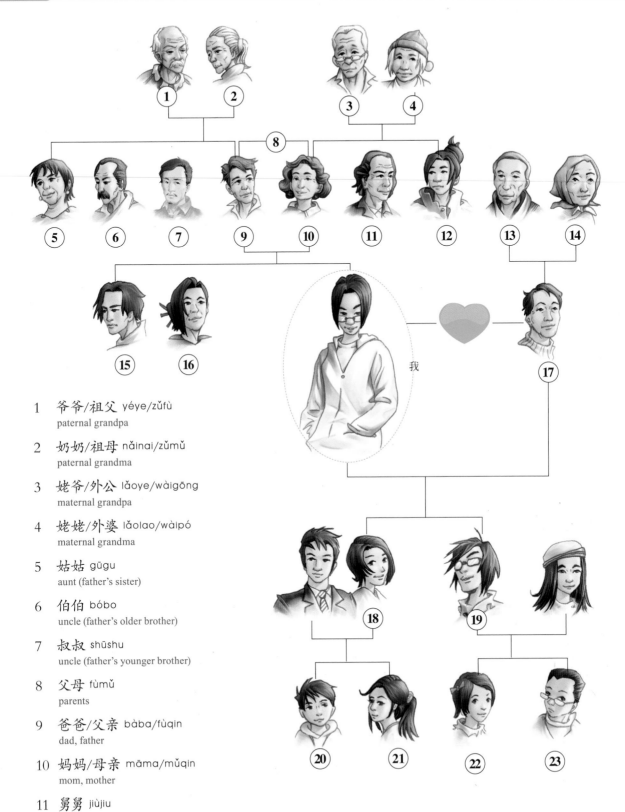

我

1 爷爷/祖父 yéye/zǔfù
paternal grandpa

2 奶奶/祖母 nǎinai/zǔmǔ
paternal grandma

3 姥爷/外公 lǎoye/wàigōng
maternal grandpa

4 姥姥/外婆 lǎolao/wàipó
maternal grandma

5 姑姑 gūgu
aunt (father's sister)

6 伯伯 bóbo
uncle (father's older brother)

7 叔叔 shūshu
uncle (father's younger brother)

8 父母 fùmǔ
parents

9 爸爸/父亲 bàba/fùqin
dad, father

10 妈妈/母亲 māma/mǔqin
mom, mother

11 舅舅 jiùjiu
uncle (mother's brother)

12 姨妈 yímā
aunt (mother's sister)

13 公公 gōnggong
father-in-law (husband's father)

14 婆婆 pópo
mother-in-law (husband's mother)

15 哥哥 gēge
older brother

16 姐姐 jiějie
older sister

17 爱人/配偶 àiren/pèi'ǒu
spouse

18 女儿 nǚ'ér
daughter

19 儿子 érzi
son

20 外孙子 wàisūnzi
grandson (daughter's son)

21 外孙女 wàisūnnǚ
granddaughter (daughter's daughter)

22 孙女 sūnnǚ
granddaughter (son's daughter)

23 孙子 sūnzi
grandson (son's son)

24 丈人/岳父 zhàngren/yuèfù
father-in-law （wife's father）

25 丈母娘/岳母 zhàngmuniáng/yuèmǔ
mother-in-law (wife's mother)

26 妹妹 mèimei
younger sister

27 弟弟 dìdi
younger brother

28 全家福 quánjiāfú
photo of the whole family

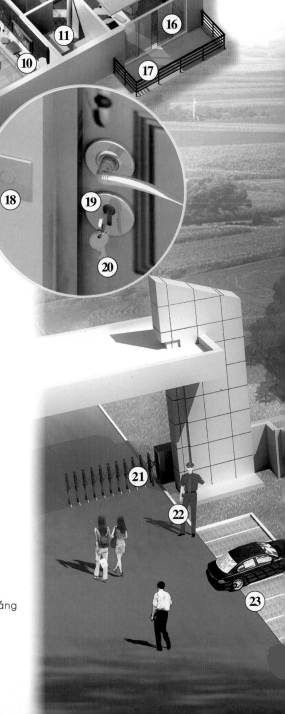

1 邻居 línjū
  neighbor

2 楼道 lóudào
  corridor

3 饭厅 fàntīng
  dining area

4 厨房 chúfáng
  kitchen

5 窗户 chuānghu
  windows

6 浴室/卫生间 yùshì/wèishēngjiān
  bathroom

7 墙壁 qiángbì
  wall

8 地板 dìbǎn
  floor

9 客厅 kètīng
  living room

10 家具 jiājù
  furniture

11 储藏室 chǔcángshì
  storage

12 天花板 tiānhuābǎn
  ceiling

13 卧室 wòshì
  bedroom

14 窗帘 chuānglián
  curtains

15 书房 shūfáng
  study room

16 玻璃 bōli
  glass

17 阳台 yángtái
  balcony

18 门铃 ménlíng
  doorbell

19 锁 suǒ
  lock

20 钥匙 yàoshi
  key

21 大门 dàmén
  front gate

22 保安 bǎo'ān
  security guard

23 停车场 tíngchēchǎng
  parking lot

24 小区 xiǎoqū
apartment complex

25 儿童游乐场 értóng yóulèchǎng
playground

26 楼 lóu
building

27 电梯 diàntī
elevator

28 楼梯 lóutī
stairs

29 窗台 chuāngtái
window sill

30 信箱 xìnxiāng
mailboxes

31 健身器材 jiànshēn qìcái
fitness equipment

32 花园 huāyuán
garden

客厅 Kètīng
Living Room

1	沙发 shāfā sofa		6	遥控器 yáokòngqì remote control
2	沙发垫 shāfādiàn sofa cushion		7	打火机 dǎhuǒjī lighter
3	靠垫 kàodiàn throw pillow		8	茶几 chájī coffee table
4	落地灯 luòdìdēng floor lamp		9	电风扇 diànfēngshàn fan
5	灯罩 dēngzhào lamp shade		10	鱼缸 yúgāng fish bowl

11 金鱼 jīnyú
goldfish

12 茶具 chájù
tea set

13 烟灰缸 yānhuīgāng
ashtray

14 吊灯 diàodēng
hanging lamp

15 摇椅 yáoyǐ
rocking chair

16 空调 kōngtiáo
air conditioner

17 观赏植物 guānshǎng zhíwù
house plant

18 花盆 huāpén
flowerpot

19 照片 zhàopiàn
photograph

20 花瓶 huāpíng
vase

21 电视机 diànshìjī
TV

22 装饰画 zhuāngshìhuà
decorative painting

23 挂钟 guàzhōng
wall clock

24 壁灯 bìdēng
wall lamp

25 开关 kāiguān
switch

26 插座 chāzuò
socket

27 插头 chātóu
plug

28 电话 diànhuà
telephone

29 电视柜 diànshìguì
TV stand

30 地毯 dìtǎn
carpet, rug

53

卧室 Wòshì
Bedroom

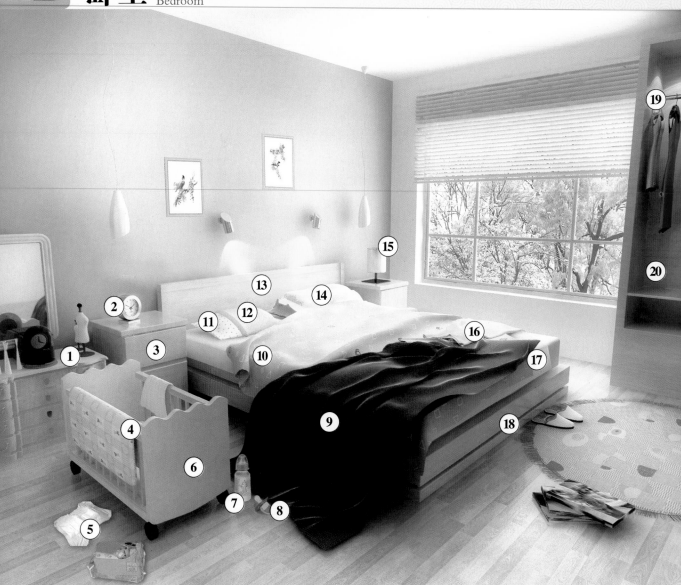

1	梳妆台 shūzhuāngtái dressing table		6	婴儿床 yīng'érchuáng crib		11	枕头 zhěntou pillow	
2	闹钟 nàozhōng alarm clock		7	奶瓶 nǎipíng feeding bottle		12	枕套 zhěntào pillowcase	
3	床头柜 chuángtóuguì bedside table		8	奶嘴 nǎizuǐ pacifier		13	床头 chuángtóu headboard	
4	褥子 rùzi padded mattress		9	床罩 chuángzhào bedspread		14	枕巾 zhěnjīn towel used to cover a pillow	
5	尿布 niàobù diaper		10	毯子 tǎnzi blanket		15	床头灯 chuángtóudēng bedside lamp	

16 睡衣 shuìyī pajamas	22 被子 bèizi quilt	28 写字台 xiězìtái desk
17 床单 chuángdān sheet	23 床垫 chuángdiàn mattress	29 台灯 táidēng desk lamp
18 床 chuáng bed	24 单人床 dānrénchuáng single bed	30 书柜 shūguì bookcase
19 衣架 yījià hanger	25 拖鞋 tuōxié slippers	31 拉手 lāshou handle
20 衣橱/衣柜 yīchú/yīguì wardrobe	26 玩具 wánjù toy	
21 被套 bèitào quilt case	27 抽屉 chōuti drawer	

1	微波炉 wēibōlú microwave oven	6	餐椅 cānyǐ dining chair	11	抹布 mābù rag
2	燃气灶 ránqìzào gas stove	7	电热水壶 diànrèshuǐhú electric kettle	12	餐巾纸 cānjīnzhǐ napkin
3	热水壶 rèshuǐhú kettle	8	桌布 zhuōbù tablecloth	13	纸杯 zhǐbēi paper cups
4	暖水瓶 nuǎnshuǐpíng thermos	9	餐桌 cānzhuō dining table	14	水龙头 shuǐlóngtóu faucet
5	抽油烟机 chōuyóuyānjī vent	10	玻璃杯 bōlibēi glass	15	自来水 zìláishuǐ tap water

16 碗架 wǎnjià
dish rack

17 水槽 shuǐcáo
sink

18 洗碗机 xǐwǎnjī
dishwasher

19 椅垫 yǐdiàn
cushion

20 管道 guǎndào
pipe

21 烤箱 kǎoxiāng
toaster oven

22 橱柜 chúguì
cabinet

23 冷冻室 lěngdòngshì
freezer

24 冷藏室 lěngcángshì
refrigerator

25 围裙 wéiqún
apron

26 冰箱 bīngxiāng
fridge

27 饮水机 yǐnshuǐjī
drinking fountain

28 热水 rèshuǐ
hot water

29 冷水 lěngshuǐ
cold water

30 暖气 nuǎnqì
heater

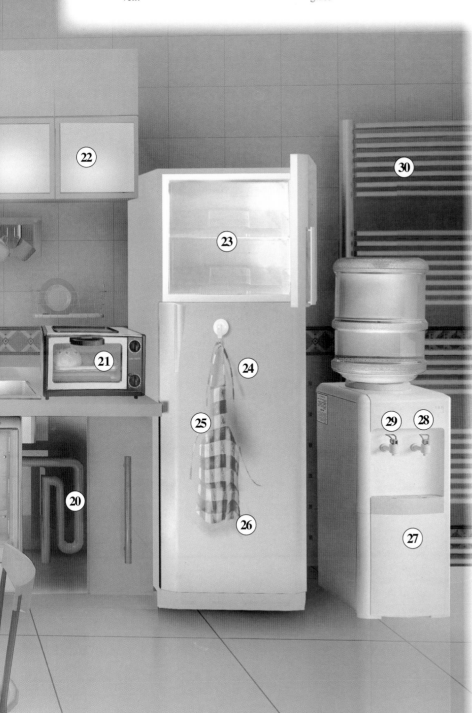

厨房用品

Chúfáng Yòngpǐn

Kitchen Supplies

1	**面板** miànbǎn pastry board	6	**漏勺** lòusháo skimmer	11	**煮锅** zhǔguō stock pot
2	**擀面杖** gǎnmiànzhàng rolling pin	7	**汤勺** tāngsháo ladle	12	**奶锅** nǎiguō saucepan
3	**锅盖** guōgài lid	8	**高压锅** gāoyāguō pressure cooker	13	**平底锅** píngdǐguō frying pan
4	**电磁炉** diàncílú electromagnetic stove	9	**炒锅** chǎoguō wok	14	**保鲜盒** bǎoxiānhé plastic food container
5	**锅铲** guōchǎn spatula	10	**蒸锅** zhēngguō steamer	15	**保鲜袋** bǎoxiāndài food bag

16 调料罐 tiáoliàoguàn
spice jar

17 榨汁机 zhàzhījī
blender

18 电饭煲 diànfànbāo
rice cooker

19 蒸笼 zhēnglóng
bamboo steamer

20 饭勺 fànsháo
rice paddle

21 洗洁精 xǐjiéjīng
dishwashing liquid

22 洗碗布 xǐwǎnbù
dishwashing cloth

23 刀架 dāojià
knife block

24 菜板 càibǎn
cutting board

25 保鲜膜 bǎoxiānmó
plastic wrap

26 砂锅 shāguō
casserole

27 开罐器 kāiguànqì
can opener

28 削皮器 xiāopíqì
peeler

29 菜刀 càidāo
cleaver

30 起子 qǐzi
bottle opener

31 水果刀 shuǐguǒdāo
fruit knife

浴室 Yùshì
Bathroom

1 浴帘 yùlián
shower curtain

2 排水孔 páishuǐkǒng
drain

3 脚踏垫 jiǎotàdiàn
bath rug

4 地漏 dìlòu
floor drain

5 浴缸 yùgāng
bathtub

6 马桶 mǎtǒng
toilet

7 马桶圈 mǎtǒngquān
toilet seat

8 马桶盖 mǎtǒnggài
toilet cover

9 水箱 shuǐxiāng
toilet tank

10 垃圾桶 lājītǒng
garbage can

11 垃圾袋 lājīdài
garbage bag

12 卫生纸 wèishēngzhǐ
toilet paper

13 架子 jiàzi
rack

14 毛巾 máojīn
towel

15 挂钩 guàgōu
hook

16 浴巾 yùjīn
bath towel

17 喷头 pēntóu
nozzle

18 热水器 rèshuǐqì
water heater

19 镜子 jìngzi
mirror

20 卫生巾 wèishēngjīn
sanitary napkin

21 瓷砖 cízhuān
tile

22 浴帽 yùmào
shower cap

23 洗手池 xǐshǒuchí
sink

24 马桶刷 mǎtǒngshuā
toilet brush

25 撅子 chuāizi
plunger

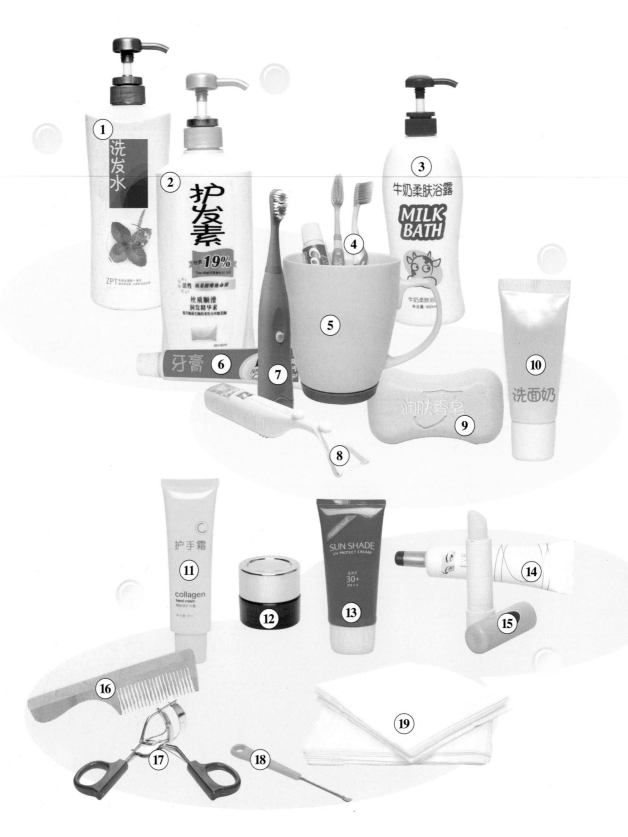

19 面巾纸 miànjīnzhǐ
face tissues

20 眼影 yǎnyǐng
eye shadow

21 眼线笔 yǎnxiànbǐ
eye liner

22 睫毛膏 jiémáogāo
mascara

23 眉笔 méibǐ
eyebrow pencil

24 口红 kǒuhóng
lipstick

25 粉饼 fěnbǐng
powder

26 粉底液 fěndǐyè
foundation

27 香水 xiāngshuǐ
perfume

28 腮红 sāihóng
blush

29 粉扑 fěnpū
make-up sponge

30 化妆刷 huàzhuāngshuā
face brush

31 刮胡刀 guāhúdāo
razor

32 电动剃须刀 diàndòng tìxūdāo
electric razor

1 洗发水 xǐfàshuǐ
shampoo

2 护发素 hùfàsù
conditioner

3 浴液 yùyè
body wash

4 牙刷 yáshuā
toothbrush

5 漱口杯 shùkǒubēi
rinsing cup

6 牙膏 yágāo
toothpaste

7 电动牙刷 diàndòng yáshuā
electric toothbrush

8 牙线 yáxiàn
dental floss

9 香皂 xiāngzào
soap

10 洗面奶 xǐmiànnǎi
facial cleanser

11 护手霜 hùshǒushuāng
hand cream

12 面霜 miànshuāng
facial cream

13 防晒霜 fángshàishuāng
sunscreen

14 眼霜 yǎnshuāng
eye cream

15 润唇膏 rùnchúngāo
chapstick

16 梳子 shūzi
comb

17 睫毛夹 jiémáojiā
eyelash curler

18 耳挖勺儿 ěrwāsháor
earpick

63

清洁用品

1 熨斗 yùndǒu
iron

2 熨衣板 yùnyībǎn
ironing board

3 海绵 hǎimián
sponge

4 塑胶手套 sùjiāo shǒutào
rubber gloves

5 吸尘器 xīchénqì
vacuum cleaner

6 苍蝇拍 cāngyingpāi
flyswatter

7 鸡毛掸子 jīmáo dǎnzi
feather duster

8 鞋刷 xiéshuā
shoe shining brush

9 鞋油 xiéyóu
shoe polish

10 樟脑球 zhāngnǎoqiú
moth ball

11 玻璃刮 bōliguā
squeegee

12 玻璃水 bōlishuǐ
glass cleaner

13 晾衣架 liàngyījià
drying rack

14 柔顺剂 róushùnjì
fabric softener

15 衣领净 yīlǐngjìng
collar cleanser

16 杀虫剂 shāchóngjì
bug spray

17 漂白剂 piǎobáijì
bleach

18 洁厕灵 jiécèlíng
toilet cleaner

19 地板蜡 dìbǎnlà
floor wax

20 去污粉 qùwūfěn
cleanser

21 刷子 shuāzi
brush

22 簸箕 bòji
dustpan

23 扫帚 sàozhou
broom

24 水桶 shuǐtǒng
bucket

25 墩布/拖把 dūnbù/tuōbǎ
mop

26 洗衣粉 xǐyīfěn
laundry detergent

27 洗衣盆 xǐyīpén
laundry basin

28 搓衣板 cuōyībǎn
washboard

居家生活 Jūjiā Shēnghuó
Family Life

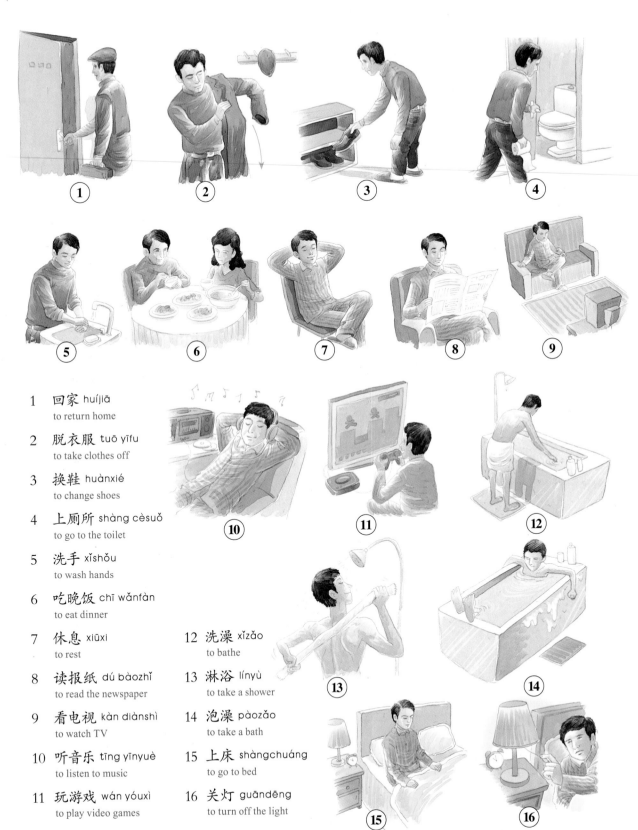

1　回家 huíjiā
to return home

2　脱衣服 tuō yīfu
to take clothes off

3　换鞋 huànxié
to change shoes

4　上厕所 shàng cèsuǒ
to go to the toilet

5　洗手 xǐshǒu
to wash hands

6　吃晚饭 chī wǎnfàn
to eat dinner

7　休息 xiūxi
to rest

8　读报纸 dú bàozhǐ
to read the newspaper

9　看电视 kàn diànshì
to watch TV

10　听音乐 tīng yīnyuè
to listen to music

11　玩游戏 wán yóuxì
to play video games

12　洗澡 xǐzǎo
to bathe

13　淋浴 línyù
to take a shower

14　泡澡 pàozǎo
to take a bath

15　上床 shàngchuáng
to go to bed

16　关灯 guāndēng
to turn off the light

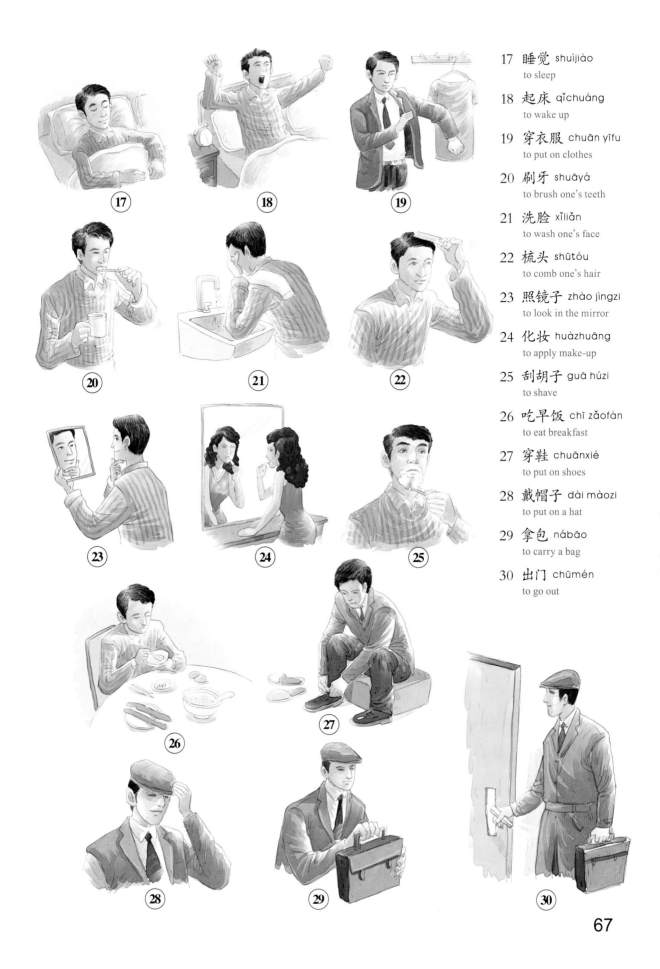

17 睡觉 shuìjiào
to sleep

18 起床 qǐchuáng
to wake up

19 穿衣服 chuān yīfu
to put on clothes

20 刷牙 shuāyá
to brush one's teeth

21 洗脸 xǐliǎn
to wash one's face

22 梳头 shūtóu
to comb one's hair

23 照镜子 zhào jìngzi
to look in the mirror

24 化妆 huàzhuāng
to apply make-up

25 刮胡子 guā húzi
to shave

26 吃早饭 chī zǎofàn
to eat breakfast

27 穿鞋 chuānxié
to put on shoes

28 戴帽子 dài màozi
to put on a hat

29 拿包 nábāo
to carry a bag

30 出门 chūmén
to go out

家务琐事

Jiāwù Suǒshì

Household Chores

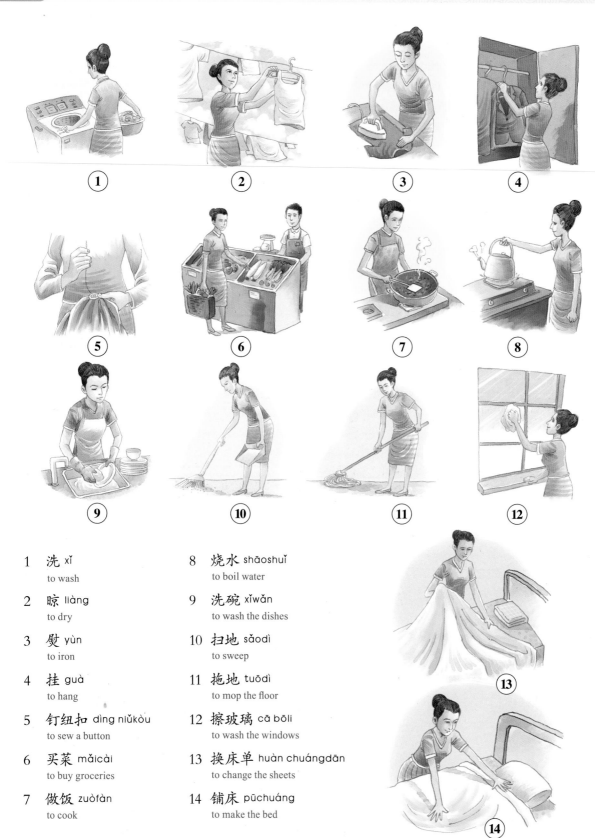

1	洗 xǐ to wash	8	烧水 shāoshuǐ to boil water
2	晾 liàng to dry	9	洗碗 xǐwǎn to wash the dishes
3	熨 yùn to iron	10	扫地 sǎodì to sweep
4	挂 guà to hang	11	拖地 tuōdì to mop the floor
5	钉纽扣 dìng niǔkòu to sew a button	12	擦玻璃 cā bōli to wash the windows
6	买菜 mǎicài to buy groceries	13	换床单 huàn chuángdān to change the sheets
7	做饭 zuòfàn to cook	14	铺床 pūchuáng to make the bed

15 叠被子 dié bèizi
to fold a quilt

16 吸尘 xīchén
to vacuum

17 刷马桶 shuā mǎtǒng
to clean the toilet

18 倒垃圾 dào lājī
to empty the dustpan

19 扔垃圾 rēng lājī
to take out the garbage

20 除尘 chúchén
to dust

21 浇花 jiāohuā
to water the plant

22 喂狗 wèigǒu
to feed the dog

23 换灯泡 huàn dēngpào
to change a light bulb

24 修自行车 xiū zìxíngchē
to repair the bike

25 交水电费 jiāo shuǐdiànfèi
to pay water and electricity bills

26 搬家 bānjiā
to move

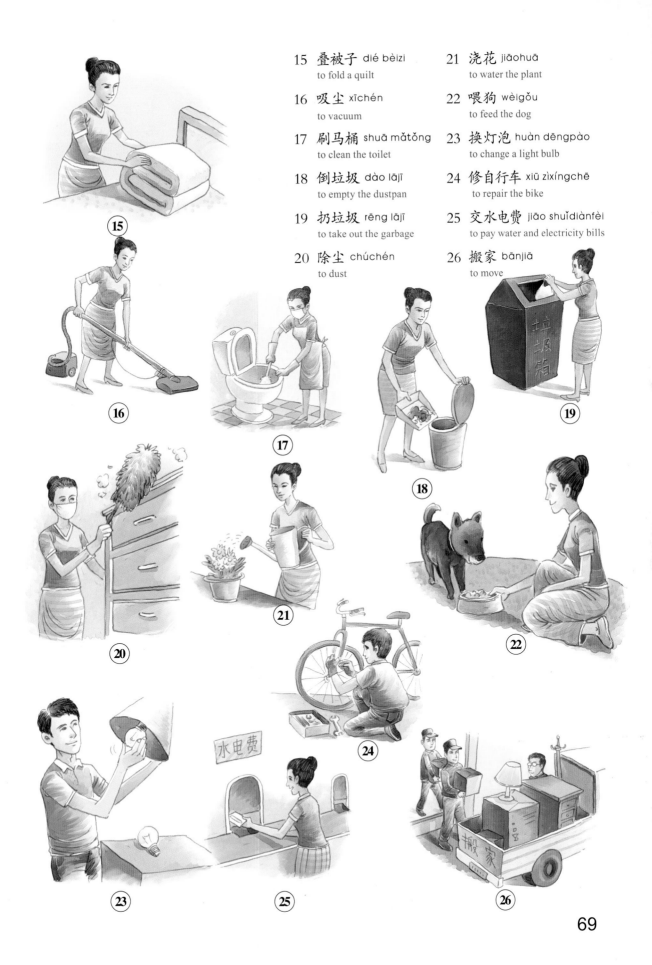

抚养孩子 Fǔyǎng Háizi
Raising a Child

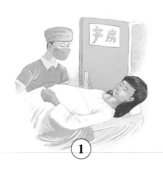
1

2

3

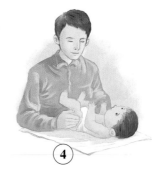
4

5

6

7

1 生育 shēngyù
   to give birth

2 哺乳 bǔrǔ
   to nurse

3 喂饭 wèifàn
   to feed

4 换尿布 huàn niàobù
   to change diapers

5 给孩子洗澡 gěi háizi xǐzǎo
   to bathe the child

6 给孩子穿衣服 gěi háizi chuān yīfu
   to dress the child

7 哄孩子睡觉 hǒng háizi shuìjiào
   to nurse the child to sleep

8 讲故事 jiǎng gùshi
   to tell a story

9 唱摇篮曲 chàng yáolánqǔ
   to sing a lullaby

10 买玩具 mǎi wánjù
   to buy toys

11 陪孩子玩儿 péi háizi wánr
   to play with the child

12 带孩子看医生 dài háizi kàn yīshēng
   to bring the child to see the doctor

13 去公园 qù gōngyuán
   to go to the park

14 送孩子 sòng háizi
   to bring the child to school

15 接孩子 jiē háizi
   to pick up the child from school

8

9

10

11

12

13

70

16 辅导 fǔdǎo
to tutor

17 帮助 bāngzhù
to help

18 保护 bǎohù
to protect

19 鼓励 gǔlì
to encourage

20 新生儿 xīnshēng'ér
newborn

21 婴儿 yīng'ér
infant

22 儿童 értóng
child

23 少年 shàonián
adolescent

24 青年 qīngnián
young adult

25 中年 zhōngnián
middle-aged

26 老年 lǎonián
elderly

婚礼与葬礼
Hūnlǐ yǔ Zànglǐ
Weddings and Funerals

1	婚礼 hūnlǐ wedding	6	婚纱 hūnshā wedding dress	11	宴席 yànxí banquet
2	新娘 xīnniáng bride	7	伴娘 bànniáng bridesmaid	12	宾客 bīnkè guest
3	新郎 xīnláng groom	8	结婚戒指 jiéhūn jièzhi wedding ring	13	红包 hóngbāo red envelope
4	伴郎 bànláng best man	9	婚纱照 hūnshāzhào wedding photo	14	摄像 shèxiàng to record
5	礼服 lǐfú tuxedo	10	主持人 zhǔchírén master of ceremonies	15	敬酒 jìngjiǔ to toast
				16	闹洞房 nào dòngfáng to tease the newly-weds

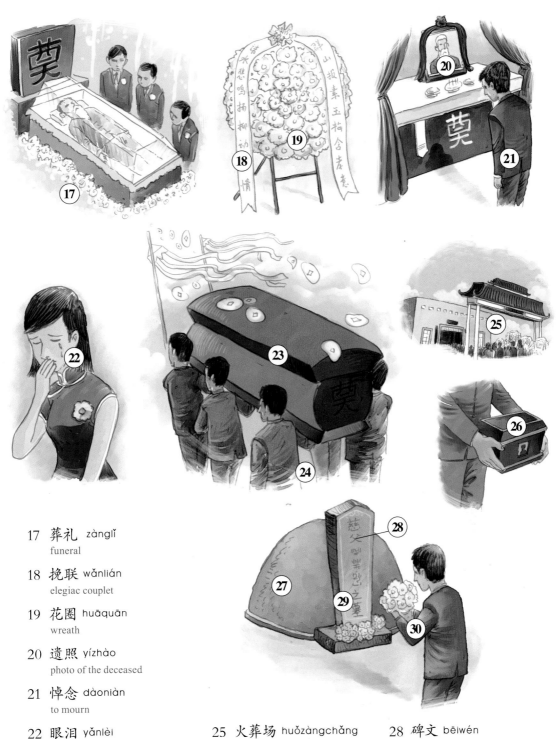

17 葬礼 zànglǐ
   funeral

18 挽联 wǎnlián
   elegiac couplet

19 花圈 huāquān
   wreath

20 遗照 yízhào
   photo of the deceased

21 悼念 dàoniàn
   to mourn

22 眼泪 yǎnlèi
   tears

23 棺材 guāncai
   coffin

24 送葬 sòngzàng
   to join a funeral procession

25 火葬场 huǒzàngchǎng
   crematorium

26 骨灰盒 gǔhuīhé
   urn

27 坟墓 fénmù
   grave

28 碑文 bēiwén
   inscription

29 墓碑 mùbēi
   tombstone

30 献花 xiànhuā
   to present flowers

73

家庭聚会 Jiātíng Jùhuì
Special Occasions

1 生日晚会 shēngrì wǎnhuì
birthday party

2 蜡烛 làzhú
candle

3 生日蛋糕 shēngrì dàngāo
birthday cake

4 生日卡 shēngrìkǎ
birthday card

5 唱生日歌 chàng shēngrìgē
to sing Happy Birthday

6 生日礼物 shēngrì lǐwù
birthday gift

7 祝寿 zhùshòu
to celebrate an elder's birthday

8 长寿面 chángshòumiàn
longevity noodles

9 寿星 shòuxing
person having birthday

10 寿桃 shòutáo
peach-shaped birthday cake

11 过年 guònián
to celebrate lunar New Year

12 福字 fúzì
happiness character

13 窗花 chuānghuā
paper-cuts

14 春联 chūnlián
New Year's couplets

15 鞭炮 biānpào
firecrackers

16 烟花 yānhuā
fireworks

17 打扫 dǎsǎo
to clean

18 包饺子 bāo jiǎozi
to make dumplings

19 打麻将 dǎ májiàng
to play mahjong

20 玩牌 wánpái
to play cards

21 倒数 dàoshǔ
to countdown

22 新年钟声 xīnnián zhōngshēng
New Year's bell

23 吃年夜饭 chī niányèfàn
to eat New Year's Eve dinner

24 团圆 tuányuán
to hold a reunion

25 拜年 bàinián
to give New Year greetings

26 长辈 zhǎngbèi
elder

27 晚辈 wǎnbèi
younger person

28 压岁钱 yāsuìqián
money given to children
as a lunar New Year gift

学校 Xuéxiào
Schools

1 家长 jiāzhǎng
parent

2 小朋友 xiǎopéngyou
little kid

3 幼儿园 yòu'éryuán
nursery school

4 幼师 yòushī
nursery school teacher

5 学前班 xuéqiánbān
preschool

6 小学 xiǎoxué
primary school

7 小学生 xiǎoxuéshēng
primary school student

8 中学 zhōngxué
secondary school

9 初中 chūzhōng
junior high school

10 高中 gāozhōng
senior high school

11 中学生 zhōngxuéshēng
secondary school student

12 老师 lǎoshī
teacher

13 职业高中 zhíyè gāozhōng
vocational high school

14 技术学校 jìshù xuéxiào
technical school

15 大学 dàxué
university

16 大学生 dàxuéshēng
college student

17 教授 jiàoshòu
professor

18 研究生院 yánjiūshēngyuàn
graduate school

19 硕士 shuòshì
Masters

20 学位 xuéwèi
degree

21 博士 bóshì
Ph.D.

22 博士后 bóshìhòu
postdoctoral

23 美术学院 měishù xuéyuàn
academy of fine arts

24 军事学院 jūnshì xuéyuàn
military academy

25 外语学院 wàiyǔ xuéyuàn
institute of foreign languages

26 音乐学院 yīnyuè xuéyuàn
conservatory of music

27 体育学院 tǐyù xuéyuàn
institute of physical education

28 师范学院 shīfàn xuéyuàn
normal university

29 舞蹈学院 wǔdǎo xuéyuàn
dance academy

30 戏剧学院 xìjù xuéyuàn
drama school

校园 Xiàoyuán
Campus

1	校门 xiàomén school gate	7	教师餐厅 jiàoshī cāntīng teachers' cafeteria	13	礼堂 lǐtáng auditorium
2	传达室 chuándáshì reception	8	男生宿舍 nánshēng sùshè boys' dorm	14	图书馆 túshūguǎn library
3	校车 xiàochē school bus	9	女生宿舍 nǚshēng sùshè girls' dorm	15	篮球场 lánqiúchǎng basketball court
4	公告栏 gōnggàolán bulletin board	10	教师宿舍 jiàoshī sùshè teachers' accommodations	16	体育馆 tǐyùguǎn stadium
5	教学楼 jiàoxuélóu academic building	11	足球场 zúqiúchǎng football pitch	17	教室 jiàoshì classroom
6	学生食堂 xuéshēng shítáng student cafeteria	12	操场 cāochǎng playground	18	教师办公室 jiàoshī bàngōngshì teacher's office

19 教务处 jiàowùchù
registrar's office

20 招生办公室
zhāoshēng bàngōngshì
admissions office

21 校长室 xiàozhǎngshì
headmaster's office

22 音乐教室 yīnyuè jiàoshì
music classroom

23 阶梯教室 jiētī jiàoshì
lecture theatre

24 实验室 shíyànshì
laboratory

25 机房 jīfáng
computer room

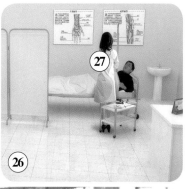

26 医务室 yīwùshì
clinic

27 校医 xiàoyī
school nurse

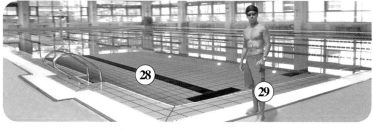

28 游泳池 yóuyǒngchí
swimming pool

29 教练 jiàoliàn
coach

图书馆 Túshūguǎn
Library

1 阅览室 yuèlǎnshì
reading room

2 百科全书 bǎikē quánshū
encyclopedias

3 论文 lùnwén
research papers

4 期刊 qīkān
periodical

5 画册 huàcè
picture book

6 借书证 jièshūzhèng
library card

7 杂志 zázhì
magazine

8 报纸 bàozhǐ
newspaper

9 借书处 jièshūchù
check-out desk

10 词典 cídiǎn
dictionary

11 出版社 chūbǎnshè
publisher

12 书 shū
book

13 书名 shūmíng
title

14 作者 zuòzhě
author

15 还书处 huánshūchù
returns desk

16 损坏 sǔnhuài
to be damaged

17 电子期刊 diànzǐ qīkān
electronic journal

18 检索 jiǎnsuǒ
to search

19 复印室 fùyìnshì
photocopying room

20 小说 xiǎoshuō
novel

21 书架 shūjià
book shelf

22 工具书 gōngjùshū
reference books

23 图书管理员 túshū guǎnlǐyuán
librarian

24 借书 jièshū
to borrow

25 还书 huánshū
to return

26 遗失 yíshī
to be lost

27 罚款 fákuǎn
fine

28 过期 guòqī
to be overdue

29 续借 xùjiè
to renew

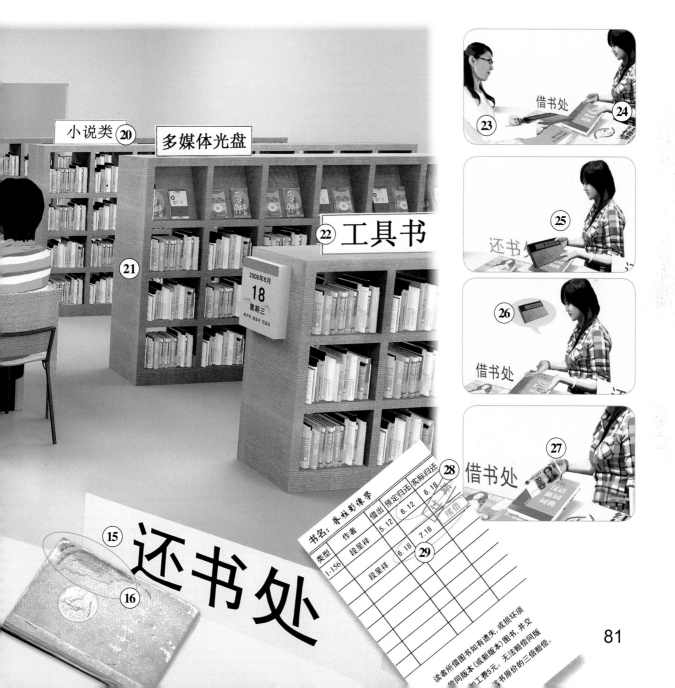

81

课程专业 Kèchéng Zhuānyè
Curricula and Majors

1 课程表 kèchéngbiǎo
schedule

2 数学 shùxué
mathematics

3 语文 yǔwén
Chinese language

4 外语 wàiyǔ
foreign language

5 历史 lìshǐ
history

6 音乐 yīnyuè
music

7 地理 dìlǐ
geography

8 体育 tǐyù
physical education

9 物理 wùlǐ
physics

10 政治 zhèngzhì
politics

11 美术 měishù
art

12 化学 huàxué
chemistry

13 生物 shēngwù
biology

① 课程表（初中二年级）

		星期一	星期二	星期三	星期四	星期五
上午		数学 ②	政治	数学	化学	语文 ③
		生物	历史	外语 ④	历史 ⑤	生物
		外语	语文	生物	数学	音乐 ⑥
		历史	数学	物理	地理 ⑦	外语
下午		语文	体育 ⑧	音乐	物理 ⑨	政治 ⑩
		数学	外语	语文	美术 ⑪	化学 ⑫
		地理	音乐	政治	生物 ⑬	数学

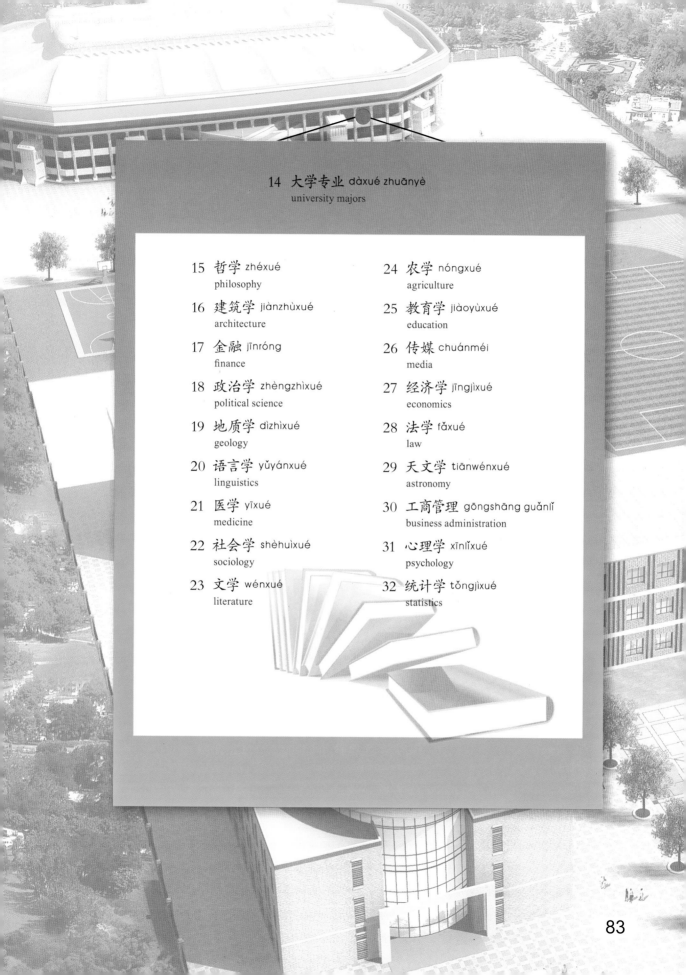

14 大学专业 dàxué zhuānyè
university majors

15 哲学 zhéxué
philosophy

16 建筑学 jiànzhùxué
architecture

17 金融 jīnróng
finance

18 政治学 zhèngzhìxué
political science

19 地质学 dìzhìxué
geology

20 语言学 yǔyánxué
linguistics

21 医学 yīxué
medicine

22 社会学 shèhuìxué
sociology

23 文学 wénxué
literature

24 农学 nóngxué
agriculture

25 教育学 jiàoyùxué
education

26 传媒 chuánméi
media

27 经济学 jīngjìxué
economics

28 法学 fǎxué
law

29 天文学 tiānwénxué
astronomy

30 工商管理 gōngshāng guǎnlǐ
business administration

31 心理学 xīnlǐxué
psychology

32 统计学 tǒngjìxué
statistics

学生生活 Xuéshēng Shēnghuó
Student Life

1	上学 shàngxué to go to school	6	自习 zìxí to study by oneself	11	交学费 jiāo xuéfèi to pay tuition
2	上课 shàngkè to have a class	7	课外活动 kèwài huódòng extra-curricular activities	12	开学 kāixué to start school
3	下课 xiàkè to finish a class	8	放学 fàngxué to finish school	13	期中考试 qīzhōng kǎoshì mid-term exam
4	课间休息 kèjiān xiūxi break between classes	9	上补习班 shàng bǔxíbān to go to a tutorial class	14	期末考试 qīmò kǎoshì final exam
5	午休 wǔxiū lunch break	10	报到注册 bàodào zhùcè to register	15	寒假 hánjià winter vacation

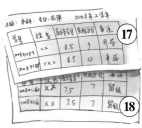

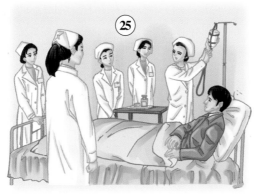

16 暑假 shǔjià summer vacation	20 高考/考大学 gāokǎo/kǎo dàxué college entrance exam	24 毕业 bìyè to graduate
17 升学 shēngxué to graduate to a higher school	21 落榜 luòbǎng to fail	25 实习 shíxí to do an internship
18 留级 liújí to repeat a grade	22 考研 kǎoyán graduate program entrance exam	26 就业 jiùyè to be employed
19 中考 zhōngkǎo high school entrance exam	23 考博 kǎobó Ph.D. program entrance exam	

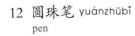

1 书包 shūbāo
backpack

2 水彩笔 shuǐcǎibǐ
watercolors

3 图画本 túhuàběn
sketch pad

4 课本 kèběn
textbook

5 文具盒 wénjùhé
pencil case

6 铅笔 qiānbǐ
pencil

7 卷笔刀/转笔刀 juǎnbǐdāo/zhuànbǐdāo
pencil sharpener

8 自动铅笔 zìdòng qiānbǐ
automatic pencil

9 笔芯 bǐxīn
pencil lead

10 钢笔 gāngbǐ
fountain-pen

11 墨水 mòshuǐ
pen ink

12 圆珠笔 yuánzhūbǐ
pen

13 墨汁 mòzhī
Chinese calligraphy ink

14 毛笔 máobǐ
calligraphy brush

15 尺子 chǐzi
ruler

16 三角尺 sānjiǎochǐ
protractor

17 圆规 yuánguī
compasses

18 剪刀 jiǎndāo
scissors

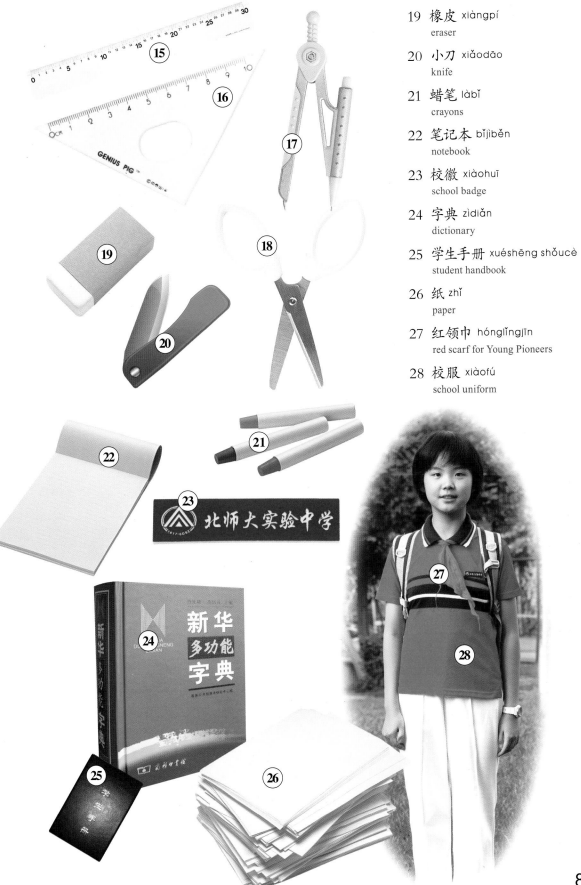

19 橡皮 xiàngpí
eraser

20 小刀 xiǎodāo
knife

21 蜡笔 làbǐ
crayons

22 笔记本 bǐjìběn
notebook

23 校徽 xiàohuī
school badge

24 字典 zìdiǎn
dictionary

25 学生手册 xuéshēng shǒucè
student handbook

26 纸 zhǐ
paper

27 红领巾 hónglǐngjīn
red scarf for Young Pioneers

28 校服 xiàofú
school uniform

教室和实验室

1　**屏幕** píngmù screen	7　**激光笔** jīguāngbǐ laser pointer
2　**黑板** hēibǎn blackboard	8　**粉笔** fěnbǐ chalk
3　**高中一年级二班** gāozhōng yī niánjí èr bān first year high school Class 2	9　**幻灯机** huàndēngjī slide projector
4　**黑板擦** hēibǎncā blackboard eraser	10　**课桌** kèzhuō desk
5　**教鞭** jiàobiān pointer	11　**多媒体控制台** duōméitǐ kòngzhìtái multimedia console
6　**讲台** jiǎngtái platform	12　**元素周期表** yuánsù zhōuqībiǎo periodic table

$$Fe(OH)_2 + 2HNO_3$$
$$\longrightarrow Fe(NO_3)_2 + 2H_2O$$

13 天平 tiānpíng
balance

14 显微镜 xiǎnwēijìng
microscope

15 放大镜 fàngdàjìng
magnifying glass

16 烧杯 shāobēi
beaker

17 滴管 dīguǎn
dropper

18 试管 shìguǎn
test tube

19 镊子 nièzi
forceps

20 漏斗 lòudǒu
funnel

21 试剂 shìjì
reagent

22 量杯 liángbēi
graduated cylinder

23 磁铁 cítiě
magnet

24 烧瓶 shāopíng
flask

25 载片 zàipiàn
slide

26 酒精灯 jiǔjīngdēng
alcohol burner

课堂活动 Kètáng Huódòng
Classroom Activities

1 起立 qǐlì
to rise

2 问好 wènhǎo
to greet

3 板书 bǎnshū
to write on the blackboard

4 提问 tíwèn
to ask a question

5 回答 huídá
to answer

6 擦黑板 cā hēibǎn
to erase the board

7 讲课 jiǎngkè
to lecture

8 坐下 zuòxià
to sit down

9 写字 xiězì
to write characters

10 讨论 tǎolùn
to discuss

11 思考 sīkǎo
to think

12 听讲 tīngjiǎng
to listen to the lecture

13 记笔记 jì bǐjì
to take notes

14 抄课文 chāo kèwén
to copy a text

15 合上书 héshàng shū
to close a book

老师好

16 打开书 dǎkāi shū
to open a book

17 举手 jǔshǒu
to raise one's hand

18 作报告 zuò bàogào
to give an oral presentation

19 朗读 lǎngdú
to recite a text

20 考试 kǎoshì
to take an exam

21 试卷 shìjuàn
exam booklet

22 交卷 jiāojuàn
to hand in the exam

23 监考 jiānkǎo
to supervise an exam

24 收作业 shōu zuòyè
to collect homework

25 写作业 xiě zuòyè
to do homework

26 交作业 jiāo zuòyè
to hand in homework

27 发作业 fā zuòyè
to hand out homework

28 改卷 gǎijuàn
to correct the exam

29 批改作业 pīgǎi zuòyè
to correct homework

91

留学生活

Liúxué Shēnghuó

Studying Abroad

1 寻找学校 xúnzhǎo xuéxiào
to look for a school

2 申请 shēnqǐng
to apply

3 推荐信 tuījiànxìn
recommendation letter

4 成绩单 chéngjìdān
transcript

5 录取通知 lùqǔ tōngzhī
admission notice

6 办护照 bàn hùzhào
to apply for a passport

7 申请签证 shēnqǐng qiānzhèng
to apply for a visa

8 学生签证 xuéshēng qiānzhèng
student visa

9 收拾行李 shōushi xíngli
to pack a luggage

10 出国 chūguó
to go abroad

11 寻找住所 xúnzhǎo zhùsuǒ
to look for housing

12 购物 gòuwù
to shop

13 新生报到 xīnshēng bàodào
freshmen registration

14 选专业 xuǎn zhuānyè
to choose a major

15 选课 xuǎnkè
to choose classes

16 适应环境 shìyìng huánjìng
to adapt to the environment

17 学习语言 xuéxí yǔyán
to learn the language

18 了解文化 liǎojiě wénhuà
to understand the culture

19 交朋友 jiāo péngyou
to make friends

20 做客 zuòkè
to be a guest

21 参加聚会 cānjiā jùhuì
to attend gatherings

22 写信 xiěxìn
to write a letter

23 回国探亲 huíguó tànqīn
to go back to one's home country to visit relatives

职业（1）
Zhíyè（1）
Jobs (1)

1	推销员 tuīxiāoyuán salesman	9	公务员 gōngwùyuán civil servant	17	建筑师 jiànzhùshī architect
2	助理 zhùlǐ assistant	10	消防员 xiāofángyuán fireman	18	科学家 kēxuéjiā scientist
3	秘书 mìshū secretary	11	军人 jūnrén soldier	19	技工 jìgōng skilled worker
4	经理 jīnglǐ manager	12	司机 sījī driver	20	工程师 gōngchéngshī engineer
5	总裁 zǒngcái president of a company	13	飞行员 fēixíngyuán pilot	21	木匠 mùjiang carpenter
6	记者 jìzhě reporter	14	农民 nóngmín farmer	22	电工 diàngōng electrician
7	编辑 biānjí editor	15	渔民 yúmín fisherman	23	修鞋匠 xiūxiéjiàng cobbler
8	翻译 fānyì interpreter	16	建筑工人 jiànzhù gōngrén construction worker	24	裁缝 cáifeng tailor

It's here.

25 工人 gōngrén
worker

26 厨师 chúshī
chef

27 政治家 zhèngzhìjiā
politician

28 商人 shāngrén
businessman

29 律师 lǜshī
lawyer

30 法官 fǎguān
judge

31 小商贩 xiǎoshāngfàn
small business owner

职业（2）

职业（2） Zhíyè（2）
Jobs (2)

1 清洁工 qīngjiégōng
   janitor

2 保姆 bǎomǔ
   nanny

3 修理工 xiūlǐgōng
   repairman

4 警卫 jǐngwèi
   guard

5 教师 jiàoshī
   teacher

6 演员 yǎnyuán
   actress

7 导演 dǎoyǎn
   director

8 歌手 gēshǒu
   singer

9 造型师 zàoxíngshī
   stylist

10 理发师 lǐfàshī
   hair dresser

11 画家 huàjiā
   painter

12 音乐家 yīnyuèjiā
   musician

13 舞蹈家 wǔdǎojiā
   dancer

14 作家 zuòjiā
   writer

15 雕塑家 diāosùjiā
   sculptor

16 运动员 yùndòngyuán
athlete

17 会计 kuàiji
accountant

18 出纳 chūnà
cashier, teller

19 医生 yīshēng
doctor

20 牙医 yáyī
dentist

21 兽医 shòuyī
veterinarian

22 送货员 sònghuòyuán
delivery man

23 电脑技术员 diànnǎo jìshùyuán
computer technician

24 摄影师 shèyǐngshī
photographer

25 房地产商 fángdìchǎnshāng
real estate developer

26 油漆工 yóuqīgōng
painter

27 导游 dǎoyóu
tour guide

28 中介 zhōngjiè
broker, agent

29 按摩师 ànmóshī
masseur

1	传真机 chuánzhēnjī fax	5	文件夹 wénjiànjiā folder
2	复印机 fùyìnjī photocopier	6	账本 zhàngběn ledger
3	碎纸机 suìzhǐjī paper shredder	7	日历 rìlì calendar
4	电脑/电子计算机 diànnǎo/diànzǐ jìsuànjī computer	8	公文 gōngwén document

9 记事本 jìshìběn
notepad

10 印章 yìnzhāng
seal

11 印泥 yìnní
red ink

12 名片 míngpiàn
business card

13 打字机 dǎzìjī
typewriter

14 打孔机 dǎkǒngjī
hole puncher

15 报告 bàogào
report

16 标签 biāoqiān
label

17 修正液 xiūzhèngyè
correction fluid

18 夹子 jiāzi
clip

19 订书机 dìngshūjī
stapler

20 计算器 jìsuànqì
calculator

21 胶水 jiāoshuǐ
glue

22 订书钉 dìngshūdīng
staples

23 曲别针 qūbiézhēn
paper clips

24 图钉 túdīng
thumbtack

25 透明胶 tòumíngjiāo
tape

26 办公桌 bàngōngzhuō
desk

27 文件柜 wénjiànguì
file cabinet

电脑 Diànnǎo
Computer

1	点击 diǎnjī to click	7	鼠标垫 shǔbiāodiàn mouse pad	13	打印机 dǎyìnjī printer
2	浏览网页 liúlǎn wǎngyè to surf the web	8	鼠标 shǔbiāo mouse	14	扫描仪 sǎomiáoyí scanner
3	光驱 guāngqū CD-ROM drive	9	摄像头 shèxiàngtóu webcam	15	扫描 sǎomiáo to scan
4	台式电脑 táishì diànnǎo desktop computer	10	接线板 jiēxiànbǎn dock	16	显示器 xiǎnshìqì monitor
5	死机 sǐjī frozen	11	投影仪 tóuyǐngyí projector	17	笔记本电脑 bǐjìběn diànnǎo laptop
6	键盘 jiànpán keyboard	12	打印 dǎyìn to print	18	上网 shàngwǎng to go online

19 搜索 sōusuǒ
   to search

20 主机 zhǔjī
   computer tower

21 安装系统 ānzhuāng xìtǒng
   to install an operating system

22 内存 nèicún
   RAM

23 光标 guāngbiāo
   cursor

24 电子邮件 diànzǐ yóujiàn
   e-mail

25 网卡 wǎngkǎ
   network adapter card

26 重启 chóngqǐ
   to restart

27 U盘 U pán
   flash drive

28 光盘 guāngpán
   laser disc

29 硬盘 yìngpán
   hard disk

30 软盘 ruǎnpán
   floppy disk

31 软件 ruǎnjiàn
   software

32 乱码 luànmǎ
   garble

电话 Diànhuà
Telephone

1 公用电话 gōngyòng diànhuà
public telephone

2 话筒 huàtǒng
receiver

3 电话卡 diànhuàkǎ
calling card

4 急救电话 jíjiù diànhuà
emergency number

5 火警 huǒjǐng
fire department emergency number

6 匪警 fěijǐng
police department emergency number

7 查号台 cháhàotái
directory assistance

8 拿起话筒 náqǐ huàtǒng
to pick up a phone

9 拨号 bōhào
to dial

紧急电话
急救电话: 120
火警: 119
匪警: 110
查号台: 114
本地区号: 010

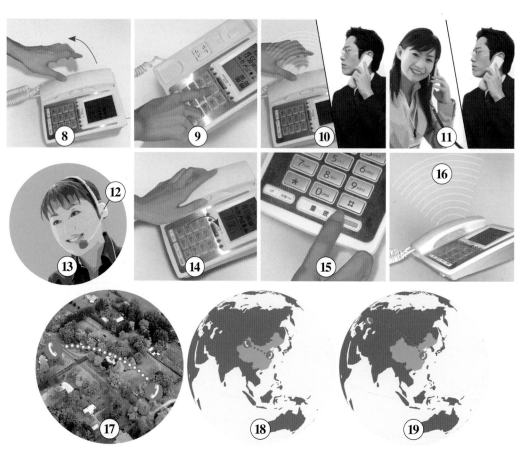

10 **接通** jiētōng to connect	17 **市内电话** shìnèi diànhuà local call	23 **信号** xìnhào signal
11 **交谈** jiāotán to talk	18 **国内长途电话** guónèi chángtú diànhuà domestic long-distance call	24 **国家代码** guójiā dàimǎ country code
12 **耳机** ěrjī headset	19 **国际长途电话** guójì chángtú diànhuà international call	25 **区号** qūhào area code
13 **接线员** jiēxiànyuán operator		26 **电话号码** diànhuà hàomǎ telephone number
14 **挂断** guàduàn to hang up	20 **电话线** diànhuàxiàn telephone line	27 **电话簿** diànhuàbù phone book
15 **重拨** chóngbō to redial	21 **无绳电话** wúshéng diànhuà cordless phone	28 **总机** zǒngjī switchboard
16 **电话铃声** diànhuà língshēng ring tone	22 **手机** shǒujī cellphone	29 **分机** fēnjī extension

公司 Gōngsī
Company

1 上班 shàngbān
to go to work

2 打卡 dǎkǎ
to punch in

3 开电脑 kāi diànnǎo
to turn on a computer

4 同事 tóngshì
colleague

5 老板 lǎobǎn
boss

6 写邮件 xiě yóujiàn
to write an e-mail

7 查邮件 chá yóujiàn
to check e-mails

8 发邮件 fā yóujiàn
to send an e-mail

9 打电话 dǎ diànhuà
to make a phone call

10 接电话 jiē diànhuà
to answer the phone

11 回电话 huí diànhuà
to return a phone call

12 发传真 fā chuánzhēn
to send a fax

13 复印 fùyìn
to make a photocopy

14 复印件 fùyìnjiàn
photocopy

15 整理文件 zhěnglǐ wénjiàn
to arrange documents

16 装订 zhuāngdìng to bind	21 工资条 gōngzītiáo pay slip	26 谈判 tánpàn to negotiate
17 打字 dǎzì to type	22 会议室 huìyìshì conference room	27 签约 qiānyuē to sign a contract
18 做图表 zuò túbiǎo to make a chart	23 开会 kāihuì to have a meeting	28 加班 jiābān to work overtime
19 吃午餐 chī wǔcān to eat lunch	24 发言 fāyán to give a speech	29 下班 xiàbān to finish work
20 领工资 lǐng gōngzī to get paid	25 见客户 jiàn kèhù to meet clients	

工地 Gōngdì
Construction Site

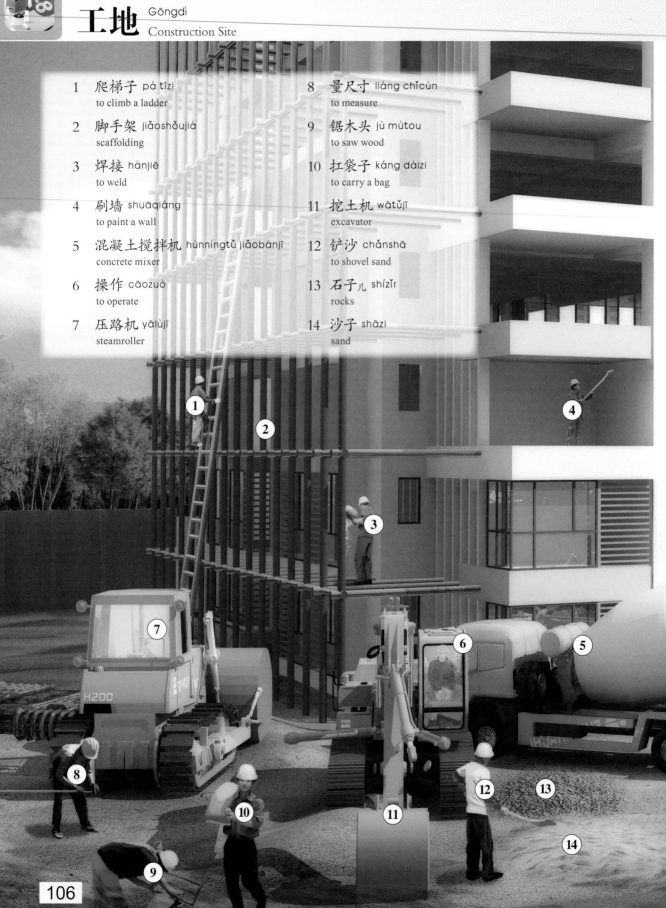

1 爬梯子 pá tīzi
to climb a ladder

2 脚手架 jiǎoshǒujià
scaffolding

3 焊接 hànjiē
to weld

4 刷墙 shuāqiáng
to paint a wall

5 混凝土搅拌机 hùnníngtǔ jiǎobànjī
concrete mixer

6 操作 cāozuò
to operate

7 压路机 yālùjī
steamroller

8 量尺寸 liáng chǐcùn
to measure

9 锯木头 jù mùtou
to saw wood

10 扛袋子 káng dàizi
to carry a bag

11 挖土机 wātǔjī
excavator

12 铲沙 chǎnshā
to shovel sand

13 石子儿 shízǐr
rocks

14 沙子 shāzi
sand

15 钻孔 zuānkǒng
to drill a hole

16 安装门框 ānzhuāng ménkuàng
to install a door frame

17 架电线 jià diànxiàn
to wire

18 吊车 diàochē
crane

19 推土机 tuītǔjī
bulldozer

20 砖 zhuān
bricks

21 砌砖 qìzhuān
to lay bricks

22 挖沟 wāgōu
to dig a trench

23 木材 mùcái
timber

24 胶合板 jiāohébǎn
plywood

25 刨木板 bào mùbǎn
to plane wood

26 安全帽 ānquánmào
helmet

27 铺路 pūlù
to pave a road

28 推车 tuīchē
to push a cart

29 水泥 shuǐní
cement

30 钉钉子 dìng dīngzi
to hammer a nail

31 看图纸 kàn túzhǐ
to read blueprints

32 钢筋 gāngjīn
reinforcing bar

农场 Nóngchǎng
Farm

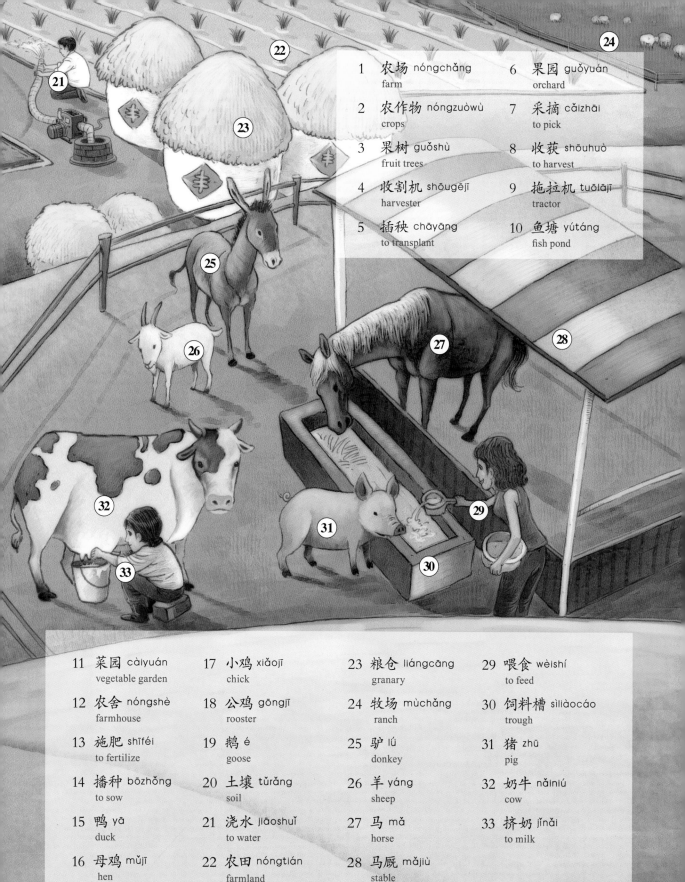

1	农场 nóngchǎng farm	6	果园 guǒyuán orchard
2	农作物 nóngzuòwù crops	7	采摘 cǎizhāi to pick
3	果树 guǒshù fruit trees	8	收获 shōuhuò to harvest
4	收割机 shōugējī harvester	9	拖拉机 tuōlājī tractor
5	插秧 chāyāng to transplant	10	鱼塘 yútáng fish pond

11	菜园 càiyuán vegetable garden	17	小鸡 xiǎojī chick	23	粮仓 liángcāng granary	29	喂食 wèishí to feed
12	农舍 nóngshè farmhouse	18	公鸡 gōngjī rooster	24	牧场 mùchǎng ranch	30	饲料槽 sìliàocáo trough
13	施肥 shīféi to fertilize	19	鹅 é goose	25	驴 lǘ donkey	31	猪 zhū pig
14	播种 bōzhǒng to sow	20	土壤 tǔrǎng soil	26	羊 yáng sheep	32	奶牛 nǎiniú cow
15	鸭 yā duck	21	浇水 jiāoshuǐ to water	27	马 mǎ horse	33	挤奶 jǐnǎi to milk
16	母鸡 mǔjī hen	22	农田 nóngtián farmland	28	马厩 mǎjiù stable		

工具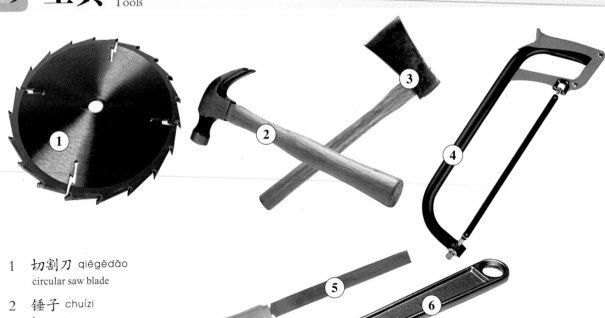
Gōngjù
Tools

1 切割刀 qiēgēdāo
circular saw blade

2 锤子 chuízi
hammer

3 斧子/斧头 fǔzi/fǔtou
axe

4 锯 jù
saw

5 锉刀 cuòdāo
file

6 扳子 bānzi
wrench

7 钳子 qiánzi
pliers

8 螺丝刀/改锥 luósīdāo/gǎizhuī
screwdriver

9 手电筒 shǒudiàntǒng
flashlight

10 卷尺 juǎnchǐ
tape measure

11 凿子 záozi
chisel

12 电线 diànxiàn
wire

13 胶带 jiāodài
tape

14 接头 jiētóu
fitting

15 钻头 zuàntóu
hand drill

16 管钳 guǎnqián
pipe wrench

17 管子 guǎnzi
hose

18 螺丝钉 luósīdīng
screw

19 钉子 dīngzi
nail

20 铁锹 tiěqiāo
shovel

21 螺母/螺丝帽 luómǔ/luósīmào
nut, screw cap

22 螺栓 luóshuān
bolt

23 铲子 chǎnzi
trowel

24 锄头 chútou
hoe

25 砂纸 shāzhǐ
sandpaper

26 油漆 yóuqī
paint

27 滚刷 gǔnshuā
paint roller

28 油漆刷子 yóuqī shuāzi
paintbrush

29 刮刀 guādāo
scraper

找工作
Zhǎo Gōngzuò
Job Hunting

1 找猎头 zhǎo liètóu
to find a headhunter

2 看招聘广告 kàn zhāopìn guǎnggào
to read job advertisements

3 参加招聘会 cānjiā zhāopìnhuì
to attend a job fair

4 申请职位 shēnqǐng zhíwèi
to apply for a position

5 投简历 tóu jiǎnlì
to send a resume

6 笔试 bǐshì
written exam

7 面试 miànshì
interview

8 谈工作经验 tán gōngzuò jīngyàn
to talk about working experience

9 答复 dáfù
to reply

10 聘用 pìnyòng
to hire, to employ

11 拒绝 jùjué
to reject

12 签合同 qiān hétong
to sign a contract

13 试用期 shìyòngqī
probationary period

14 体检 tǐjiǎn
medical examination

15 工资 gōngzī
wage

16 月薪 yuèxīn
monthly salary

17 年薪 niánxīn
yearly salary

18 福利待遇 fúlì dàiyù
welfare and benefits

19 医疗保险 yīliáo bǎoxiǎn
medical insurance

20 社会保险 shèhuì bǎoxiǎn
social insurance

21 奖金 jiǎngjīn
bonus

22 带薪假期 dàixīn jiàqī
paid vacation

23 努力工作 nǔlì gōngzuò
to work hard

24 出差 chūchāi
to go on a business trip

25 晋升 jìnshēng
to be promoted

26 表现差 biǎoxiàn chà
poor performance

27 降职 jiàngzhí
to be demoted

28 开除 kāichú
to fire

29 跳槽 tiàocáo
to change jobs

商店 Shāngdiàn
Stores

百货大楼

体育用品

图片社

儿童玩具店

五金店

书店

超市

百货大楼

农贸市场

美部

1 百货大楼 bǎihuò dàlóu
department store

2 体育用品商场 tǐyù yòngpǐn shāngchǎng
sporting goods shopping center

3 图片社 túpiànshè
print services

4 儿童玩具店 értóng wánjùdiàn
toy store

5 五金店 wǔjīndiàn
hardware store

6 文具店 wénjùdiàn
stationery shop

7 书店 shūdiàn
bookstore

8 理发店 lǐfàdiàn
barber shop

9 超市 chāoshì
supermarket

10 咖啡馆 kāfēiguǎn
coffee shop

11 眼镜店 yǎnjìngdiàn
optician

12 鲜花店 xiānhuādiàn
flower shop

114

13 服装店 fúzhuāngdiàn
clothes store

14 美容院 měiróngyuàn
beauty salon

15 药店 yàodiàn
pharmacy

16 小卖部 xiǎomàibù
convenience store

17 农贸市场 nóngmào shìchǎng
farmer's market

18 茶馆 cháguǎn
teahouse

19 小摊儿 xiǎotānr
stall

20 家具城 jiājùchéng
furniture store

21 干洗店 gānxǐdiàn
dry cleaner

22 音像店 yīnxiàngdiàn
video store

23 饭店 fàndiàn
restaurant

24 古玩店 gǔwándiàn
antique store

25 家电城 jiādiànchéng
electronics store

26 礼品店 lǐpǐndiàn
gift shop

27 蛋糕店 dàngāodiàn
bakery

28 日杂店 rìzádiàn
general store

29 批发市场 pīfā shìchǎng
wholesale market

30 报刊亭 bàokāntíng
newspaper stand

百货大楼 Bǎihuò Dàlóu
Department Store

1 家用电器 jiāyòng diànqì
appliances

2 领带 lǐngdài
neckties

3 运动鞋 yùndòngxié
sports shoes

4 棒球帽 bàngqiúmào
baseball cap

5 男装 nánzhuāng
men's clothing

6 手套 shǒutào
gloves

7 伞 sǎn
umbrella

8 围巾 wéijīn
scarf

9 夏装 xiàzhuāng
summer clothes

10 太阳镜 tàiyángjìng
sunglasses

11 钱包 qiánbāo
wallet

12 皮带 pídài
belt

13 自动扶梯 zìdòng fútī
escalator

14 床上用品 chuángshàng yòngpǐn
bedding

15 化妆品 huàzhuāngpǐn
cosmetics

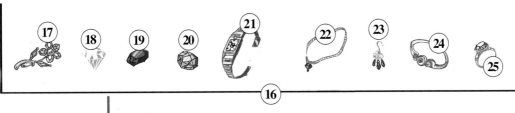

16 珠宝首饰 zhūbǎo shǒushi
jewelry

17 胸针 xiōngzhēn
brooch

18 钻石 zuànshí
diamond

19 红宝石 hóngbǎoshí
ruby

20 蓝宝石 lánbǎoshí
sapphire

21 手表 shǒubiǎo
watch

22 项链 xiàngliàn
necklace

23 耳环 ěrhuán
earrings

24 手镯 shǒuzhuó
bracelet

25 戒指 jièzhi
ring

26 靴子 xuēzi
boots

27 皮包 píbāo
leather bag

28 高跟儿鞋 gāogēnrxié
high heels

29 凉鞋 liángxié
sandals

30 女装 nǚzhuāng
women's clothing

31 童装 tóngzhuāng
children's clothing

32 冬装 dōngzhuāng
winter clothes

33 地下超市 dìxià chāoshì
underground supermarket

超市 Chāoshì
Supermarket

1 蔬菜 shūcài vegetable	5 会员卡 huìyuánkǎ membership card	9 购物车 gòuwùchē shopping cart
2 水果 shuǐguǒ fruit	6 购物篮 gòuwùlán shopping basket	10 糕点 gāodiǎn pastry
3 糖果 tángguǒ candy	7 收银机 shōuyínjī cash register	11 熟食 shúshí deli food
4 零食 língshí snack	8 塑料袋 sùliàodài plastic bag	12 肉类 ròulèi meat

13 水产 shuǐchǎn
seafood

14 冰柜 bīngguì
freezer

15 冷冻食品 lěngdòng shípǐn
frozen food

16 秤 chèng
scale

17 扫描器 sǎomiáoqì
barcode scanner

18 收银台 shōuyíntái
checkout counter

19 收款员 shōukuǎnyuán
cashier

20 环保袋 huánbǎodài
environmentally friendly bag

21 清洁用品 qīngjié yòngpǐn
cleaning supplies

22 导购 dǎogòu
shopping assistant

23 日用杂货 rìyòng záhuò
daily groceries

24 饮料 yǐnliào
beverage

25 罐头食品 guàntou shípǐn
canned food

26 乳制品 rǔzhìpǐn
dairy product

27 婴儿食品 yīng'ér shípǐn
baby food

28 试吃品 shìchīpǐn
free sample

29 服务台 fúwùtái
service desk

服装店 Fúzhuāngdiàn
Clothing Store

1	西装 xīzhuāng suit	12	晚礼服 wǎnlǐfú evening gown
2	毛衣 máoyī sweater	13	风衣 fēngyī trench coat
3	夹克 jiākè jacket	14	短裤 duǎnkù shorts
4	衬衫 chènshān shirt	15	牛仔裤 niúzǎikù jeans
5	大衣 dàyī coat	16	唐装 tángzhuāng traditional Chinese costume
6	裤子 kùzi pants	17	马甲 mǎjiǎ vest
7	裙子 qúnzi skirt	18	游泳衣 yóuyǒngyī swimsuit
8	内衣 nèiyī underwear	19	羽绒服 yǔróngfú down jacket
9	T恤 T xù T-shirt	20	旗袍 qípáo cheongsam
10	运动服 yùndòngfú sportswear	21	皮革 pígé leather
11	连衣裙 liányīqún dress	22	棉布 miánbù cotton

23 亚麻 yàmá
linen

24 毛料 máoliào
wool

25 丝绸 sīchóu
silk

26 挑选 tiāoxuǎn
to choose

27 试穿 shìchuān
to try on

28 换号 huànhào
to change size

29 问价格 wèn jiàgé
to inquire about the price

30 讨价还价 tǎojià huánjià
to bargain

31 付钱 fùqián
to pay

32 道别 dàobié
to say goodbye

1	促销 cùxiāo sales promotion	5	VCD机 VCD jī VCD player	9	加湿器 jiāshīqì humidifier		
2	音箱 yīnxiāng sound box	6	低音炮 dīyīnpào subwoofer	10	照相机 zhàoxiàngjī camera		
3	彩电 cǎidiàn color TV	7	功放 gōngfàng amplifier	11	随身听 suíshēntīng portable music player		
4	DVD机 DVD jī DVD player	8	空气净化器 kōngqì jìnghuàqì air purifier	12	数码相机 shùmǎ xiàngjī digital camera		

21 洗衣机 xǐyījī
washer

22 烘干机 hōnggānjī
dryer

23 刷卡 shuākǎ
to slide a credit card

24 现金 xiànjīn
cash

25 购物小票 gòuwù xiǎopiào
receipt

26 信用卡 xìnyòngkǎ
credit card

27 退货 tuìhuò
to return

28 换货 huànhuò
to exchange

29 保修 bǎoxiū
warranty

30 存储卡 cúnchǔkǎ
memory card

31 电池 diànchí
battery

32 充电电池 chōngdiàn diànchí
rechargeable battery

33 充电器 chōngdiànqì
charger

34 胶卷 jiāojuǎn
film

13 电子词典 diànzǐ cídiǎn
electronic dictionary

14 CD机 CD jī
CD player

15 摄像机 shèxiàngjī
video camera

16 复读机 fùdújī
dictation machine

17 收音机 shōuyīnjī
radio

18 打八折 dǎ bāzhé
20% off

19 商量 shāngliang
to discuss

20 决定 juédìng
to decide

1 平头 píngtóu
crew cut

2 马尾辫 mǎwěibiàn
ponytail

3 直发 zhífà
straight hair

4 辫子 biànzi
braids

5 长发 chángfà
long hair

6 短发 duǎnfà
short hair

7 披肩发 pījiānfà
shoulder-length hair

8 卷发 juǎnfà
curly hair

9 小卷儿 xiǎojuǎnr
small curls

10 大波浪 dàbōlàng
wavy

11 发髻 fàjì
bun

12 鬓角 bìnjiǎo
sideburns

13 板寸 bǎncùn
buzz cut

14 摩丝 mósī
mousse

15 啫喱水 zhělishuǐ
hair spray

16 烫发 tàngfà
to perm hair

17 做发型 zuò fàxíng
to style hair

18 染发 rǎnfà
to dye hair

19 焗油 júyóu
to condition

20 胡须 húxū
beard

21 吹干 chuīgān
to blow dry

22 刘海儿 liúhǎir
bangs

23 假发 jiǎfà
wig

24 发卡 fàqiǎ
hairpin

25 卷发夹 juǎnfàjiā
curlers

26 电动烫发器 diàndòng tàngfàqì
electric crimper

27 电推子 diàntuīzi
electric clippers

28 拉直 lāzhí
to straighten

29 梳理 shūlǐ
to comb

30 剪发 jiǎnfà
to cut hair

31 洗发 xǐfà
to wash hair

32 修面 xiūmiàn
to shave

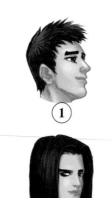

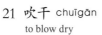

美容和整形

Měiróng hé Zhěngxíng
Beauty and Plastic Surgery

1 按摩 ànmó
massage

2 足疗 zúliáo
foot massage

3 刮痧 guāshā
scraping

4 皱纹 zhòuwén
wrinkles

5 眼袋 yǎndài
bags under the eyes

6 雀斑 quèbān
freckles

7 做面膜 zuò miànmó
to apply a facial mask

8 护肤 hùfū
skincare

9 水疗 shuǐliáo
spa

10 修眉 xiūméi
to pluck eyebrows

11 文身 wénshēn
tattoos

12 文唇线 wén chúnxiàn
permanent lip liner

13 脱毛 tuōmáo
to remove hair

14 瘦身 shòushēn
to lose weight

15 抽脂 chōuzhī
liposuction

16 脂肪 zhīfáng
fat

17 隆胸 lóngxiōng
breast augmentation

18 隆鼻 lóngbí
rhinoplasty

19 甲片 jiǎpiàn
fake nails

20 图案 tú'àn
pattern

21 割双眼皮 gē shuāngyǎnpí
double eyelid surgery

22 粉刺 fěncì
acne

23 黑眼圈 hēiyǎnquān
dark circles

24 牙齿矫正 yáchǐ jiǎozhèng
teeth straightening

25 涂指甲 tú zhǐjia
to polish nails

26 甲锉 jiǎcuò
nail file

27 指甲刀 zhǐjiadāo
nail clipper

28 美甲 měijiǎ
manicure

29 指甲油 zhǐjiayóu
nail polish

30 洗甲水 xǐjiǎshuǐ
nail polish remover

31 整容 zhěngróng
plastic surgery

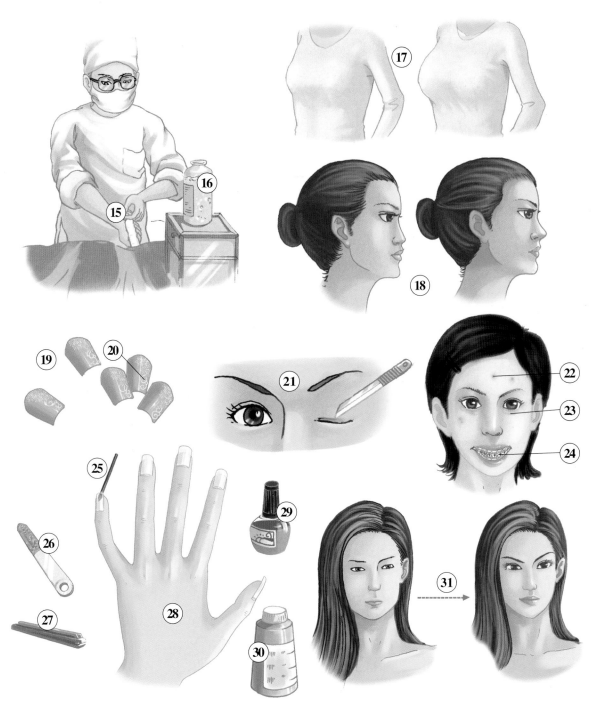

营养 Yíngyǎng
Nutrition

1	营养金字塔 yíngyǎng jīnzìtǎ food pyramid	5	肉蛋类 ròudànlèi meat and eggs
2	油脂类 yóuzhīlèi oils	6	果蔬类 guǒshūlèi fruits and vegetables
3	奶类 nǎilèi dairy products	7	五谷类 wǔgǔlèi grains
4	豆类 dòulèi beans		

营养成分	yíngyǎng chéngfèn	nutrition facts
热量	rèliàng	calorie
160卡	160 kǎ	160 calories
饱和脂肪	bǎohé zhīfáng	saturated fat
不饱和脂肪	bùbǎohé zhīfáng	unsaturated fat
碳水化合物	tànshuǐ-huàhéwù	carbohydrates
纤维	xiānwéi	fiber
蛋白质	dànbáizhì	protein
矿物质	kuàngwùzhì	minerals
钙	gài	calcium
磷	lín	phosphorus
锌	xīn	zinc
铁	tiě	iron
钠	nà	sodium
碘	diǎn	iodine
维生素A	wéishēngsù A	vitamin A
维生素C	wéishēngsù C	vitamin C
尼克酸	níkèsuān	Niacin

水果和坚果 Shuǐguǒ hé Jiānguǒ
Fruits and Nuts

1 西瓜 xīguā watermelon	12 橘子 júzi mandarin	24 荔枝 lìzhī lychee
2 榴莲 liúlián durian	13 柚子 yòuzi shaddock	25 草莓 cǎoméi strawberry
3 菠萝 bōluó pineapple	14 柠檬 níngméng lemon	26 樱桃 yīngtao cherry
4 椰子 yēzi coconut	15 李子 lǐzi plum	27 莲雾 liánwù wax apple
5 哈密瓜 hāmìguā cantaloupe	16 桃 táo peach	28 龙眼/桂圆 lóngyǎn/guìyuán longan
6 葡萄 pútao grapes	17 杏 xìng apricot	29 栗子 lìzi chestnut
7 木瓜 mùguā papaya	18 苹果 píngguǒ apple	30 花生 huāshēng peanut
8 香蕉 xiāngjiāo banana	19 梨 lí pear	31 开心果 kāixīnguǒ pistachio vera
9 火龙果 huǒlóngguǒ dragon fruit	20 柿子 shìzi persimmon	32 核桃 hétao walnut
10 芒果 mángguǒ mango	21 石榴 shíliu pomegranate	33 杏仁 xìngrén almond
11 橙子 chéngzi navel orange	22 猕猴桃 míhóutáo kiwi	34 瓜子 guāzǐ sunflower seeds
	23 枇杷 pípa loquat	35 榛子 zhēnzi hazelnut

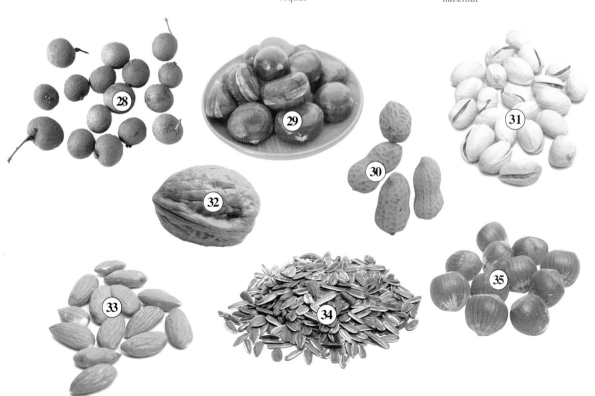

1 **生菜** shēngcài lettuce	7 **洋葱** yángcōng onion	13 **菠菜** bōcài spinach
2 **芹菜** qíncài celery	8 **西红柿** xīhóngshì tomato	14 **白菜** báicài Chinese cabbage
3 **空心菜** kōngxīncài water spinach	9 **豆芽儿** dòuyár bean sprouts	15 **菜花** càihuā cauliflower
4 **豆角儿** dòujiǎor green beans	10 **藕** ǒu lotus root	16 **南瓜** nánguā pumpkin
5 **油菜** yóucài rape	11 **蘑菇** mógu mushroom	17 **茄子** qiézi eggplant
6 **青椒** qīngjiāo bell pepper	12 **西蓝花** xīlánhuā broccoli	18 **胡萝卜** húluóbo carrot

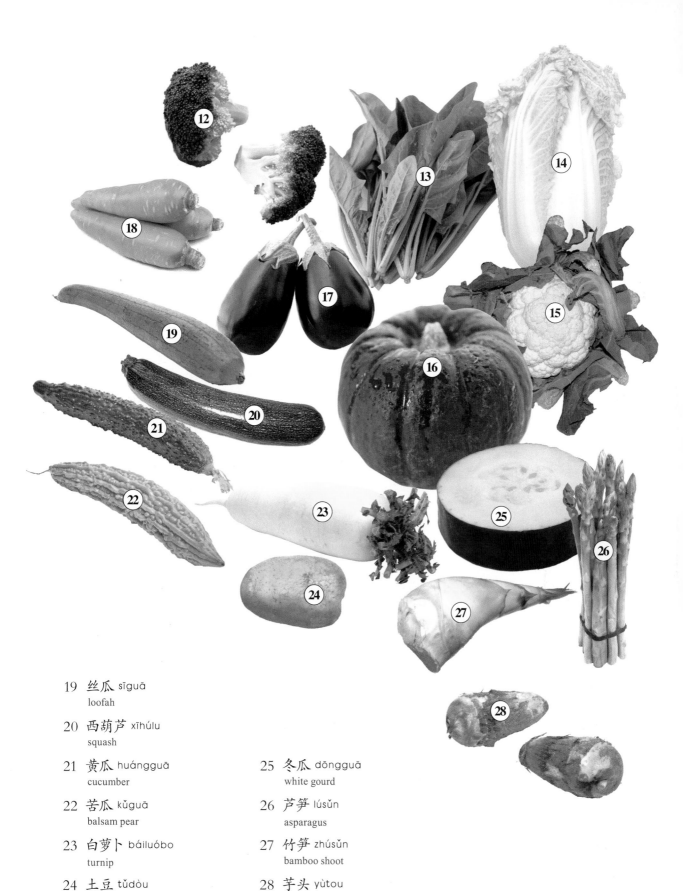

19　丝瓜 sīguā
loofah

20　西葫芦 xīhúlu
squash

21　黄瓜 huángguā
cucumber

22　苦瓜 kǔguā
balsam pear

23　白萝卜 báiluóbo
turnip

24　土豆 tǔdòu
potato

25　冬瓜 dōngguā
white gourd

26　芦笋 lúsǔn
asparagus

27　竹笋 zhúsǔn
bamboo shoot

28　芋头 yùtou
taro

肉、蛋、海鲜

Ròu、Dàn、Hǎixiān
Meat, Eggs and Seafood

1	肥肉 féiròu fatty meat	5	牛肉 niúròu beef	9	肉丝 ròusī shredded meat		
2	瘦肉 shòuròu lean meat	6	鸡肉 jīròu chicken	10	肉块 ròukuài meat pieces		
3	皮 pí skin	7	鸭肉 yāròu duck	11	肉馅儿 ròuxiànr ground meat		
4	猪肉 zhūròu pork	8	羊肉 yángròu lamb	12	肉丸 ròuwán meatball		

13	猪蹄 zhūtí pig feet	20	鸡胸 jīxiōng chicken breast	27	虾 xiā shrimp
14	鸡脖子 jībózi chicken neck	21	骨 gǔ bone	28	龙虾 lóngxiā lobster
15	鸡腿 jītuǐ chicken leg	22	鸡蛋 jīdàn egg	29	螃蟹 pángxiè crab
16	肉片 ròupiàn fillet	23	咸鸭蛋 xiányādàn preserved duck egg	30	生蚝 shēngháo oyster
17	排骨 páigǔ ribs	24	鹌鹑蛋 ānchundàn quail egg	31	扇贝 shànbèi scallop
18	鸡翅 jīchì chicken wing	25	松花蛋 sōnghuādàn thousand year egg	32	蛤蜊 géli clam
19	鸡爪子 jīzhuǎzi chicken feet	26	鱼 yú fish		

米、面 Mǐ、Miàn
Rice and Flour

1 炸酱面 zhájiàngmiàn noodles with soy bean sauce	10 烧饼 shāobing sesame seed cake	19 米饭 mǐfàn cooked rice
2 汤面 tāngmiàn soup noodles	11 烙饼 làobǐng flat bread	20 黑米 hēimǐ black rice
3 馅儿饼 xiànrbǐng pie	12 发糕 fāgāo steamed sponge cake	21 糯米 nuòmǐ sticky rice
4 包子 bāozi steamed stuffed bun	13 锅贴儿 guōtiēr pot stickers	22 面粉 miànfěn flour
5 馄饨 húntun wonton	14 炒饭 chǎofàn fried rice	23 大米 dàmǐ rice
6 饺子 jiǎozi dumpling	15 方便面 fāngbiànmiàn instant noodles	24 小米 xiǎomǐ millet
7 饭团 fàntuán rice ball	16 冷面 lěngmiàn cold noodles	25 玉米面 yùmǐmiàn corn flour
8 馒头 mántou steamed bun	17 挂面 guàmiàn fine dried noodles	
9 花卷儿 huājuǎnr twisted roll	18 炒面 chǎomiàn fried noodles	

1 白糖 báitáng
sugar

2 红糖 hóngtáng
brown sugar

3 盐 yán
salt

4 辣椒粉 làjiāofěn
crushed hot pepper

5 胡椒粉 hújiāofěn
pepper

6 味精 wèijīng
monosodium glutamate (MSG)

7 淀粉 diànfěn
starch

8 食用油 shíyòngyóu
cooking oil

9 蒜 suàn
garlic

10 葱 cōng
green onion

11 姜 jiāng
ginger

12 花椒 huājiāo
Chinese prickly ash

13 大料/八角 dàliào/bājiǎo
star anise

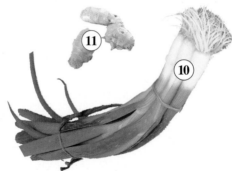

14 桂皮 guìpí
cassia bark

15 酱油 jiàngyóu
soy sauce

16 醋 cù
vinegar

17 料酒 liàojiǔ
cooking wine

18 香油 xiāngyóu
sesame oil

19 蚝油 háoyóu
oyster sauce

20 酸 suān
sour

21 甜 tián
sweet

22 苦 kǔ
bitter

23 辣 là
spicy

24 麻 má
mouth numbing

25 咸 xián
salty

26 淡 dàn
bland

27 油腻 yóunì
greasy

28 清淡 qīngdàn
light

139

饮料
Beverage

1　水 shuǐ
water

2　矿泉水 kuàngquánshuǐ
mineral water

3　茶 chá
tea

4　雪碧 xuěbì
Sprite

5　奶茶 nǎichá
tea with milk

6　豆奶 dòunǎi
soy milk

7　果汁 guǒzhī
juice

8　可乐 kělè
cola

9　苏打水 sūdáshuǐ
soda water

10　汽水 qìshuǐ
soft drink

11　牛奶 niúnǎi
milk

12　咖啡 kāfēi
coffee

140

13 冰红茶 bīnghóngchá
ice tea

14 橙汁 chéngzhī
orange juice

15 白酒 báijiǔ
Chinese sorghum liquor

16 啤酒 píjiǔ
beer

17 黄酒 huángjiǔ
yellow rice wine

18 红葡萄酒 hóngpútaojiǔ
red wine

19 白葡萄酒 báipútaojiǔ
white wine

20 伏特加 fútèjiā
vodka

21 香槟 xiāngbīn
champagne

22 鸡尾酒 jīwěijiǔ
cocktail

23 白兰地 báilándì
brandy

24 威士忌 wēishìjì
whisky

25 洋酒 yángjiǔ
foreign liquor

豆奶制品

Dòu-Nǎi Zhìpǐn

Dairy and Soy Bean Products

1 奶油 nǎiyóu
cream

2 黄油 huángyóu
butter

3 奶酪 nǎilào
cheese

4 酸奶 suānnǎi
yogurt

5 冰棍儿 bīnggùnr
popsicle

6 冰激凌 bīngjīlíng
ice cream

7 低脂牛奶 dīzhī niúnǎi
low-fat milk

8 全脂牛奶 quánzhī niúnǎi
whole milk

9 脱脂牛奶 tuōzhī niúnǎi
fat-free milk

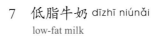

10 奶粉 nǎifěn
milk powder

11 炼乳 liànrǔ
condensed milk

12 奶昔 nǎixī
milkshake

13 豆腐脑儿 dòufunǎor
jellied tofu

14 豆浆 dòujiāng
soy milk

15 豆腐干儿 dòufugānr
dried tofu

16 豆腐 dòufu
tofu

17 腐竹 fǔzhú
tofu sticks

18 腐乳 fǔrǔ
fermented tofu

19 豆腐卷儿 dòufujuǎnr
tofu roll

20 豆腐泡儿 dòufupāor
deep fried tofu

21 臭豆腐 chòudòufu
stinky tofu

22 豆腐皮儿 dòufupír
tofu sheet

23 豆面 dòumiàn
soy bean flour

1	煎 jiān	6	烧 shāo	11	拌 bàn
	to fry in shallow oil		to stew after frying		to stir
2	炒 chǎo	7	炖 dùn	12	腌 yān
	to stir-fry		to stew		to marinate
3	炸 zhá	8	蒸 zhēng	13	切 qiē
	to deep-fry		to steam		to cut
4	煮 zhǔ	9	熬 áo	14	剁 duò
	to boil		to simmer		to chop
5	烤 kǎo	10	焖 mèn	15	砍 kǎn
	to roast, to grill		to braise		to cut

16 包 bāo	21 盛 chéng	26 夹 jiā
to wrap	to ladle	to pick up food with chopsticks
17 削 xiāo	22 尝 cháng	27 打蛋 dǎdàn
to peel	to taste	to beat an egg
18 剔 tī	23 捞 lāo	28 撒盐 sǎyán
to scrape meat off bone	to scoop up	to sprinkle salt
19 捏 niē	24 熟 shú	29 去皮 qùpí
to pinch	cooked	to peel
20 倒 dào	25 生 shēng	
to pour	raw	

1 **中餐厅** zhōngcāntīng
Chinese restaurant

2 **西餐厅** xīcāntīng
Western restaurant

3 **小吃店** xiǎochīdiàn
snack bar

4 **粥** zhōu
congee

5 **咸菜** xiáncài
Chinese pickles

6 **水饺** shuǐjiǎo
Chinese dumplings

7 **油条** yóutiáo
fried dough sticks

8 **面条** miàntiáo
noodles

9 **小笼包** xiǎolóngbāo
Shanghainese steamed dumplings

10 **盒饭** héfàn
box lunch

11 **酒楼** jiǔlóu
restaurant

12 **宴会** yànhuì
banquet

13 **快餐店** kuàicāndiàn
fast-food restaurant

14 **套餐** tàocān
combo

15 **餐盘** cānpán
tray

16 外卖 wàimài
take-out

17 川菜馆 chuāncàiguǎn
Sichuan restaurant

18 自助餐 zìzhùcān
buffet

19 韩国烧烤 hánguó shāokǎo
Korean barbecue

20 日本料理 rìběn liàolǐ
Japanese cuisine

21 湘菜馆 xiāngcàiguǎn
Hunanese restaurant

22 火锅城 huǒguōchéng
hot pot restaurant

23 粤菜馆 yuècàiguǎn
Cantonese restaurant

24 清真饭馆 qīngzhēn fànguǎn
Muslim restaurant

25 大排档 dàpáidàng
roadside stalls

26 食堂 shítáng
dining hall

中餐馆 Zhōngcānguǎn
Chinese Restaurant

1 宫保鸡丁 gōngbǎo jīdīng
kung pao chicken

2 回锅肉 huíguōròu
twice cooked pork

3 干煸四季豆 gānbiān sìjìdòu
string beans with garlic sauce

4 羊肉串 yángròuchuàn
lamb kebab

5 活鱼 huóyú
live fish

6 筷子 kuàizi
chopsticks

7 筷子架 kuàizijià
chopstick holder

8 小料 xiǎoliào
condiments

9 碟子 diézi
dish

10 酒杯 jiǔbēi
cup

11 碗 wǎn
bowl

12 大厨 dàchú
chef

13 杂工 zágōng
kitchen worker

14 羊肉片 yángròupiàn
lamb slices

15 凉菜 liángcài
cold dish

16 烤鸭 kǎoyā
roast duck

17 酸辣汤 suānlàtāng
sour and spicy soup

18 糖醋里脊 tángcù lǐji
sweet and sour pork

19 鱼香肉丝 yúxiāng ròusī
shredded pork with garlic sauce

20 热菜 rècài
hot dish

21 服务员 fúwùyuán
waitress

22 铁板牛柳 tiěbǎn niúliǔ
sizzling beef

23 火锅 huǒguō
hot pot

24 麻婆豆腐 mápó dòufu
mapo tofu

25 醋壶 cùhú
vinegar bottle

26 调羹 tiáogēng
spoon

27 菜单 càidān
menu

28 辣椒油 làjiāoyóu
chili oil

29 酱油壶 jiàngyóuhú
soy sauce bottle

西餐馆 Xīcānguǎn
Western Restaurant

1	无烟区 wúyānqū no smoking area	6	勺子 sháozi spoon
2	番茄酱 fānqiéjiàng ketchup	7	刀子 dāozi knife
3	胡椒瓶 hújiāopíng pepper shaker	8	餐巾 cānjīn table napkin
4	糖罐 tángguàn sugar jar	9	盘子 pánzi plate
5	盐瓶 yánpíng salt shaker	10	高脚杯 gāojiǎobēi wine glass

11	叉子 chāzi fork
12	冰块儿 bīngkuàir ice cubes
13	儿童菜单 értóng càidān children's menu
14	冰水 bīngshuǐ ice water
15	吸管 xīguǎn straw
16	儿童椅 értóngyǐ high chair

17 开胃品 kāiwèipǐn
appetizer

18 汤 tāng
soup

19 沙拉/色拉 shālā/sèlā
salad

20 主菜 zhǔcài
entrée

21 比萨饼 bǐsàbǐng
pizza

22 热狗 règǒu
hot dog

23 意大利面 yìdàlìmiàn
spaghetti

24 千层面 qiāncéngmiàn
lasagna

25 牛排 niúpái
steak

26 三明治 sānmíngzhì
sandwich

27 薯条 shǔtiáo
french fries

28 汉堡 hànbǎo
hamburger

29 甜点 tiándiǎn
dessert

30 苹果派 píngguǒpài
apple pie

31 巧克力蛋糕 qiǎokèlì dàngāo
chocolate cake

32 布丁 bùdīng
pudding

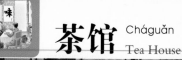

1	壶把儿 húbàr handle	4	茶杯 chábēi tea cup	7	盖碗 gàiwǎn covered bowl	10	评弹 píngtán storytelling interspersed with ballads
2	茶壶 cháhú teapot	5	吃点心 chī diǎnxin to eat snacks	8	茶桌 cházhuō table	11	说书 shuōshū storytelling
3	壶嘴儿 húzuǐr spout	6	茶叶 cháyè tea leaves	9	相声 xiàngsheng crosstalk		

12 绿茶 lǜchá
green tea

13 红茶 hóngchá
black tea

14 乌龙茶 wūlóngchá
oolong tea

15 普洱茶 pǔ'ěrchá
Pu'er

16 花茶 huāchá
flower tea

17 保健茶 bǎojiànchá
health tea

18 人参茶 rénshēnchá
ginseng tea

19 减肥茶 jiǎnféichá
slim tea

20 龙井 lóngjǐng
longjing

21 碧螺春 bìluóchūn
biluochun

22 铁观音 tiěguānyīn
tieguanyin

23 茉莉花茶 mòlìhuāchá
jasmine tea

26 盏盖儿 zhǎngàir
lid

27 茶盏 cházhǎn
bowl

28 茶盏托儿 cházhǎntuōr
saucer

24 菊花茶 júhuāchá
chrysanthemum tea

25 袋茶 dàichá
tea bag

29 茶艺 cháyì
tea ceremony

30 沏茶 qīchá
to brew tea

31 斟茶 zhēnchá
to pour tea into a cup

32 敬茶 jìngchá
to offer tea

33 品茶 pǐnchá
to savor tea

153

咖啡馆

1 黑咖啡 hēikāfēi
black coffee

2 拿铁咖啡 nátiě kāfēi
latté

3 卡布奇诺 kǎbùqínuò
cappuccino

4 热巧克力 rèqiǎokèlì
hot chocolate

5 摩卡咖啡 mókǎ kāfēi
mocha

6 浓缩咖啡 nóngsuō kāfēi
espresso

7 速溶咖啡 sùróng kāfēi
instant coffee

8 咖啡伴侣 kāfēi bànlǚ
coffee creamer

9　咖啡机 kāfēijī
coffee machine

10　咖啡杯 kāfēibēi
coffee cup

11　咖啡壶 kāfēihú
coffee pot

12　打磨 dǎmó
to grind

13　咖啡豆 kāfēidòu
coffee beans

14　咖啡粉 kāfēifěn
coffee powder

15　打磨机 dǎmójī
grinder

16　特大杯 tèdàbēi
extra large cup

17　大杯 dàbēi
large cup

18　中杯 zhōngbēi
medium cup

19　小杯 xiǎobēi
small cup

20　奶 nǎi
milk

21　可可粉 kěkěfěn
cocoa powder

22　糖 táng
sugar

23　蜂蜜 fēngmì
honey

24　结账 jiézhàng
to pay the bill

25　热饮 rèyǐn
hot drink

26　冷饮 lěngyǐn
cold drink

外出就餐 Wàichū Jiùcān
Dining Out

1 订位 dìngwèi
to reserve a table

2 领位 lǐngwèi
to usher in a customer

3 包间/雅间 bāojiān/yǎjiān
private room in a restaurant

4 倒茶 dàochá
to present tea to a customer

5 点菜 diǎncài
to order dishes

6 看菜单 kàn càidān
to look at the menu

7 保管好随身物品 bǎoguǎn hǎo suíshēn wùpǐn
Look after your belongings.

8 叫服务员 jiào fúwùyuán
to call the waitress

9 摆餐具 bǎi cānjù
to set the table

10 上菜 shàngcài
to present a dish

11 买单/埋单 mǎidān/máidān
to pay the bill

12 开发票 kāi fāpiào
   to write a receipt

13 打包 dǎbāo
   to put the leftovers in a doggy bag

14 清理桌子 qīnglǐ zhuōzi
   to clear the table

15 离开 líkāi
   to leave

16 谢绝自带酒水 xièjué zìdài jiǔshuǐ
   No Outside Beverages!

17 最低消费 zuìdī xiāofèi
   minimum purchase

本饭店最低消费为50元

医院 Yīyuàn
Hospital

门诊部

药 房

医保挂号

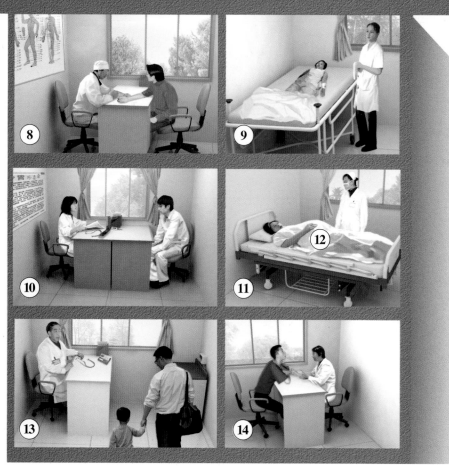

1　门诊部 ménzhěnbù
　　outpatient department

2　救护车 jiùhùchē
　　ambulance

3　担架 dānjià
　　stretcher

4　轮椅 lúnyǐ
　　wheelchair

5　药房 yàofáng
　　pharmacy

6　挂号处 guàhàochù
　　registration office

7　候诊区 hòuzhěnqū
　　waiting room

8　中医 zhōngyī
　　traditional Chinese medicine

9　外科 wàikē
　　surgery

10　内科 nèikē
　　internal medicine

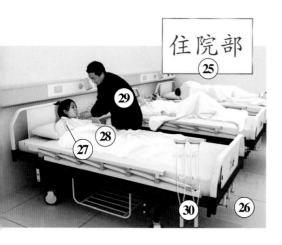

住院部 ㉕

11 妇产科 fùchǎnkē
obstetrics and gynecology

12 孕妇 yùnfù
pregnant woman

13 儿科 érkē
pediatrics

14 五官科 wǔguānkē
department of five sensory organs

15 专家门诊 zhuānjiā ménzhěn
outpatient specialist

16 内分泌科 nèifēnmìkē
endocrinology

17 皮肤科 pífūkē
dermatology

18 眼科 yǎnkē
ophthalmology

19 牙科 yákē
dental department

20 急诊室 jízhěnshì
emergency room

21 手术室 shǒushùshì
operating room

22 麻醉师 mázuìshī
anesthesiologist

23 血液 xuèyè
blood

24 手术台 shǒushùtái
operating table

25 住院部 zhùyuànbù
inpatient department

26 病房 bìngfáng
ward

27 病号服 bìnghàofú
hospital gown

28 病人 bìngrén
patient

29 探视 tànshì
to visit a patient

30 拐杖 guǎizhàng
crutches

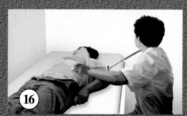

159

人体（1） Réntǐ (1)
Human Body (1)

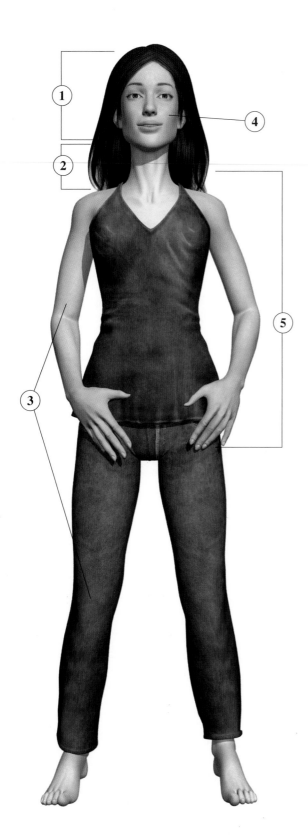

1   头部 tóubù
    head

2   颈部 jǐngbù
    neck

3   四肢 sìzhī
    limbs

4   脸 liǎn
    face

5   躯干 qūgàn
    torso

6   口腔 kǒuqiāng
    oral cavity

7   喉结 hóujié
    Adam's apple

8   额头 étóu
    forehead

9   眼睛 yǎnjing
    eye

10   脸颊 liǎnjiá
    cheek

11   耳垂 ěrchuí
    earlobe

12   鼻子 bízi
    nose

13   眉毛 méimao
    eyebrow

14   睫毛 jiémáo
    eyelashes

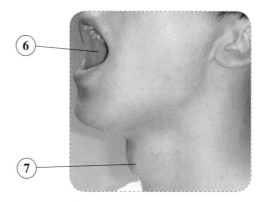

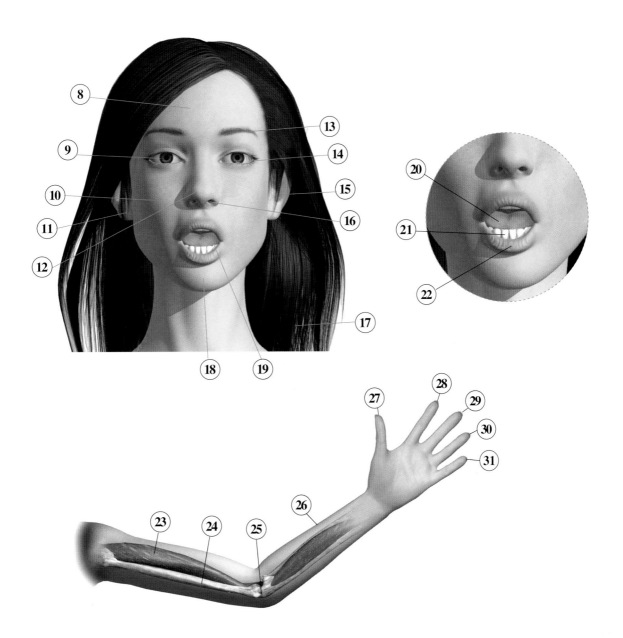

15	耳朵 ěrduo	21	牙齿 yáchǐ	27	大拇指 dàmuzhǐ
	ear		teeth		thumb
16	鼻孔 bíkǒng	22	嘴唇 zuǐchún	28	食指 shízhǐ
	nostril		lips		index finger
17	头发 tóufa	23	肌肉 jīròu	29	中指 zhōngzhǐ
	hair		muscle		middle finger
18	下巴 xiàba	24	骨骼 gǔgé	30	无名指 wúmíngzhǐ
	chin		bone		ring finger
19	嘴巴 zuǐba	25	关节 guānjié	31	小拇指 xiǎomuzhǐ
	mouth		joint		pinkie
20	舌头 shétou	26	皮肤 pífū		
	tongue		skin		

人体（2）

Réntǐ（2）

Human Body (2)

1	**右手** yòushǒu right hand	6	**左手** zuǒshǒu left hand	11	**肚脐** dùqí navel
2	**手臂** shǒubì arm	7	**腋窝** yèwō armpit	12	**腿** tuǐ leg
3	**腋毛** yèmáo armpit hair	8	**胸部** xiōngbù chest	13	**脚踝** jiǎohuái ankle
4	**肩膀** jiānbǎng shoulder	9	**腰部** yāobù waist	14	**大腿** dàtuǐ thigh
5	**手腕** shǒuwàn wrist	10	**腹部** fùbù belly	15	**膝盖** xīgài knee

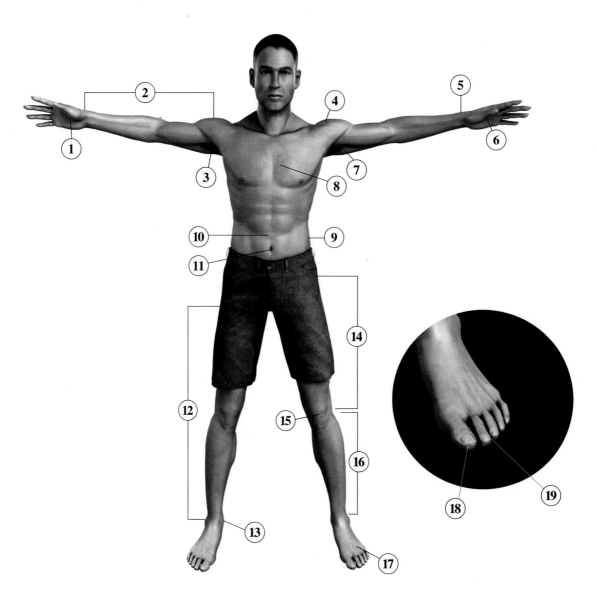

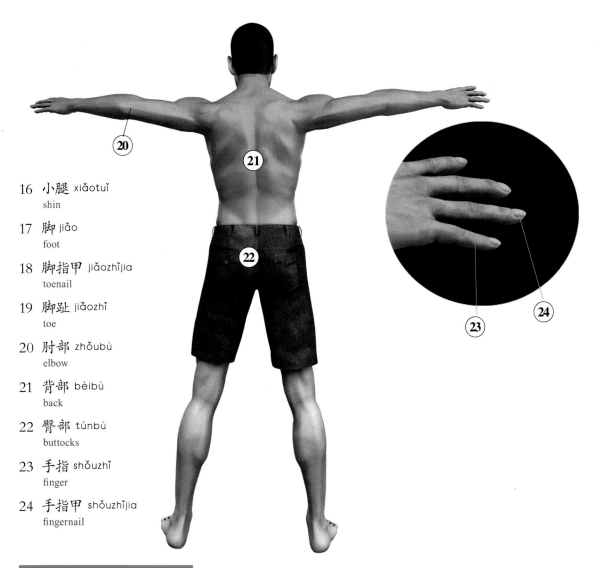

16 小腿 xiǎotuǐ
shin

17 脚 jiǎo
foot

18 脚指甲 jiǎozhǐjia
toenail

19 脚趾 jiǎozhǐ
toe

20 肘部 zhǒubù
elbow

21 背部 bèibù
back

22 臀部 túnbù
buttocks

23 手指 shǒuzhǐ
finger

24 手指甲 shǒuzhǐjia
fingernail

口语表达 kǒuyǔ biǎodá:
vernacular term:

25 脑袋 nǎodai
head

26 脖子 bózi
neck

27 胳肢窝 gāzhiwō
armpit

28 胳膊 gēbo
arm

29 胳膊肘儿 gēbozhǒur
elbow

30 肚子 dùzi
tummy

31 屁股 pìgu
buttocks

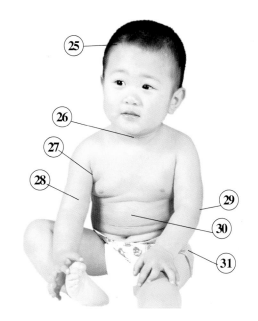

内脏 Nèizàng
Internal Organs

1 脑部 nǎobù
brain

2 大脑 dànǎo
cerebrum

3 中脑 zhōngnǎo
midbrain

4 小脑 xiǎonǎo
cerebellum

5 甲状腺 jiǎzhuàngxiàn
thyroid gland

6 气管 qìguǎn
the windpipe, trachea

7 主动脉 zhǔdòngmài
aorta

8 上腔静脉 shàngqiāng jìngmài
superior vena cava

9 肺 fèi
lungs

10 心脏 xīnzàng
heart

11 食道 shídào
esophagus

12 膈 gé
diaphragm

13 肝 gān
liver

14 下腔静脉 xiàqiāng jìngmài
inferior vena cava

15 胃 wèi
stomach

16 脾 pí
spleen

17 胆囊 dǎnnáng
gallbladder

18 肾 shèn
kidney

19 胰 yí
pancreas

20 小肠 xiǎocháng
small intestine

21 大肠 dàcháng
large intestine, colorectum

22 阑尾 lánwěi
appendix

23 输尿管 shūniàoguǎn
urethra

24 膀胱 pángguāng
urinary bladder

25 尿道 niàodào
urinary tract

26 直肠 zhícháng
rectum

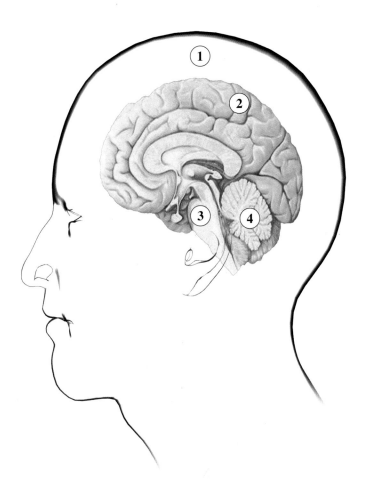

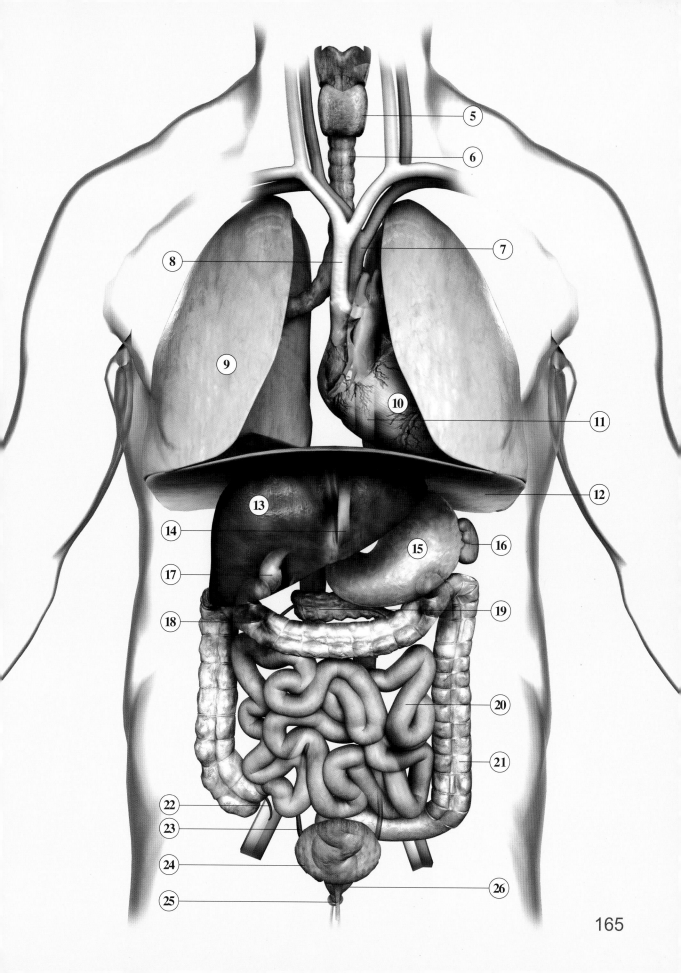

165

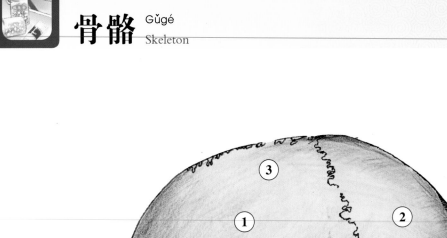

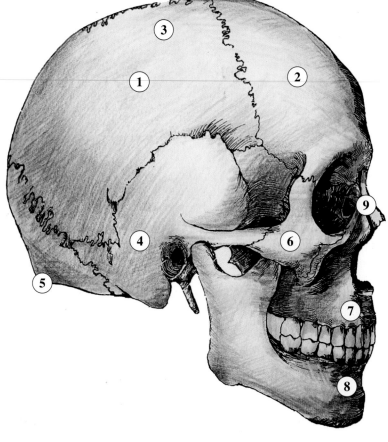

1	头盖骨 tóugàigǔ skull	7	上颌骨 shànghégǔ upper jaw
2	额骨 égǔ frontal bone	8	下颌骨 xiàhégǔ lower jaw
3	顶骨 dǐnggǔ parietal bone	9	鼻骨 bígǔ nasal bones
4	颞骨 nièk gǔ temporal bone	10	锁骨 suǒgǔ collarbone
5	枕骨 zhěngǔ occipital bone	11	肩胛骨 jiānjiǎgǔ scapula, shoulder blade
6	颧骨 quángǔ cheekbone	12	胸骨 xiōnggǔ breastbone, sternum

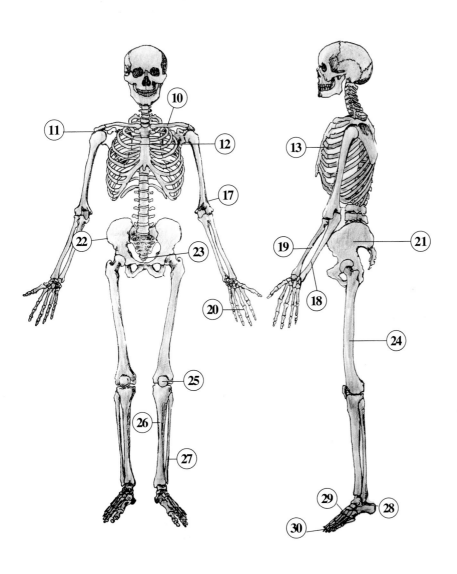
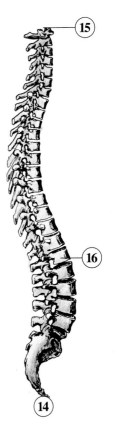

13 肋骨 lèigǔ
ribs

14 脊椎 jǐzhuī
spine

15 颈椎 jǐngzhuī
cervical vertebra

16 腰椎 yāozhuī
lumbar vertebra

17 肱骨 gōnggǔ
humerus

18 尺骨 chǐgǔ
ulna

19 桡骨 ráogǔ
radius

20 掌骨 zhǎnggǔ
metacarpal bones

21 骨盆 gǔpén
pelvis

22 髋骨 kuāngǔ
hipbone

23 骶骨 dǐgǔ
sacrum

24 股骨 gǔgǔ
thigh bone

25 髌骨 bìngǔ
knee cap, patella

26 胫骨 jìnggǔ
shin bone, tibia

27 腓骨 féigǔ
fibula

28 踝骨 huáigǔ
ankle bone

29 足背骨 zúbèigǔ
metatarsal bones

30 趾骨 zhǐgǔ
phalanges

167

1 感冒 gǎnmào
cold

2 哮喘 xiàochuǎn
asthma

3 淤血 yūxiě
bruise

4 骨折 gǔzhé
fracture

5 呕吐 ǒutù
to vomit

6 癌症 áizhèng
cancer

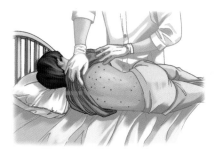

7 水痘 shuǐdòu
chickenpox

8 艾滋病 àizībìng
AIDS

9 心脏病 xīnzàngbìng
heart disease

10 流血 liúxiě
to bleed

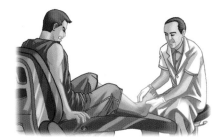

11 扭伤 niǔshāng
sprain

12 割伤 gēshāng
cut

13 流鼻血 liú bíxiě
to have a bloody nose

14 高血压 gāoxuèyā
hypertension

18 腹泻/拉肚子
fùxiè/lā dùzi
diarrhea

15 红眼病 hóngyǎnbìng
pink eye

16 烧伤 shāoshāng
burn

17 昏迷不醒 hūnmí bùxǐng
unconscious

19 糖尿病
tángniàobìng
diabetes

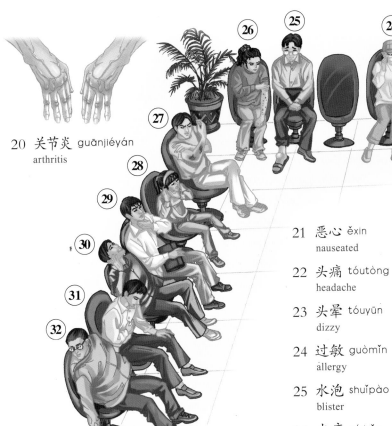

20 关节炎 guānjiéyán
arthritis

21 恶心 èxin
nauseated

22 头痛 tóutòng
headache

23 头晕 tóuyūn
dizzy

24 过敏 guòmǐn
allergy

25 水泡 shuǐpào
blister

26 皮疹 pízhěn
rash

27 红肿 hóngzhǒng
red and swollen

28 腮腺炎 sāixiànyán
mumps

29 嗓子发炎 sǎngzi fāyán
throat inflammation

30 牙痛 yátòng
toothache

31 胃痛 wèitòng
stomachache

32 发烧 fāshāo
fever

1 大夫 dàifu
doctor

2 口罩 kǒuzhào
mask

3 乳胶手套 rǔjiāo shǒutào
latex gloves

4 白大褂 báidàguà
lab coat

5 护士 hùshi
nurse

6 询问病情 xúnwèn bìngqíng
to inquire about patient's illness

7 患者 huànzhě
patient

8 描述病情 miáoshù bìngqíng
to describe one's illness

9 候诊 hòuzhěn
to wait to see a doctor

10 挂号 guàhào
to register

11 排队 páiduì
to queue

12 检查 jiǎnchá
to examine

13 做X光透视
zuò X guāng tòushì
to perform an X-ray

14 开药 kāiyào
to prescribe

15 吃药 chīyào
to take medicine

16 体检中心 tǐjiǎn zhōngxīn
physical exam center

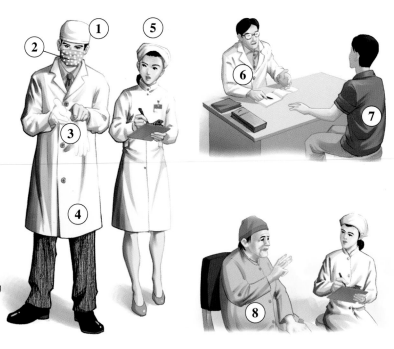

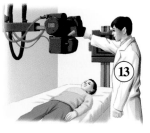

17 量身高 liáng shēngāo
to measure height

18 量体重 liáng tǐzhòng
to measure weight

19 验尿 yànniào
to test urine

20 测视力 cè shìlì
to test eyesight

21 量血压 liáng xuèyā
to check blood pressure

22 抽血 chōuxiě
to draw blood

23 量体温 liáng tǐwēn
to take temperature

24 缝针 féngzhēn
to sew stitches

25 打针 dǎzhēn
to give a shot

26 消毒 xiāodú
to sterilize

27 包扎 bāozā
to dress a wound

28 输液/打点滴 shūyè/dǎ diǎndī
to put someone on a drip

29 上药 shàngyào
to administer drugs

30 输血 shūxiě
blood transfusion

31 取药 qǔyào
to fill a prescription

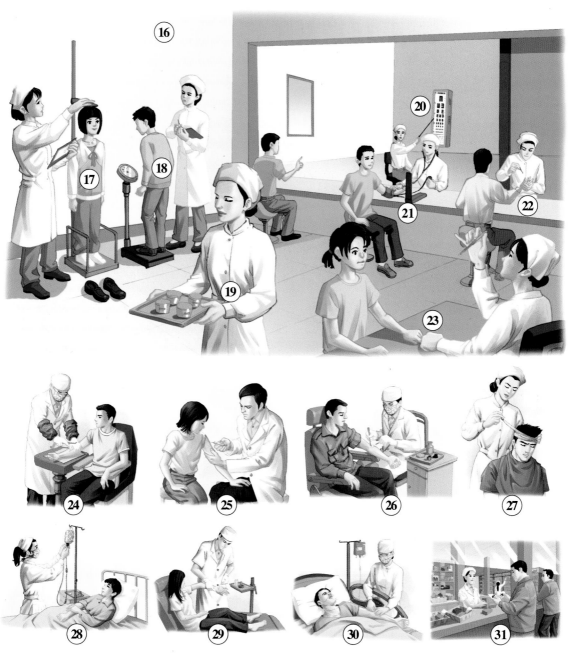

171

医药用品
Medical Supplies

1 血压计 xuèyājì
blood pressure cuff

2 牙套 yátào
braces

3 注射器 zhùshèqì
syringe

4 一次性针头 yícìxìng zhēntóu
disposable needle

5 温度计 wēndùjì
thermometer

6 听诊器 tīngzhěnqì
stethoscope

7 心电图仪 xīndiàntúyí
electrocardiogram machine

8 超声波 chāoshēngbō
ultrasound

9 镜片 jìngpiàn
lenses

10 镜框 jìngkuàng
frame

11 视力表 shìlìbiǎo
eye chart

12 眼镜 yǎnjìng
glasses

13 验光师 yànguāngshī
optometrist

14 清洗液 qīngxǐyè
contact lens solution

15 隐形眼镜 yǐnxíng yǎnjìng
contact lenses

16 非处方药 fēichǔfāngyào
non-prescription drugs

17 处方药 chǔfāngyào
prescription drugs

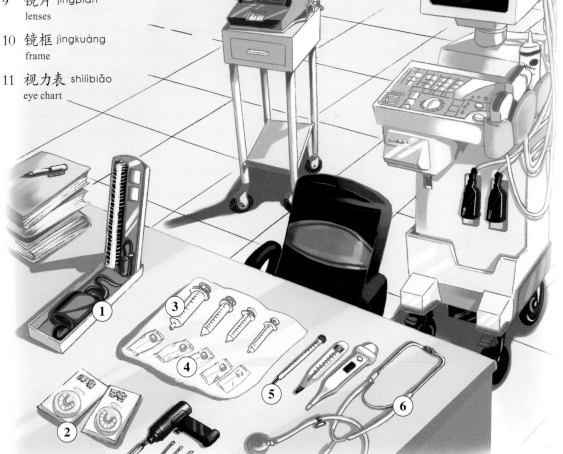

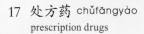

18 胶囊 jiāonáng
capsule

19 止疼药 zhǐténgyào
painkiller

20 药丸 yàowán
pill

21 纱布 shābù
gauze

22 创可贴 chuāngkětiē
band-aid

23 消炎药 xiāoyányào
antibacterial drugs

24 棉签 miánqiān
q-tips

25 绷带 bēngdài
bandage

26 眼药水 yǎnyàoshuǐ
eyedrops

27 糖浆 tángjiāng
syrup

28 综合维生素 zōnghé wéishēngsù
multivitamins

29 药片 yàopiàn
tablet

30 药膏 yàogāo
ointment

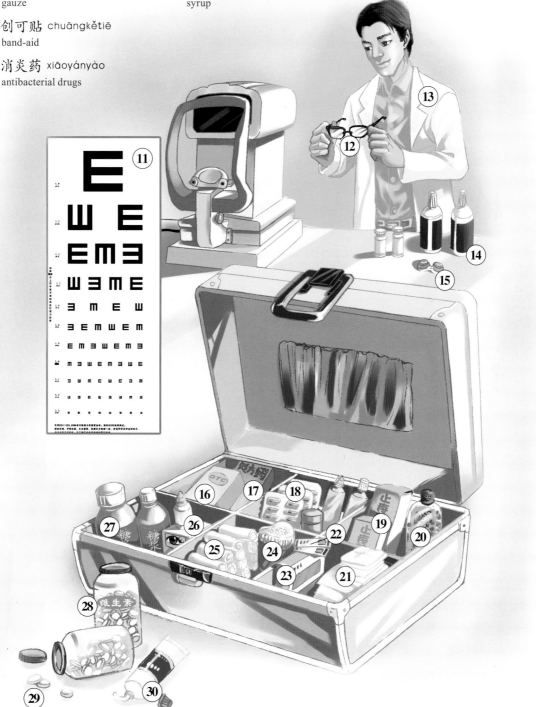

中医 Zhōngyī
Chinese Medicine

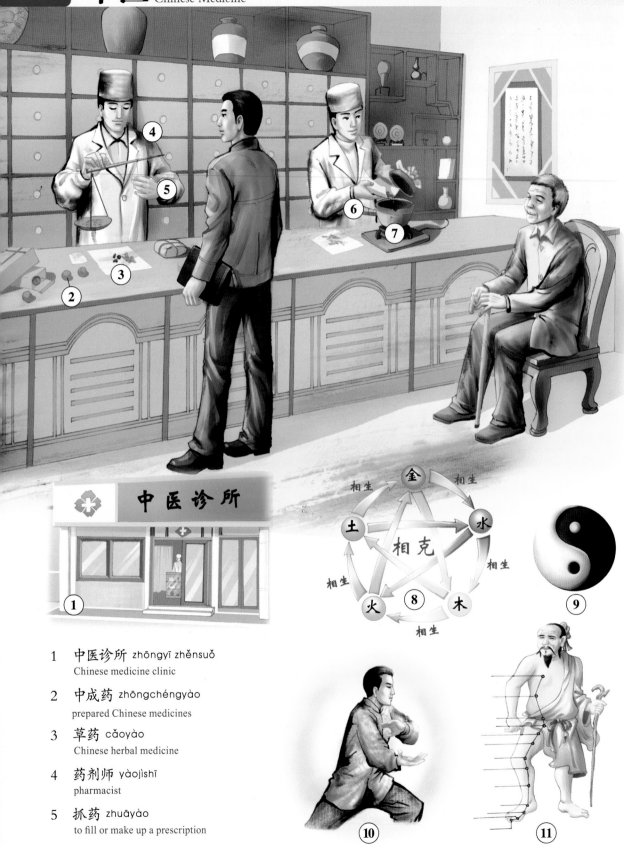

1 中医诊所 zhōngyī zhěnsuǒ
Chinese medicine clinic

2 中成药 zhōngchéngyào
prepared Chinese medicines

3 草药 cǎoyào
Chinese herbal medicine

4 药剂师 yàojìshī
pharmacist

5 抓药 zhuāyào
to fill or make up a prescription

174

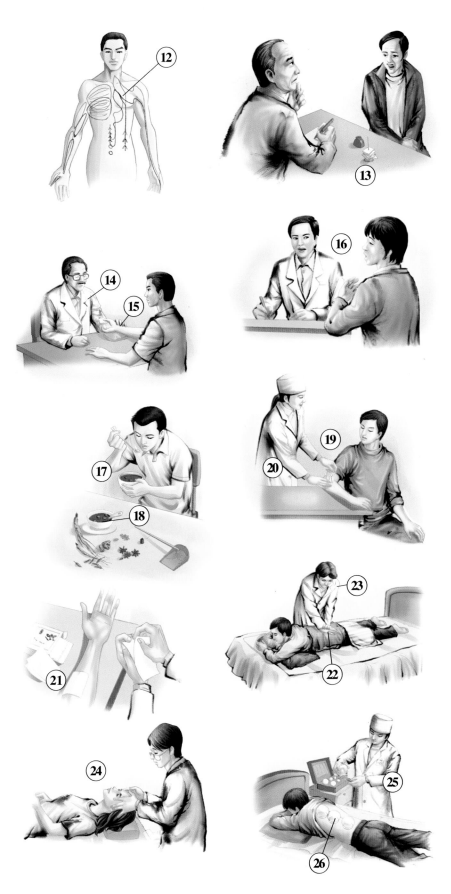

6 熬药 áoyào
to decoct Chinese medical herbs

7 药罐子 yàoguànzi
pot for decocting medical herbs

8 五行 wǔxíng
the five elements

9 阴阳 yīnyáng
the yin and yang

10 气功 qìgōng
qigong

11 穴位 xuéwèi
acupuncture points

12 经络 jīngluò
meridian

13 看气色 kàn qìsè
to observe a patient's color

14 中医 zhōngyī
doctor of traditional Chinese medicine

15 号脉 hàomài
pulse diagnosis

16 问诊 wènzhěn
to inquire

17 食疗 shíliáo
Chinese food therapy

18 药膳 yàoshàn
Chinese medicinal food

19 针灸 zhēnjiǔ
acupuncture

20 针灸师 zhēnjiǔshī
acupuncturist

21 膏药 gāoyao
plaster

22 推拿 tuīná
Tui Na massage therapy

23 推拿师 tuīnáshī
Tui Na masseuse

24 中医按摩 zhōngyī ànmó
Chinese massage therapy

25 拔罐子 bá guànzi
cupping method

26 火罐儿 huǒguànr
cup

邮局 Yóujú
Post Office

1 **国际邮件** guójì yóujiàn international mail	6 **空运** kōngyùn air shipping	11 **糨糊** jiànghu glue
2 **国内邮件** guónèi yóujiàn domestic mail	7 **海运** hǎiyùn ocean shipping	12 **快递** kuàidì express mail
3 **邮递员** yóudìyuán postman	8 **包裹** bāoguǒ package	13 **明信片** míngxìnpiàn postcard
4 **邮筒** yóutǒng mailbox	9 **贺卡** hèkǎ greeting card	14 **挂号信** guàhàoxìn registered letter
5 **邮政车** yóuzhèngchē mail truck	10 **航空信** hángkōngxìn airmail	15 **信封** xìnfēng envelope

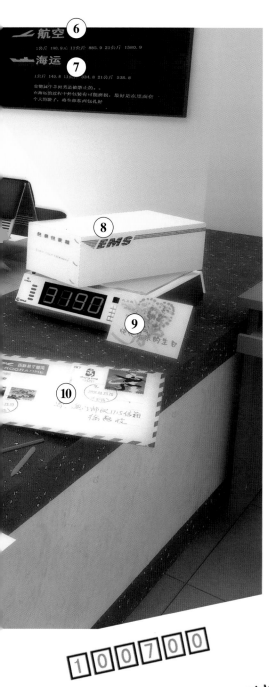

航空 **6**
1公斤 190.9元 11公斤 885.9 21公斤 1580.9

海运 **7**
1公斤 140.8 11公斤 334.8 21公斤 528.8

8 EMS

9

10

23

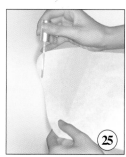

24

25

26

16 信件 xìnjiàn
letter

17 邮戳 yóuchuō
postmark

18 收信人地址 shōuxìnrén dìzhǐ
delivery address

19 收信人姓名 shōuxìnrén xìngmíng
recipient's name

20 寄信人地址 jìxìnrén dìzhǐ
return address

21 邮票 yóupiào
stamp

22 邮政编码 yóuzhèng biānmǎ
zip code

23 写地址 xiě dìzhǐ
to write an address

24 贴邮票 tiē yóupiào
to put on a stamp

25 粘信封 zhān xìnfēng
to seal an envelope

26 投寄 tóujì
to mail

1 0 0 7 0 0

17

21

18 收件人地址　北京市王府井大街36号

卿莎

19 收件人姓名

江苏无锡南京路31号

20 寄件人地址 **22** 邮政编码 564892

寄包裹、汇款、付账单

1 服务窗口 fúwù chuāngkǒu
service window

2 工作人员 gōngzuò rényuán
clerk

3 包装 bāozhuāng
to pack

4 纸盒 zhǐhé
box

5 透明胶带 tòumíng jiāodài
packing tape

6 汇款日期 huìkuǎn rìqī
remittance date

7 汇款数量 huìkuǎn shùliàng
remittance amount

8 汇款人姓名
huìkuǎnrén xìngmíng
remitter's name

9 收款人姓名
shōukuǎnrén xìngmíng
recipient's name

10 手续费 shǒuxùfèi
service charge

11 汇款人签名
huìkuǎnrén qiānmíng
remitter's signature

12 保价费 bǎojiàfèi
insurance fee

13 国内汇款
guónèi huìkuǎn
domestic remittance

14 国际汇款
guójì huìkuǎn
international remittance

15 汇款 huìkuǎn
to remit money

16 交费 jiāofèi
bill payments

17 付费 fùfèi
to pay a bill

18 寄包裹 jì bāoguǒ
to send a package

19 称重量
chēng zhòngliàng
to weigh

20 填表 tiánbiǎo
to fill in a form

21 收据 shōujù
receipt

22 账单 zhàngdān
bill

23 电费 diànfèi
electricity bill

24 燃气费 ránqìfèi
gas bill

25 水费 shuǐfèi
water bill

26 电话费 diànhuàfèi
telephone bill

27 市话费 shìhuàfèi
local rate

28 月租费 yuèzūfèi
monthly rate

29 长话费 chánghuàfèi
long distance rate

30 总额 zǒng'é
total sum

电费通知单 23

燃气费 24

水费通知单 25

6月份电话费 26

27 市话费 25.00
28 月租费 12.00
29 长话费 20.00
30 总额 57.00

22

13 国内汇款

14 国际汇款

16 交费

18 寄包裹

15

17

19

20

21

银行 Yínháng
Bank

1 取号机 qǔhàojī
number dispenser

2 个人业务 gèrén yèwù
personal account services

3 企业业务 qǐyè yèwù
business account services

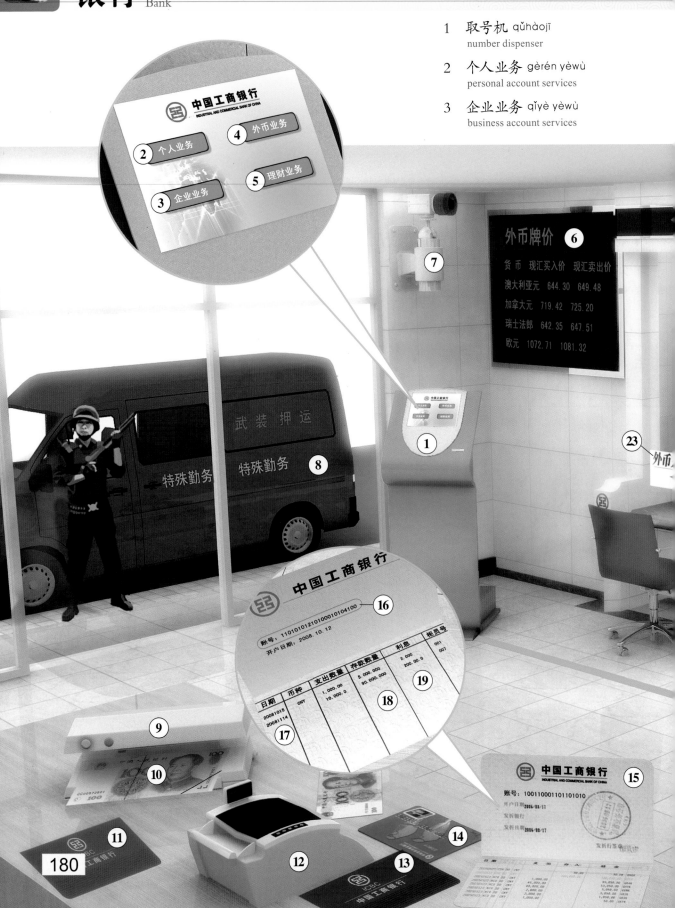

中国工商银行
INDUSTRIAL AND COMMERCIAL BANK OF CHINA

2 个人业务
4 外币业务
3 企业业务
5 理财业务

外币牌价 6
货币 现汇买入价 现汇卖出价
澳大利亚元 644.30 649.48
加拿大元 719.42 725.20
瑞士法郎 642.35 647.51
欧元 1072.71 1081.32

7

武装押运

特殊勤务 特殊勤务 8

23 外币

中国工商银行

账号：11010101210100010104100 16

开户日期：2008.10.12

日期	币种	支出数量	存款数量	利息	柜员号
				2.000	001
				200.00.0	007
			5.000.00		
		1.000.00	90.000.000		
		10.000.0			
20081015	CNY				
20081114					

17 18 19

9

10

11

180

12

13

14

中国工商银行

账号：100110001101101010 15

开户日期：2006-08-17

发折银行

发折日期：2006-08-17

4 外币业务 wàibì yèwù
foreign currency services

5 理财业务 lǐcái yèwù
financial management services

6 外币牌价 wàibì páijià
foreign currency exchange rate

7 监视器 jiānshìqì
security camera

8 运钞车 yùnchāochē
armored car

9 验钞机 yànchāojī
counterfeit bill detector

10 假币 jiǎbì
counterfeit bill

11 活期存款 huóqī cúnkuǎn
savings account

12 点钞机 diǎnchāojī
bill counter

13 定期存款 dìngqī cúnkuǎn
certificate of deposit

14 银行卡 yínhángkǎ
bank card

15 存折 cúnzhé
passbook

16 账号 zhànghào
account number

17 存款日期 cúnkuǎn rìqī
date of deposit

18 存款数量 cúnkuǎn shùliàng
deposit amount

19 利息 lìxī
interest

20 金库 jīnkù
vault

21 保险柜 bǎoxiǎnguì
safe

22 对讲话筒 duìjiǎng huàtǒng
intercom

23 外币兑换 wàibì duìhuàn
foreign currency exchange

24 取款 qǔkuǎn
to withdraw

25 密码箱 mìmǎxiāng
combination lock briefcase

26 一米线 yìmǐxiàn
one-meter line

27 开户 kāihù
to open an account

28 销户 xiāohù
to close an account

29 挂失 guàshī
to report a loss

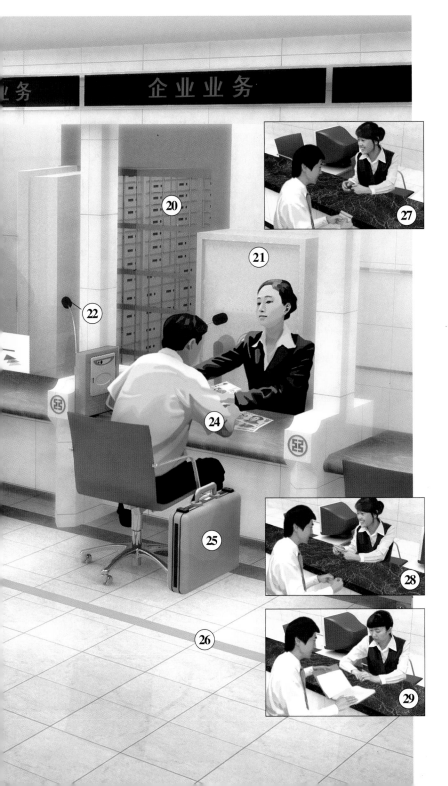

存取款、换钱

请输入密码

******

请选择服务项目

提取现金

存款

查询余额

退出

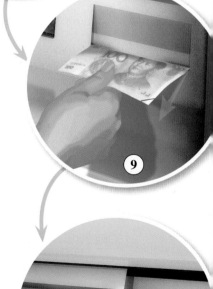

1	排队等候 páiduì děnghòu to wait in line	11	收兑币种 shōuduì bìzhǒng accepted currencies

1 排队等候 páiduì děnghòu
   to wait in line

2 插入银行卡 chārù yínhángkǎ
   to insert a bank card

3 自动取款机 zìdòng qǔkuǎnjī
   ATM

4 输入密码 shūrù mìmǎ
   to enter a PIN

5 选择服务项目 xuǎnzé fúwù xiàngmù
   to choose a service

6 存款 cúnkuǎn
   to make a deposit

7 查询余额 cháxún yú'é
   to check an account balance

8 退出 tuìchū
   to exit

9 提取现金 tíqǔ xiànjīn
   to withdrawal cash

10 取卡 qǔkǎ
   to remove a card

11 收兑币种 shōuduì bìzhǒng
   accepted currencies

12 欧元 ōuyuán
   Euro

13 英镑 yīngbàng
   Pound

14 美元 měiyuán
   US Dollar

15 瑞士法郎 ruìshì fǎláng
   Swiss Franc

16 新加坡元 xīnjiāpōyuán
   Singapore Dollar

17 瑞典克朗 ruìdiǎn kèlǎng
   Swedish Krona

18 丹麦克朗 dānmài kèlǎng
   Danish Krone

19 挪威克朗 nuówēi kèlǎng
   Norwegian Krone

20 日元 rìyuán
   Japanese Yen

21 加拿大元 jiānádàyuán
Canadian Dollar

22 菲律宾比索 fēilùbīn bǐsuǒ
Philippine Peso

23 澳大利亚元 àodàlìyàyuán
Australian Dollar

24 泰铢 tàizhū
Thai Baht

25 韩元 hányuán
Korean Won

26 港币 gǎngbì
Hong Kong Dollar

27 新台币 xīntáibì
New Taiwan Dollar

28 澳门币 àoménbì
Macau Dollar

公安局

Gōng'ānjú
Police Station

1 公安局 gōng'ānjú
police station

2 监狱 jiānyù
prison

3 小偷 xiǎotōu
thief

4 抢劫 qiǎngjié
to rob

5 绑架 bǎngjià
to kidnap

6 报警 bàojǐng
to call the police

7 谋杀 móushā
to murder

8 审问 shěnwèn
to interrogate

9 犯罪嫌疑人 fànzuì xiányírén
suspect

10 法庭 fǎtíng
court

11 审判 shěnpàn
to try

12 做笔录 zuò bǐlù
to take a statement

13 拘留 jūliú
to detain

14 手铐 shǒukào
handcuffs

15 手枪 shǒuqiāng
pistol

16 警帽 jǐngmào
police hat

17 钢盔 gāngkuī
helmet

18 警棍 jǐnggùn
police baton

19 对讲机 duìjiǎngjī
walkie-talkie

20 警服 jǐngfú
police uniform

21 警用摩托车
jǐngyòng mótuōchē
police motorcycle

22 交通警察 jiāotōng jǐngchá
traffic police

23 警车 jǐngchē
police car

24 警察 jǐngchá
police officer

25 目击者 mùjīzhě
witness

26 警徽 jǐnghuī
police emblem

27 警笛 jǐngdí
siren

28 受害者 shòuhàizhě
victim

29 逮捕 dàibǔ
to arrest

30 便衣警察 biànyī jǐngchá
plain-clothes police

31 证据 zhèngjù
evidence

32 警犬 jǐngquǎn
police dog

方向 Fāngxiàng
Directions

1	楼上 lóushàng upstairs	7	十字路口 shízì lùkǒu intersection	13	立交桥 lìjiāoqiáo overpass
2	楼下 lóuxià downstairs	8	向左拐 xiàng zuǒ guǎi to turn left	14	红绿灯 hónglǜdēng traffic lights
3	过街天桥 guòjiē tiānqiáo pedestrian overpass	9	往前走 wǎng qián zǒu to walk straight	15	西 xī West
4	人行横道 rénxíng-héngdào pedestrian crossing	10	马路 mǎlù road	16	西北 xīběi Northwest
5	上 shàng up	11	人行道 rénxíngdào sidewalk	17	北 běi North
6	下 xià down	12	地下通道 dìxià tōngdào underpass	18	东北 dōngběi Northeast

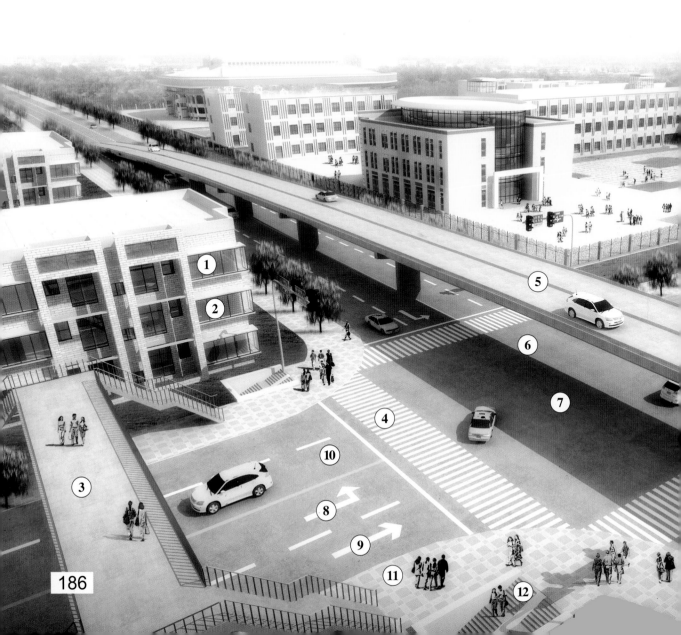

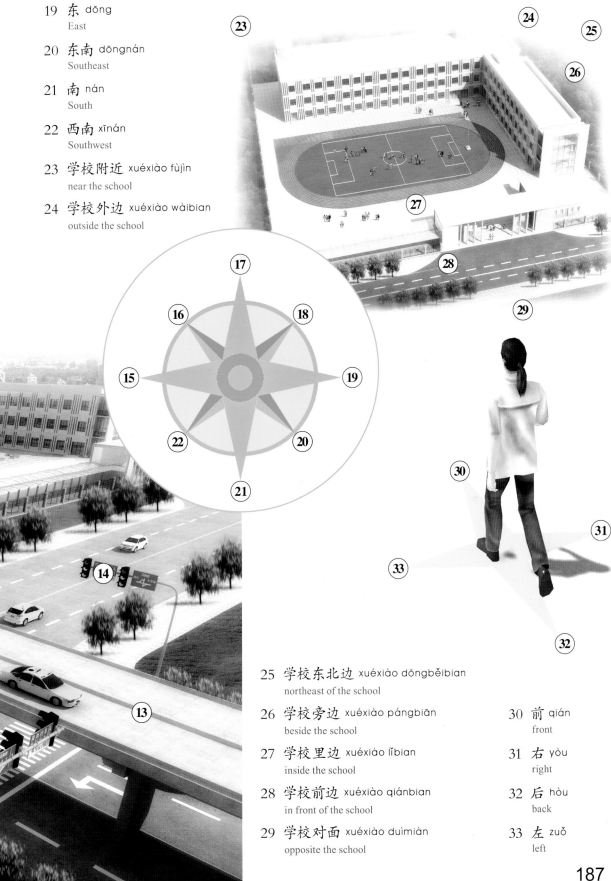

19 东 dōng
East

20 东南 dōngnán
Southeast

21 南 nán
South

22 西南 xīnán
Southwest

23 学校附近 xuéxiào fùjìn
near the school

24 学校外边 xuéxiào wàibian
outside the school

25 学校东北边 xuéxiào dōngběibian
northeast of the school

26 学校旁边 xuéxiào pángbiān
beside the school

27 学校里边 xuéxiào lǐbian
inside the school

28 学校前边 xuéxiào qiánbian
in front of the school

29 学校对面 xuéxiào duìmiàn
opposite the school

30 前 qián
front

31 右 yòu
right

32 后 hòu
back

33 左 zuǒ
left

交通工具

1	缆车 lǎnchē cable car	7	赛车 sàichē racing car
2	飞机 fēijī plane	8	巴士 bāshì bus
3	有轨电车 yǒuguǐ-diànchē trolley	9	敞篷车 chǎngpéngchē covertible
4	消防车 xiāofángchē fire engine	10	马车 mǎchē horse cart
5	油罐车 yóuguànchē tanker	11	汽车 qìchē car
6	跑车 pǎochē sports car	12	走路 zǒulù walk

13 山地车 shāndìchē
mountain bike

14 轮船 lúnchuán
ship

15 火车 huǒchē
train

16 卡车 kǎchē
truck

17 货车 huòchē
semi-trailer

18 轿车 jiàochē
sedan

19 出租车 chūzūchē
taxi

20 公共汽车 gōnggòng qìchē
public bus

21 垃圾车 lājīchē
garbage truck

22 房车 fángchē
RV

23 多功能运动车 duōgōngnéng yùndòngchē
SUV

24 自行车 zìxíngchē
bicycle

25 摩托车 mótuōchē
motorcycle

26 拖车 tuōchē
tow truck

27 地铁 dìtiě
subway

189

飞机 Fēijī
Airplane

1 出发 chūfā to depart	13 空姐 kōngjiě stewardess	16 引擎 yǐnqíng jet engine
2 到达 dàodá to arrive	14 货舱 huòcāng cargo hold	17 机翼 jīyì wing
3 中转 zhōngzhuǎn to transfer	15 机身 jīshēn fuselage	18 机尾 jīwěi tail
4 驾驶舱 jiàshǐcāng cockpit		
5 机长 jīzhǎng captain		
6 副机长 fùjīzhǎng co-pilot		
7 头等舱 tóuděngcāng first class		
8 头顶行李舱 tóudǐng xínglicāng overhead compartment		
9 盥洗间 guànxǐjiān lavatory		
10 商务舱 shāngwùcāng business class		
11 乘务员 chéngwùyuán flight attendant		
12 经济舱 jīngjìcāng economy class		

北京　香港　惠灵顿

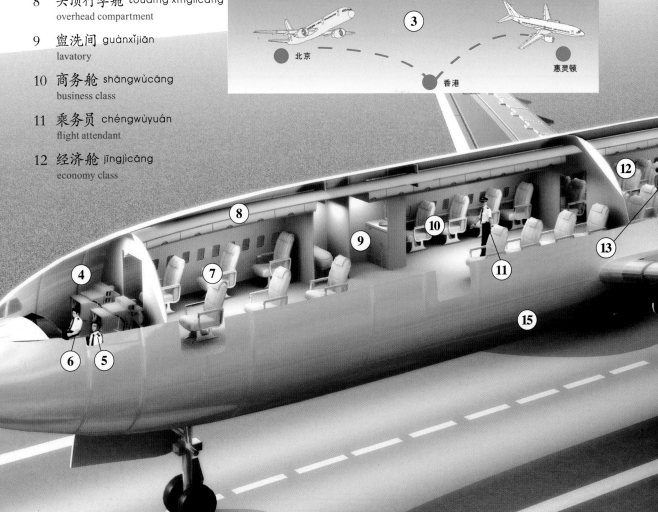

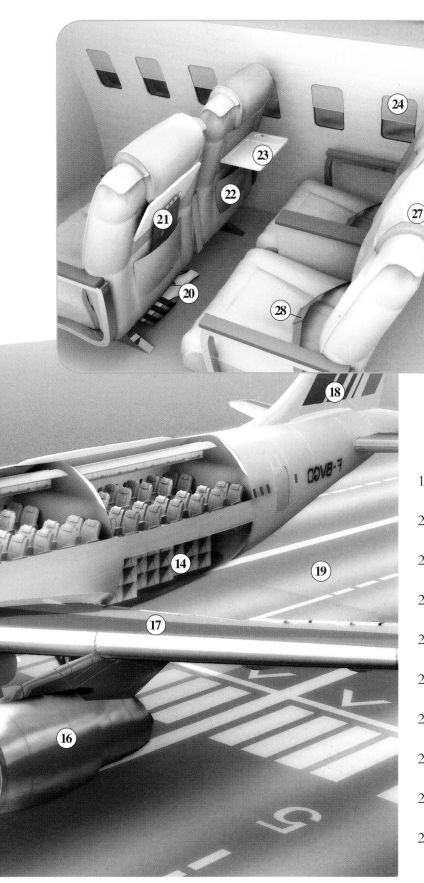

19 飞机跑道 fēijī pǎodào
runway

20 救生衣 jiùshēngyī
life jacket

21 呕吐袋 ǒutùdài
airsickness bag

22 置物袋 zhìwùdài
seat pocket

23 折叠餐桌 zhédié cānzhuō
tray table

24 遮阳板 zhēyángbǎn
window blind

25 紧急出口 jǐnjí chūkǒu
emergency exit

26 靠窗座位 kàochuāng zuòwèi
window seat

27 靠通道座位 kàotōngdào zuòwèi
aisle seat

28 安全带 ānquándài
seat belt

飞机场 Fēijīchǎng
Airport

1 行李领取处 xíngli lǐngqǔchù
baggage claim

2 转台 zhuàntái
luggage carousel

3 出机场通道 chūjīchǎng tōngdào
passenger exit

4 出租车站 chūzūchēzhàn
taxi stand

5 行李运送车 xíngli yùnsòngchē
baggage trailer

6 搬运行李 bānyùn xíngli
to transport luggage

7 售票柜台 shòupiào guìtái
ticket counter

8 办票柜台 bànpiào guìtái
check-in counter

9 行李车 xínglichē
luggage cart

10 自助值机柜 zìzhù zhíjīguì
automated check-in machine

11 机场巴士 jīchǎng bāshì
airport shuttle

12 旅客 lǚkè
passenger

13 航站楼 hángzhànlóu
terminal

14 送行 sòngxíng
to see somebody off

15 问讯处 wènxùnchù
information desk

16 航班显示屏 hángbān xiǎnshìpíng
flight information board

17 出境大厅 chūjìng dàtīng
departure lobby

18 随身行李 suíshēn xíngli
carry-on baggage

19 金属探测器 jīnshǔ tàncèqì
metal detector

20 X光检测机 X guāng jiǎncèjī
X-ray machine

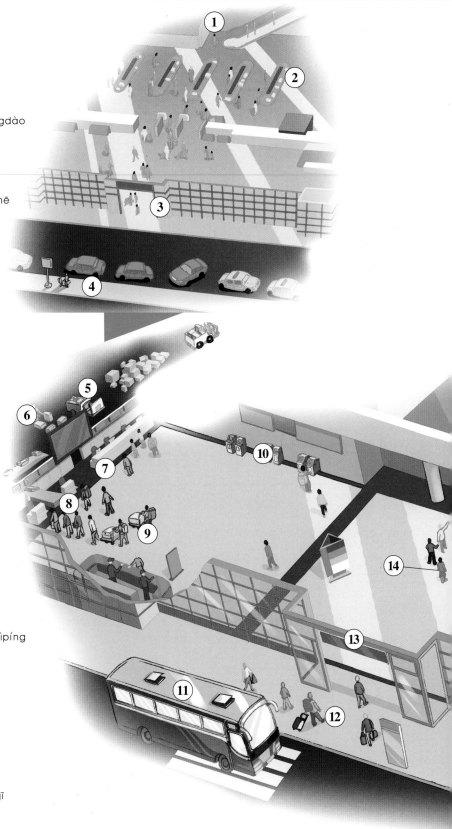

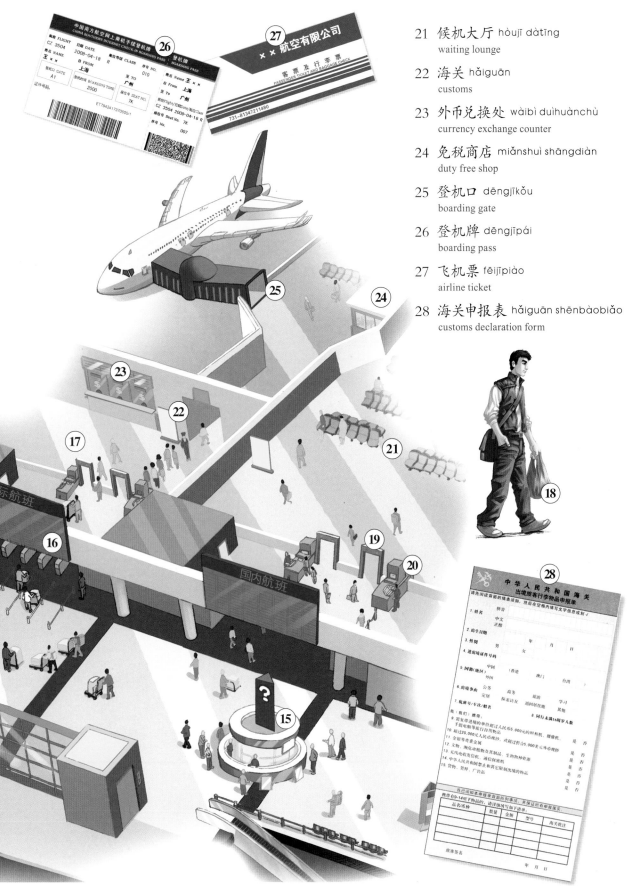

21 候机大厅 hòujī dàtīng
waiting lounge

22 海关 hǎiguān
customs

23 外币兑换处 wàibì duìhuànchù
currency exchange counter

24 免税商店 miǎnshuì shāngdiàn
duty free shop

25 登机口 dēngjīkǒu
boarding gate

26 登机牌 dēngjīpái
boarding pass

27 飞机票 fēijīpiào
airline ticket

28 海关申报表 hǎiguān shēnbàobiǎo
customs declaration form

193

坐飞机 Zuò Fēijī
Taking an Airplane

1 抵达机场 dǐdá jīchǎng
to arrive at the airport

2 出示个人证件
chūshì gèrén zhèngjiàn
to show ID

4 托运行李 tuōyùn xíngli
to check luggage

3 换登机牌 huàn dēngjīpái
to get a boarding pass

5 通过安检 tōngguò ānjiǎn
to go through a security check

6 查看航班显示
chákàn hángbān xiǎnshì
to check a flight

7 等候 děnghòu
to wait

8 登机 dēngjī
to board a plane

9 找座位 zhǎo zuòwèi
to find one's seat

10 放行李 fàng xíngli
to stow a bag

11 关闭手机 guānbì shǒujī
to turn off a cellphone

12 系安全带 jì ānquándài
to fasten a seat belt

194

13 看安全录像
kàn ānquán lùxiàng
to watch a safety video

14 起飞 qǐfēi
to take off

15 打开头顶灯
dǎkāi tóudǐngdēng
to turn on the overhead light

16 戴耳机 dài ěrjī
to put on headphones

17 放下折叠餐桌
fàngxià zhédié cānzhuō
to lower a tray table

18 选择饮料 xuǎnzé yǐnliào
to choose a drink

19 选择餐点 xuǎnzé cāndiǎn
to choose a meal

20 用餐 yòngcān
to have a meal

21 收起折叠餐桌
shōuqǐ zhédié cānzhuō
to raise a tray table

22 调直靠背 tiáozhí kàobèi
to straighten a seat

23 降落 jiàngluò
to land

24 解安全带 jiě ānquándài
to unfasten a seat belt

25 下飞机 xià fēijī
to get off the plane

26 转机 zhuǎnjī
to transfer

27 领取行李
lǐngqǔ xíngli
to claim baggage

195

1 售票处 shòupiàochù
ticket window

2 列车时刻表 lièchē shíkèbiǎo
train schedule

3 火车票 huǒchēpiào
train ticket

4 站台票 zhàntáipiào
platform ticket

5 价目表 jiàmùbiǎo
price list

6 进站口 jìnzhànkǒu
entrance

7 车厢 chēxiāng
car

8 检票员 jiǎnpiàoyuán
ticket inspector

9 列车 lièchē
train

10 出站口 chūzhànkǒu
station exit

11 候车室 hòuchēshì
waiting room

12 火车站 huǒchēzhàn
train station

13 到站 dàozhàn
to pull into the station

14 出站 chūzhàn
to pull out of the station

15 转车 zhuǎnchē
to transfer

16 铁轨 tiěguǐ
tracks

17 硬座 yìngzuò
hard seat

18 列车员 lièchēyuán
car attendant

19 行李架 xínglijià
baggage rack

20 乘客 chéngkè
passenger

21 留言簿 liúyánbù
suggestion form

22 硬卧 yìngwò
hard berth

23 上铺 shàngpù
upper berth

24 中铺 zhōngpù
middle berth

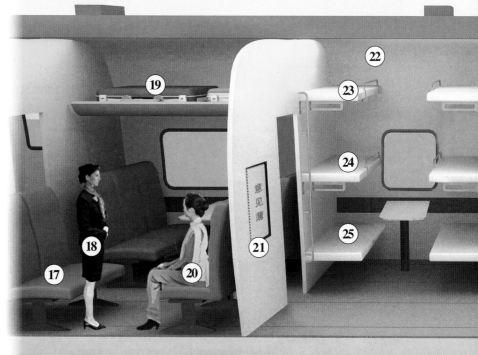

25 下铺 xiàpù
lower berth

26 软卧 ruǎnwò
soft berth

27 乘警 chéngjǐng
railway police

28 流动售货车 liúdòng shòuhuòchē
vending cart

29 餐车 cānchē
dining car

30 列车长 lièchēzhǎng
conductor

地铁、公交车和出租车

Dìtiě、Gōngjiāochē hé Chūzūchē

Subway, Bus and Taxi

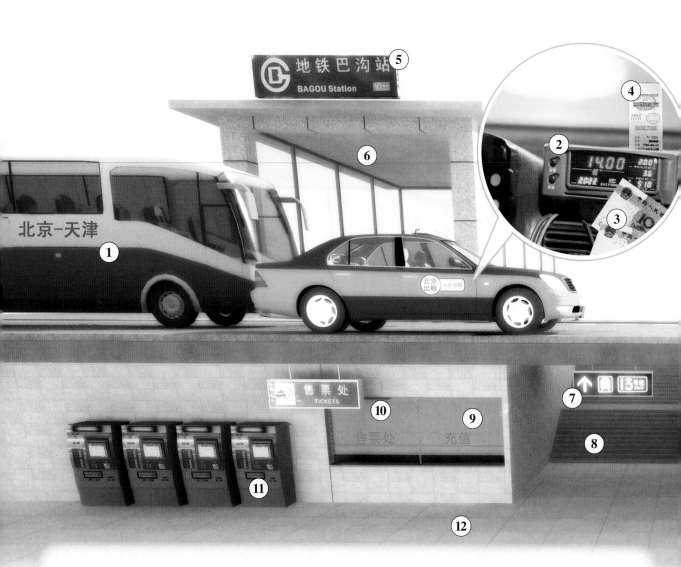

1	**长途汽车** chángtú qìchē long distance bus	7	**指示标志** zhǐshì biāozhì sign	13	**线路图** xiànlùtú subway map
2	**计价器** jìjiàqì meter	8	**出口** chūkǒu exit	14	**车站周边查询** chēzhàn zhōubiān cháxún area map
3	**车费** chēfèi fare	9	**充值点** chōngzhídiǎn account charge office	15	**1号线** yīhàoxiàn Line 1
4	**发票** fāpiào receipt	10	**售票口** shòupiàokǒu ticket window	16	**公交车** gōngjiāochē public bus
5	**地铁站** dìtiězhàn subway station	11	**自动售票机** zìdòng shòupiàojī automatic ticket vending machines	17	**售票员** shòupiàoyuán conductor
6	**入口** rùkǒu entrance	12	**站台** zhàntái platform		

18	332路 332 lù Bus No. 332	23	月票 yuèpiào monthly pass
19	公交车站 gōngjiāo chēzhàn bus station	24	学生卡 xuéshēngkǎ student pass
20	首班车 shǒubānchē first bus	25	上车 shàngchē to board a bus
21	末班车 mòbānchē last bus	26	下车 xiàchē to get off a bus
22	公交卡 gōngjiāokǎ fare card	27	换乘 huànchéng to transfer

1号线

1 驾照 jiàzhào
driver's license

2 后视镜 hòushìjìng
rearview mirror

3 转速表 zhuànsùbiǎo
tachometer

4 速度表 sùdùbiǎo
speedometer

5 燃油表 rányóubiǎo
fuel gauge

6 方向盘 fāngxiàngpán
steering wheel

7 喇叭 lǎba
horn

8 点火开关 diǎnhuǒ kāiguān
ignition

9 刹车 shāchē
brake pedal

10 油门 yóumén
accelerator pedal

11 变速挡 biànsùdǎng
gearshift

12 车载音响 chēzài yīnxiǎng
CD player

20 刹车灯 shāchēdēng
brake light

21 转向灯 zhuǎnxiàngdēng
turn signal

22 保险杠 bǎoxiǎngàng
bumper

23 挡泥板 dǎngníbǎn
mud flap

24 轮胎 lúntāi
tire

25 引擎盖 yǐnqínggài
hood

26 发动机 fādòngjī
engine

27 电瓶 diànpíng
battery

28 散热器 sànrèqì
radiator

29 前灯 qiándēng
headlight

30 驾校 jiàxiào
driving school

31 维修 wéixiū
maintenance

32 洗车 xǐchē
car wash

33 加油站 jiāyóuzhàn
gas station

13 雨刮 yǔguā
windshield wiper

14 挡风玻璃 dǎngfēng bōli
windshield

15 安全气囊 ānquán qìnáng
airbag

16 后备箱 hòubèixiāng
trunk

17 牌照 páizhào
license plate

18 排气管 páiqìguǎn
exhaust pipe

19 尾灯 wěidēng
tail light

交通标记 Jiāotōng Biāojì
Traffic Signs

1 十字交叉 shízì jiāochā
crossroad

2 环形交叉 huánxíng jiāochā
roundabout

3 向左急弯路
xiàng zuǒ jíwānlù
sharp left turn

4 向右急弯路
xiàng yòu jíwānlù
sharp right turn

5 反向弯路 fǎnxiàng wānlù
reverse curve

6 连续弯路 liánxù wānlù
winding road

7 上陡坡 shàngdǒupō
steep uphill slope

8 下陡坡 xiàdǒupō
steep downhill slope

9 两侧变窄 liǎngcè biàn zhǎi
narrow road ahead

10 双向交通
shuāngxiàng jiāotōng
two-way traffic

11 注意行人 zhùyì xíngrén
pedestrian crossing

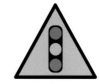

12 注意信号灯
zhùyì xìnhàodēng
traffic signal ahead

13 注意落石 zhùyì luòshí
falling rocks

14 易滑 yìhuá
slippery road

15 堤坝路 dībàlù
dam road

16 隧道 suìdào
tunnel

17 路面不平 lùmiàn bùpíng
bumpy road

18 无人看守铁路道口
wúrén kānshǒu tiělù dàokǒu
unguarded railway crossing

202

19 注意非机动车
zhùyì fēijīdòngchē
watch for bicycles

20 事故易发路段
shìgù yìfā lùduàn
dangerous area

21 慢行 mànxíng
slow

22 施工 shīgōng
construction

23 注意危险 zhùyì wēixiǎn
caution

24 禁止驶入 jìnzhǐ shǐrù
do not enter

25 禁止向左转弯
jìnzhǐ xiàng zuǒ zhuǎnwān
no left turn

26 禁止直行 jìnzhǐ zhíxíng
must turn

27 禁止掉头 jìnzhǐ diàotóu
no U-turn

28 禁止鸣喇叭 jìnzhǐ míng lǎba
no honking

29 禁止车辆停放
jìnzhǐ chēliàng tíngfàng
no parking

30 限制高度 xiànzhì gāodù
height limit

31 停车让行 tíngchē ràngxíng
stop

32 减速让行 jiǎnsù ràngxíng
yield

33 分向行驶车道
fēnxiàng xíngshǐ chēdào
divided lanes

34 单行路 dānxínglù
one way

旅行 Lǚxíng
Travel

中国国际旅行社 ①

②

长城！ ③

自由女神像！

④

1	旅行社 lǚxíngshè travel agency	8	估算费用 gūsuàn fèiyong to figure out a budget	15	酒店星级 jiǔdiàn xīngjí star rating
2	旅行团 lǚxíngtuán tour group	9	预订酒店 yùdìng jiǔdiàn to reserve a hotel room	16	预订机票 yùdìng jīpiào to book a flight
3	国内旅游 guónèi lǚyóu domestic travel	10	城市 chéngshì city	17	往返 wǎngfǎn round trip
4	出境旅游 chūjìng lǚyóu international travel	11	入住日期 rùzhù rìqī check-in date	18	单程 dānchéng one way trip
5	自助游 zìzhùyóu self-service travel	12	离店日期 lí diàn rìqī departure date	19	出发城市 chūfā chéngshì departure city
6	选择目的地 xuǎnzé mùdìdì to choose a destination	13	酒店名称 jiǔdiàn míngchēng name of a hotel	20	出发日期 chūfā rìqī departure date
7	决定行程天数 juédìng xíngchéng tiānshù to plan a trip	14	价格范围 jiàgé fànwéi price range	21	到达城市 dàodá chéngshì destination city

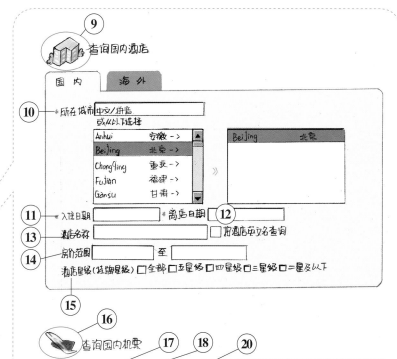

22 返回日期 fǎnhuí rìqī
return date

23 航空公司 hángkōng gōngsī
airline company

24 航班号 hángbānhào
flight number

25 特价机票 tèjià jīpiào
discount airline ticket

宾馆 Bīnguǎn
Hotel

1	订房间 dìng fángjiān to reserve a room	8	客房清洁车 kèfáng qīngjiéchē housekeeping cart
2	登记住宿 dēngjì zhùsù to check in	9	标准间 biāozhǔnjiān standard room
3	入住 rùzhù to stay	10	送餐 sòngcān room service
4	无烟房 wúyānfáng smoke-free room	11	单人间 dānrénjiān single room
5	双人间 shuāngrénjiān double room	12	套房 tàofáng suite
6	客房清洁员 kèfáng qīngjiéyuán housekeeper	13	宴会厅 yànhuìtīng banquet hall
7	清理客房 qīnglǐ kèfáng to clean a room	14	健身中心 jiànshēn zhōngxīn fitness center

15 桑拿中心 sāngná zhōngxīn
sauna

16 干洗 gānxǐ
dry cleaning

17 大堂 dàtáng
lobby

18 前台 qiántái
reception

19 自动旋转门 zìdòng xuánzhuǎnmén
automatic revolving door

20 门童 méntóng
doorman

21 行李生 xínglìshēng
bellhop

22 行李推车 xínglì tuīchē
luggage cart

23 商务中心 shāngwù zhōngxīn
business center

24 退房 tuìfáng
to check out

24

影剧院 Yǐngjùyuàn
Theaters

1 歌剧院 gējùyuàn
  opera house

2 歌剧 gējù
  opera

3 舞剧 wǔjù
  musical

4 民乐 mínyuè
  folk music

5 指挥 zhǐhuī
  conductor

6 乐队 yuèduì
  band

7 演奏 yǎnzòu
  to play music

8 灯光 dēngguāng
  lighting

9 高音歌唱家 gāoyīn gēchàngjiā
  soprano

10 芭蕾舞 bālěiwǔ
  ballet

11 舞蹈演员 wǔdǎo yǎnyuán
  dancer

12 咖啡厅 kāfēitīng
  cafe

13 音乐厅 yīnyuètīng
  concert hall

14 交响乐 jiāoxiǎngyuè
  symphony

15 排练厅 páiliàntīng
  rehearsal room

16 独奏 dúzòu
  solo

17 电影厅 diànyǐngtīng
  cinema

18 化妆室 huàzhuāngshì
  dressing room

19 道具间 dàojùjiān
  prop room

20 道具 dàojù
  props

21 贵宾厅 guìbīntīng
  VIP lounge

22 休息室 xiūxishì
  lounge

23 剧场 jùchǎng
  theater

24 京剧 jīngjù
  Beijing opera

25 脸谱 liǎnpǔ
  facial pattern

26 服装 fúzhuāng
  costume

27 武生 wǔshēng
  martial male role

28 老生 lǎoshēng
  role of an elderly gentleman

29 花旦 huādàn
  female role

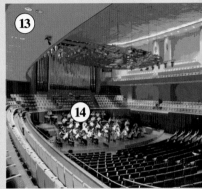

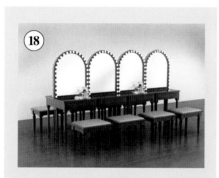

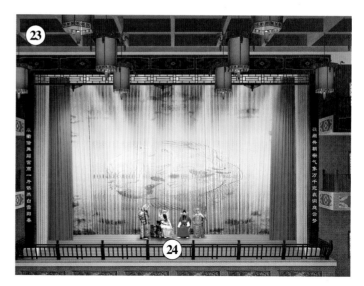

公园

Gōngyuán
Park

1 动物园 dòngwùyuán
zoo

2 孔雀 kǒngquè
peacock

3 熊猫 xióngmāo
panda

4 斑马 bānmǎ
zebra

5 大象 dàxiàng
elephant

6 老虎 lǎohǔ
tiger

7 狮子 shīzi
lion

8 猴子 hóuzi
monkey

9 长颈鹿 chángjǐnglù
giraffe

10 凉亭 liángtíng
pavilion

11 桥 qiáo
bridge

12 长椅 chángyǐ
bench

13 打太极拳 dǎ tàijíquán
to practice T'ai Chi

14 唱戏 chàngxì
to sing an opera

15 扭秧歌 niǔ yāngge
to practice the yangko dance

16 放风筝 fàng fēngzheng
to fly a kite

17 草坪 cǎopíng
lawn

18 雕像 diāoxiàng
statue

19 喷泉 pēnquán
fountain

20 水池 shuǐchí
pool

21 滑旱冰 huá hànbīng to roller-skate	25 牡丹 mǔdan peony	29 秋千 qiūqiān swing
22 植物园 zhíwùyuán botanical garden	26 月季 yuèjì Chinese rose	30 跷跷板 qiāoqiāobǎn seesaw
23 郁金香 yùjīnxiāng tulip	27 散步 sànbù to take a walk	31 冷饮亭 lěngyǐntíng cold drink stand
24 花坛 huātán flower terrace	28 滑梯 huátī slide	32 遛狗 liùgǒu to walk the dog

211

游乐场 Yóulèchǎng
Amusement Park

1 打靶场 dǎbǎchǎng
shooting range

2 小火车 xiǎohuǒchē
mini-train

3 旋转木马 xuánzhuǎn mùmǎ
merry-go-round

4 碰碰车 pèngpèngchē
bumper cars

5 套圈 tàoquān
ring toss

6 摩天轮 mótiānlún
Ferris wheel

7 旋转飞机 xuánzhuǎn fēijī
astrojet

8 鬼屋 guǐwū
haunted house

9 海盗船 hǎidàochuán
pirate ship

10 过山车 guòshānchē
roller coaster

11 马戏团 mǎxìtuán
circus

12 独轮车 dúlúnchē
unicycle

13 驯兽员 xùnshòuyuán
animal trainer

14 驯兽 xùnshòu
animal show

15 蒙眼飞刀 méngyǎn fēidāo
blind knife throwing

16 小丑 xiǎochǒu
clown

17 叠罗汉 dié luóhàn
human pyramid

18 变魔术 biàn móshù
to perform magic

19 魔术师 móshùshī
magician

20 钢丝骑车 gāngsī qíchē
tightrope bicycling

21 空中飞人 kōngzhōng fēirén
trapeze show

22 走钢丝 zǒu gāngsī
tightrope walking

23 水上乐园 shuǐshàng lèyuán
water park

24 滑道 huádào
water slide

25 漂流 piāoliú
rafting

26 碰碰船 pèngpèngchuán
bumper boat

27 划艇 huátǐng
kayak

28 纪念品商店 jìniànpǐn shāngdiàn
souvenir shop

29 游乐场 yóulèchǎng
amusement park

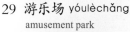

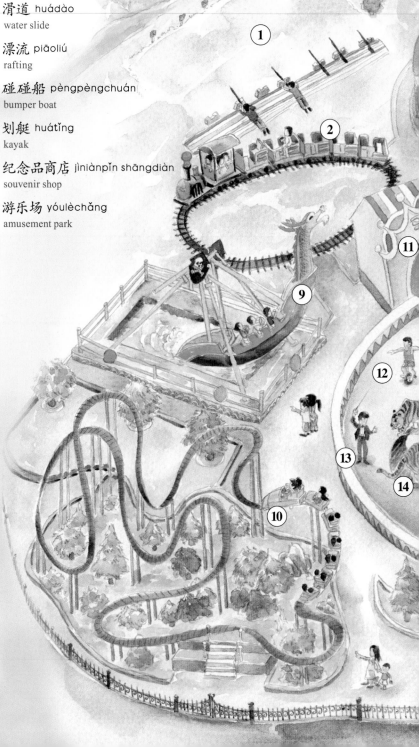

游乐场

博物馆 Bówùguǎn
Museums

1 儿童票 értóngpiào
children's ticket

2 学生票 xuéshēngpiào
student ticket

3 成人票 chéngrénpiào
adult ticket

4 老年票 lǎoniánpiào
senior citizen ticket

5 团体票 tuántǐpiào
group ticket

6 语音导览 yǔyīn dǎolǎn
audio guide

7 电脑导览 diànnǎo dǎolǎn
computer guide

8 无障碍设施 wúzhàng'ài shèshī
handicapped access

9 望远镜 wàngyuǎnjìng
binoculars

10 恐龙化石 kǒnglóng huàshí
dinosaur fossil

11 陨石 yǔnshí
aerolite

12 免费开放 miǎnfèi kāifàng
free admission

13 开放时间 kāifàng shíjiān
opening hours

14 标本 biāoběn
specimen

15 水族馆 shuǐzúguǎn
aquarium

16 蜡像馆 làxiàngguǎn
wax museum

17 农业博物馆 nóngyè bówùguǎn
museum of agriculture

18 昆虫馆 kūnchóngguǎn
insectorium

19 美术馆 měishùguǎn
art museum

20 军事博物馆 jūnshì bówùguǎn
military museum

21 科学技术博物馆 kēxué jìshù bówùguǎn
museum of science and technology

22 历史博物馆 lìshǐ bówùguǎn
history museum

23 自然博物馆 zìrán bówùguǎn
museum of natural history

24 民俗博物馆 mínsú bówùguǎn
museum of folk art

25 天文馆 tiānwénguǎn
planetarium

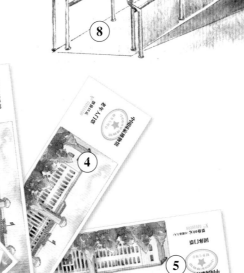

郊游 Jiāoyóu
Excursion

23 香肠 xiāngcháng
sausage

24 饭盒 fànhé
lunch box

25 野餐垫 yěcāndiàn
picnic blanket

26 太阳帽 tàiyángmào
sun hat

27 小鸟 xiǎoniǎo
little bird

28 蝴蝶 húdié
butterfly

29 花 huā
flower

30 蜜蜂 mìfēng
bee

1 登山 dēngshān
to hike

2 背包 bēibāo
backpack

3 水壶 shuǐhú
water bottle

4 小溪 xiǎoxī
brook

5 蜻蜓 qīngtíng
dragonfly

6 小鱼 xiǎoyú
little fish

7 青蛙 qīngwā
frog

8 鱼饵 yú'ěr
fishing lure

9 鱼线 yúxiàn
fishing line

10 火柴 huǒchái
match

11 树 shù
tree

12 鱼竿 yúgān
fishing rod

13 钓鱼 diàoyú
to fish

14 吊床 diàochuáng
hammock

15 烧烤架 shāokǎojià
barbecue rack

16 烤肉 kǎoròu
barbecued meat

17 烧烤 shāokǎo
to barbecue

18 草 cǎo
grass

19 旅游鞋 lǚyóuxié
sneakers

20 野餐 yěcān
picnic

21 饼干 bǐnggān
crackers

22 面包 miànbāo
bread

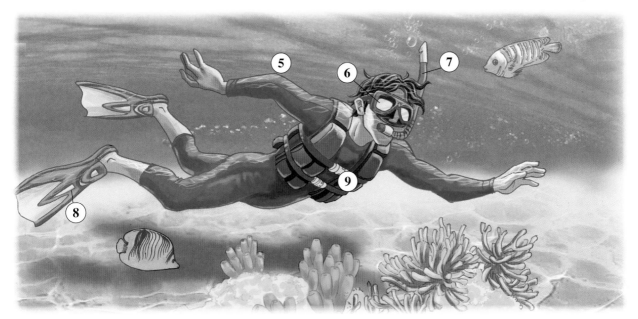

1	滑水 huáshuǐ water ski	15	游泳裤 yóuyǒngkù swimming trunks
2	摩托艇 mótuōtǐng jet-ski	16	比基尼 bǐjīní bikini
3	抢救 qiǎngjiù to rescue	17	捡贝壳 jiǎn bèiké to pick up shells
4	溺水 nìshuǐ to drown	18	堆沙堡 duī shābǎo to build a sand castle
5	潜水 qiánshuǐ to dive	19	帆船 fānchuán yacht
6	潜水镜 qiánshuǐjìng diving goggles	20	汽艇 qìtǐng speedboat
7	通气管 tōngqìguǎn snorkel	21	橡皮艇 xiàngpítǐng rubber boat
8	脚蹼 jiǎopǔ flippers	22	救生圈 jiùshēngquān life-saver
9	潜水员 qiánshuǐyuán diver	23	救生员 jiùshēngyuán lifeguard
10	海滩 hǎitān beach	24	岛 dǎo island
11	阳伞 yángsǎn parasol	25	冲浪 chōnglàng to surf
12	擦防晒油 cā fángshàiyóu to apply sunscreen	26	冲浪板 chōnglàngbǎn surfboard
13	晒太阳 shài tàiyáng to sunbathe	27	海浪 hǎilàng wave
14	沙滩椅 shātānyǐ beach chair	28	气垫 qìdiàn air mattress

健身中心 Jiànshēn Zhōngxīn
Gym

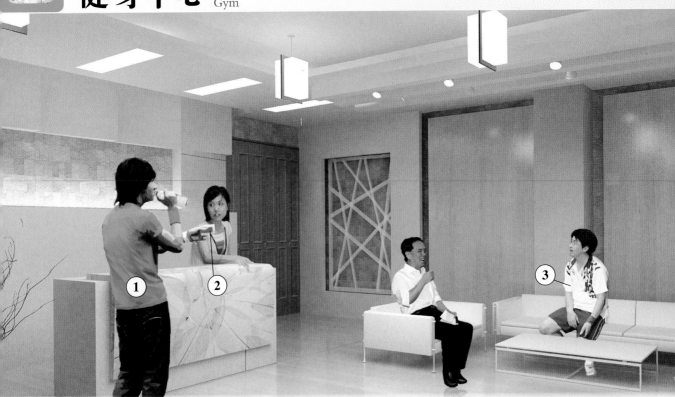

1	**会员** huìyuán member	11	**瑜伽** yújiā yoga
2	**健身卡** jiànshēnkǎ fitness card	12	**瑜伽垫** yújiādiàn yoga mat
3	**会籍顾问** huìjí gùwèn membership consultant	13	**普拉提** Pǔlātí Pilates
4	**淋浴室** línyùshì shower room	14	**街舞** jiēwǔ break-dancing
5	**蒸汽室** zhēngqìshì steam room	15	**肚皮舞** dùpíwǔ belly dance
6	**更衣室** gēngyīshì changing room	16	**杠铃** gànglíng barbell
7	**健身课** jiànshēnkè fitness class	17	**推举** tuījǔ bench pressing
8	**健美操** jiànměicāo calisthenics	18	**哑铃** yǎlíng dumbbell
9	**拉丁舞** lādīngwǔ Latin dance	19	**跑步机** pǎobùjī treadmill
10	**踢踏舞** tītàwǔ tap dance	20	**锻炼** duànliàn to exercise

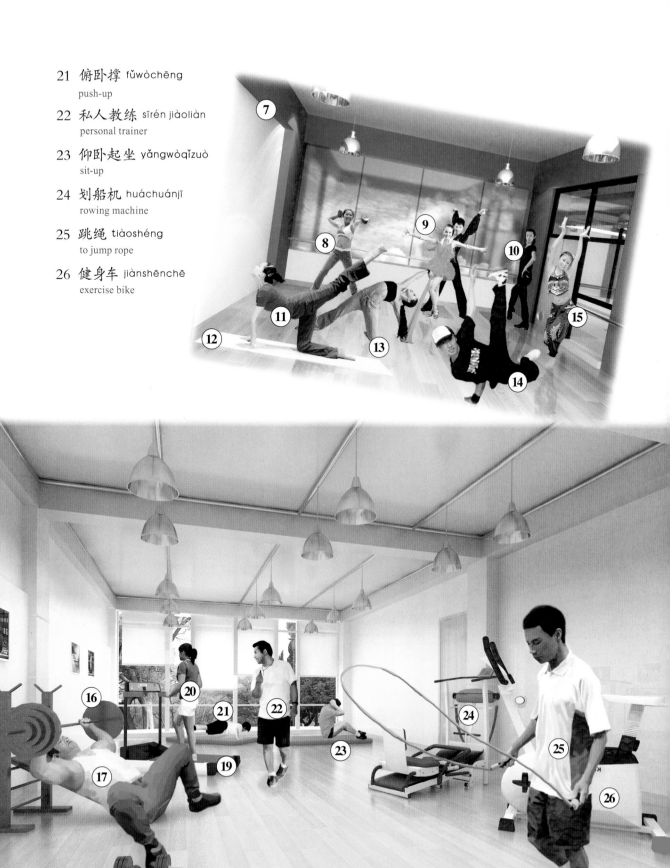

1 保龄球馆 bǎolíngqiúguǎn
bowling alley

2 球瓶 qiúpíng
bowling pins

3 保龄球 bǎolíngqiú
bowling ball

4 球道 qiúdào
lane

5 回球架 huíqiújià
ball rack

6 台球室 táiqiúshì
billiard room

7 球杆架 qiúgānjià
cue rack

8 台球桌 táiqiúzhuō
pool table

9 球杆 qiúgān
pool cue

10 定球架 dìngqiújià
pool rack

11 酒吧 jiǔbā
bar

12 调酒师 tiáojiǔshī
bartender

13 吧台 bātái
bar counter

14 喝酒 hējiǔ
to drink alchoholic beverages

15 吸烟 xīyān
to smoke

16 迪厅 dítīng
disco

17 迪斯科 dísīkē
disco dance

18 舞厅 wǔtīng
ballroom

19 恰恰 qiàqià
cha-cha

20 舞伴 wǔbàn
dancing partner

21 探戈 tàngē
tango

22 桑巴 sāngbā
samba

23 华尔兹 huá'ěrzī
waltz

24 KTV包间 KTV bāojiān
karaoke room

25 点歌 diǎngē
to choose a song

26 麦克风 màikèfēng
microphone

27 唱卡拉OK chàng kǎlā OK
to sing karaoke

28 伴奏 bànzòu
karaoke music

29 电子游戏厅 diànzǐ yóuxìtīng
video arcade

30 游戏机 yóuxìjī
arcade game

表情（1）

Biǎoqíng（1）
Expressions (1)

1 抽泣 chōuqì
to sob

2 痛哭 tòngkū
to cry hysterically

3 微笑 wēixiào
to smile

4 冷笑 lěngxiào
to sneer

5 傻笑 shǎxiào
to laugh foolishly

6 狂笑 kuángxiào
to laugh wildly

7 皱眉头 zhòu méitóu
to frown

9 瞪眼 dèngyǎn
to open one's eyes widely

8 竖眉毛 shù méimao
to arch one's eyebrows

11 挤眼睛 jǐ yǎnjing
to wink

10 捂脸 wǔliǎn
to cover one's face

224

12 捏鼻子 niē bízi
to pinch one's nose

13 递眼色 dì yǎnsè
to wink at someone

14 捂嘴 wǔzuǐ
to cover one's mouth

15 做鬼脸 zuò guǐliǎn
to make a face

16 捂耳朵 wǔ ěrduo
to cover one's ears

17 伸舌头 shēn shétou
to stick out one's tongue

18 板脸 bǎnliǎn
to put on a stern expression

19 闭眼 bìyǎn
to close one's eyes

20 摇头 yáotóu
to shake one's head

21 点头 diǎntóu
to nod

1 东张西望 dōng zhāng xī wàng
to look around

2 眼红 yǎnhóng
to be jealous of

3 冒冷汗 mào lěnghàn
to break out in a cold sweat

4 挤眉弄眼 jǐ méi nòng yǎn
to make eyes with someone

5 拉长脸 lā chángliǎn
to have a long face

6 面红耳赤 miàn hóng ěr chì
to become red to the ears in anger

7 脸色铁青 liǎnsè tiěqīng
to scowl

8 目瞪口呆 mù dèng kǒu dāi
to stare open-mouthed

9　脸红 liǎnhóng
to blush

10　咬牙切齿 yǎo yá qiè chǐ
to clench one's teeth in hatred

11　吐口水 tǔ kǒushuǐ
to spit

12　瞟 piǎo
to cast a sidelong glance

13　眉开眼笑 méi kāi yǎn xiào
to be all smiles

14　撅嘴 juēzuǐ
to pout

15　眯眼睛 mī yǎnjing
to narrow one's eyes

16　抿嘴 mǐnzuǐ
to purse one's lips

17　翻白眼 fān báiyǎn
to roll one's eyes

18　龇牙咧嘴 zī yá liě zuǐ
to grimace

19　愁眉苦脸 chóu méi kǔ liǎn
to have a worried look

20　垂头丧气 chuí tóu sàng qì
to hang one's head in dismay

227

动作
Dòngzuò
Actions

9 叉腰 chāyāo
to put hands on hips

10 鞠躬 jūgōng
to bow

11 拥抱 yōngbào
to hug

12 挥手 huīshǒu
to wave

13 摆手 bǎishǒu
to shake one's hands

14 接吻 jiēwěn
to kiss

15 背手 bèishǒu
to put one's hands behind one's back

16 伸腿 shēntuǐ
to stretch one's legs

17 抬头 táitóu
to raise one's head

1 拿 ná
to hold

2 搬 bān
to carry

3 投 tóu
to throw

4 扔 rēng
to throw away

5 搂 lǒu
to hold in one's arms

6 跌倒/摔倒
diēdǎo/shuāidǎo
to fall

7 弯腰 wānyāo
to bend over

8 握手 wòshǒu
to shake hands

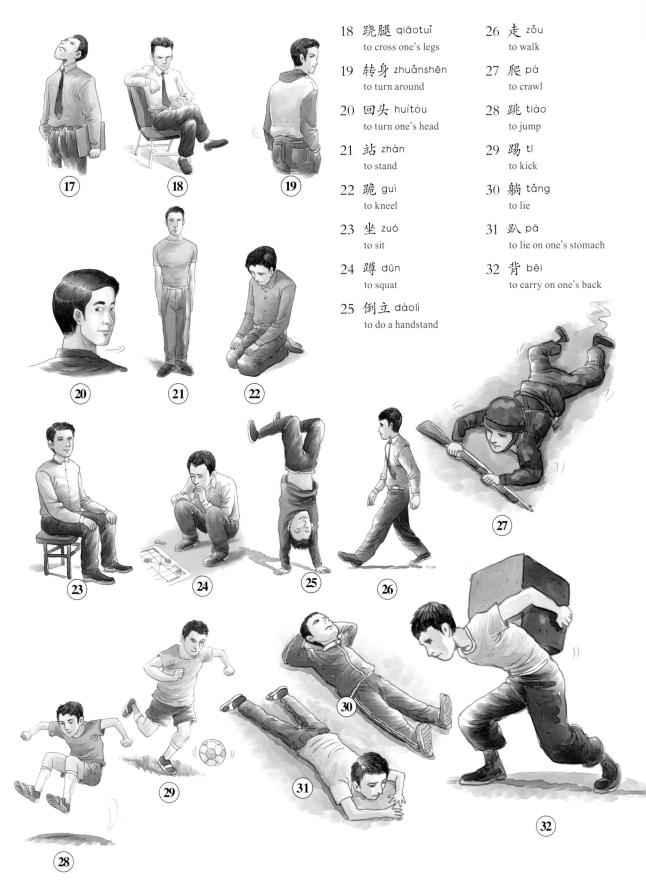

18 跷腿 qiāotuǐ
to cross one's legs

19 转身 zhuǎnshēn
to turn around

20 回头 huítóu
to turn one's head

21 站 zhàn
to stand

22 跪 guì
to kneel

23 坐 zuò
to sit

24 蹲 dūn
to squat

25 倒立 dàolì
to do a handstand

26 走 zǒu
to walk

27 爬 pá
to crawl

28 跳 tiào
to jump

29 踢 tī
to kick

30 躺 tǎng
to lie

31 趴 pā
to lie on one's stomach

32 背 bēi
to carry on one's back

身体功能

Shēntǐ Gōngnéng
Body Functions

1 呼吸 hūxī
to breathe

2 眨眼 zhǎyǎn
to blink

3 看 kàn
to watch

4 说 shuō
to speak

5 听 tīng
to listen

6 闻 wén
to smell

7 哭 kū
to cry

8 笑 xiào
to laugh

9 叹气 tànqì
to sigh

10 感觉 gǎnjué
to feel

11 吃 chī
to eat

12 喝 hē
to drink

230

13 流眼泪 liú yǎnlèi
to shed tears

14 流鼻涕 liú bítì
to have a runny nose

15 打哈欠 dǎ hāqian
to yawn

16 打喷嚏 dǎ pēntì
to sneeze

17 吐痰 tǔtán
to spit

18 咳嗽 késou
to cough

19 发抖 fādǒu
to shiver

20 出汗 chūhàn
to sweat

21 伸懒腰 shēn lǎnyāo
to stretch

22 打嗝儿 dǎgér
to burp

23 渴 kě
thirsty

24 累 lèi
tired

25 困 kùn
sleepy

26 饱 bǎo
full

27 饿 è
hungry

1 快乐 kuàilè
happy

2 忧郁 yōuyù
heavy-hearted

3 平静 píngjìng
calm

4 惊讶 jīngyà
surprised

5 生气 shēngqì
angry

6 难过 nánguò
sad

7 尴尬 gāngà
embarrassed

8 紧张 jǐnzhāng
nervous

9 害羞 hàixiū
shy

10 疲惫 píbèi
exhausted

11 骄傲 jiāo'ào
proud

12 好奇 hàoqí
curious

13 无聊 wúliáo
bored

14 兴奋 xīngfèn
excited

15 想家 xiǎngjiā
homesick

16 困惑 kùnhuò
puzzled

17 孤独 gūdú
lonely

18 害怕 hàipà
afraid

19 担心 dānxīn
worried

20 沮丧 jǔsàng
depressed

21 否定 fǒudìng
to negate

22 同意 tóngyì
to agree

23 支持 zhīchí
to support

24 反对 fǎnduì
to oppose

25 讨厌 tǎoyàn
to loathe

26 喜欢 xǐhuan
to like

27 顺从 shùncóng
to obey

28 反抗 fǎnkàng
to struggle against

29 爱 ài
to love

30 恨 hèn
to hate

天气 Tiānqì
Weather

1 冰雹 bīngbáo
hail

2 雨夹雪 yǔjiāxuě
sleet

3 雷阵雨 léizhènyǔ
thundershower

4 暴雨 bàoyǔ
thunderstorm

5 潮湿 cháoshī
humid

6 干燥 gānzào
dry

7 闷 mēn
stuffy

8 刮风 guāfēng
(of wind) blow

9 闪电 shǎndiàn
lightning

10 打雷 dǎléi
thunder

11 浮尘 fúchén
dust storm

12 扬沙 yángshā
blown sand

13 沙尘暴 shāchénbào
sandstorm

14 热 rè
hot

15 凉快 liángkuai
cool

16 冷 lěng
cold

17 晴 qíng
sunny

18 多云 duōyún
cloudy

19 阴 yīn
overcast

20 大雨 dàyǔ
heavy rain

21 中雨 zhōngyǔ
moderate rain

22 小雨 xiǎoyǔ
light rain

23 雪 xuě
snow

24 暴风雪 bàofēngxuě
snowstorm

25 雾 wù
fog

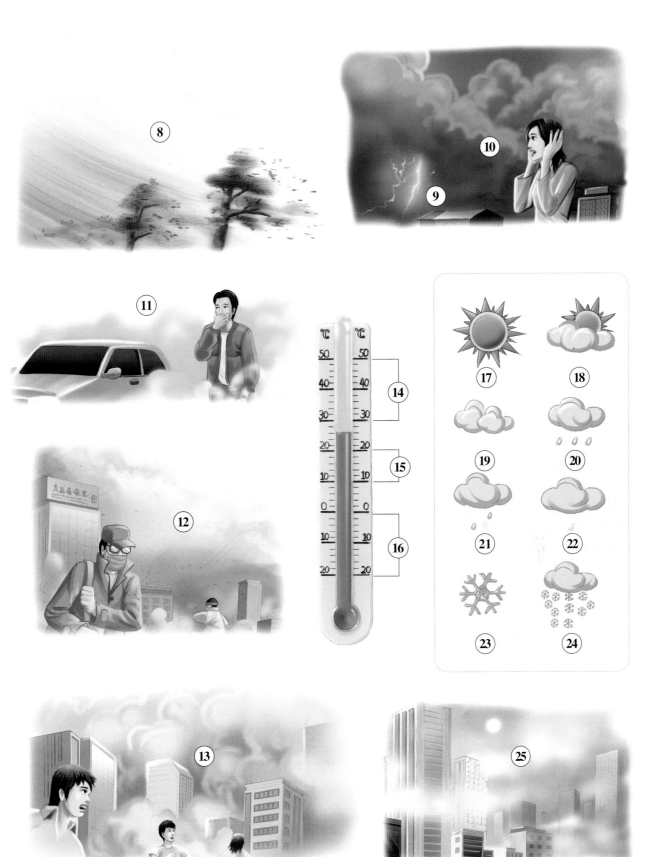

气候带 Qìhòudài
Climate Zones

1 北寒带 běihándài
north frigid zone

2 北温带 běiwēndài
north temperate zone

3 热带 rèdài
tropical zone

4 南温带 nánwēndài
south temperate zone

5 南寒带 nánhándài
south frigid zone

6 纬度 wěidù
latitude

7 北回归线 běihuíguīxiàn
tropic of Cancer

8 经度 jīngdù
longitude

9 南回归线 nánhuíguīxiàn
tropic of Capricorn

10 南极圈 nánjíquān
Antarctic Circle

11 北极圈 běijíquān
Arctic Circle

12 经线 jīngxiàn
longitude line

13 纬线 wěixiàn
latitude line

14 赤道 chìdào
equator

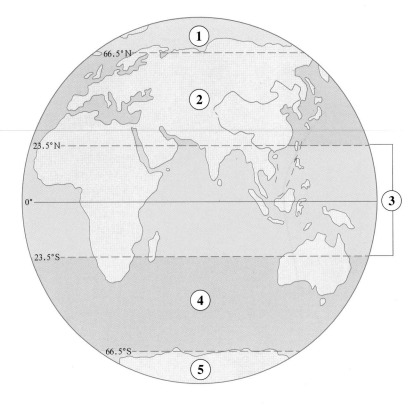

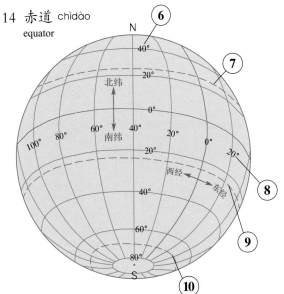

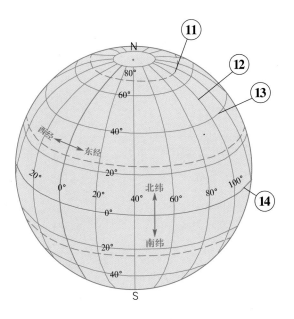

15 辐射 fúshè
radiation

16 太阳高度角
tàiyánggāodùjiǎo
solar elevation angle

17 气温 qìwēn
temperature

18 大气环流 dàqìhuánliú
atmospheric circulation

19 季风 jìfēng
monsoon

20 气团 qìtuán
air mass

21 地形 dìxíng
topography

22 等温线 děngwēnxiàn
isotherm

23 气压 qìyā
atmospheric pressure

24 海拔 hǎibá
elevation

25 降水 jiàngshuǐ
precipitation

26 蒸发 zhēngfā
evaporation

27 雨季 yǔjì
rainy season

28 旱季 hànjì
dry season

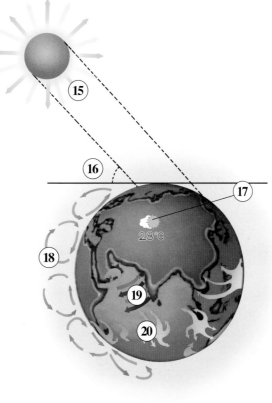

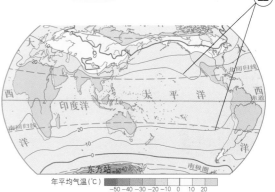

世界年平均气温的分布

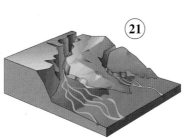

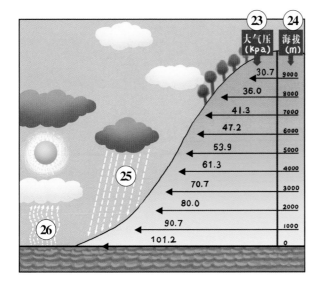

237

1	春天/春季 chūntiān/chūnjì spring	6	丁香 dīngxiāng clove	11	杜鹃花 dùjuānhuā azalea

1　春天/春季 chūntiān/chūnjì
　　spring

2　梅花 méihuā
　　plum blossom

3　海棠 hǎitáng
　　crabapple blossom

4　开放 kāifàng
　　to bloom

5　桃花 táohuā
　　peach blossom

6　丁香 dīngxiāng
　　clove

7　玉兰 yùlán
　　yulan magnolia

8　生长 shēngzhǎng
　　to grow

9　发芽 fāyá
　　to sprout

10　花蕾 huālěi
　　flower bud

11　杜鹃花 dùjuānhuā
　　azalea

12　微风 wēifēng
　　breeze

13　细雨 xìyǔ
　　drizzle

14　温暖 wēnnuǎn
　　warm

15　炎热 yánrè
　　scorching hot

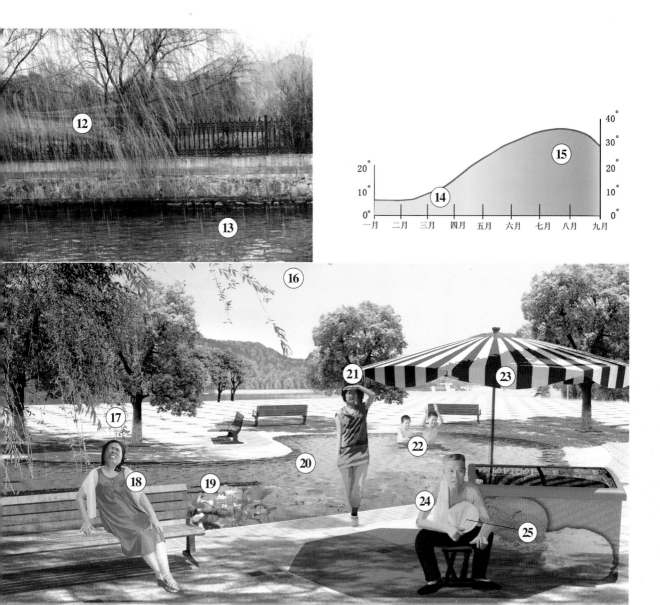

16	夏天／夏季 xiàtiān/xiàjì summer	21	晒 shài to shine upon
17	垂柳 chuíliǔ weeping willow	22	戏水 xìshuǐ to play in the water
18	中暑 zhòngshǔ heatstroke	23	遮阳伞 zhēyángsǎn parasol
19	荷花 héhuā lotus	24	乘凉 chéngliáng to enjoy the cool
20	池塘 chítáng pond	25	扇子 shànzi fan
		26	伤害皮肤 shānghài pífū skin damage

1 秋天/秋季 qiūtiān/qiūjì
fall

2 霜 shuāng
frost

3 金黄 jīnhuáng
golden

4 收割 shōugē
to reap

5 庄稼 zhuāngjia
crops

6 成熟 chéngshú
ripe

7 落叶 luòyè
fallen leaves

8 丰收 fēngshōu
bumper harvest

9 菊花 júhuā
chrysanthemum

10 繁忙 fánmáng
busy

11 果实 guǒshí
fruit

12 金橘 jīnjú
kumquats

13 凉爽 liángshuǎng
cool

14 寒冷 hánlěng
cold

15 冬天/冬季 dōngtiān/dōngjì
winter

16 寒流 hánliú
cold air current

17 滑雪 huáxuě
to ski

18 积雪 jīxuě
accumulated snow

19 冰雕 bīngdiāo
ice sculpture

20 雪橇 xuěqiāo
sled

21 冰灯 bīngdēng
ice lantern

22 冰瀑 bīngpù
ice cascade

23 打雪仗 dǎ xuězhàng
to have a snowball fight

24 冰滑梯 bīnghuátī
ice slide

25 下雪 xiàxuě
to snow

26 堆雪人 duī xuěrén
to build a snowman

27 树挂 shùguà
icicles

28 结冰 jiébīng
to freeze

29 滑冰 huábīng
to skate

30 哈气 hāqì
to breathe on one's hands for warmth

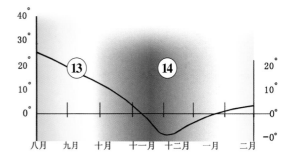

241

① ② ③ ④ ⑤

⑥ ⑦ ⑧ ⑨

⑩ ⑪ ⑫ ⑬ ⑭

1 雕塑 diāosù sculpture	7 素描 sùmiáo sketch	13 隶书 lìshū clerical script
2 木雕 mùdiāo woodcarving	8 水彩画 shuǐcǎihuà watercolor painting	14 篆书 zhuànshū seal script
3 泥塑 nísù clay sculpture	9 国画 guóhuà Chinese painting	15 插图 chātú illustration
4 篆刻 zhuànkè seal cutting	10 楷书／正书 kǎishū/zhèngshū regular script	16 年画 niánhuà Chinese New Year painting
5 书法 shūfǎ calligraphy	11 草书 cǎoshū grass script	17 陶瓷 táocí pottery and porcelain
6 水粉画 shuǐfěnhuà gouache painting	12 行书 xíngshū running script	18 唐卡 tángkǎ Thangka

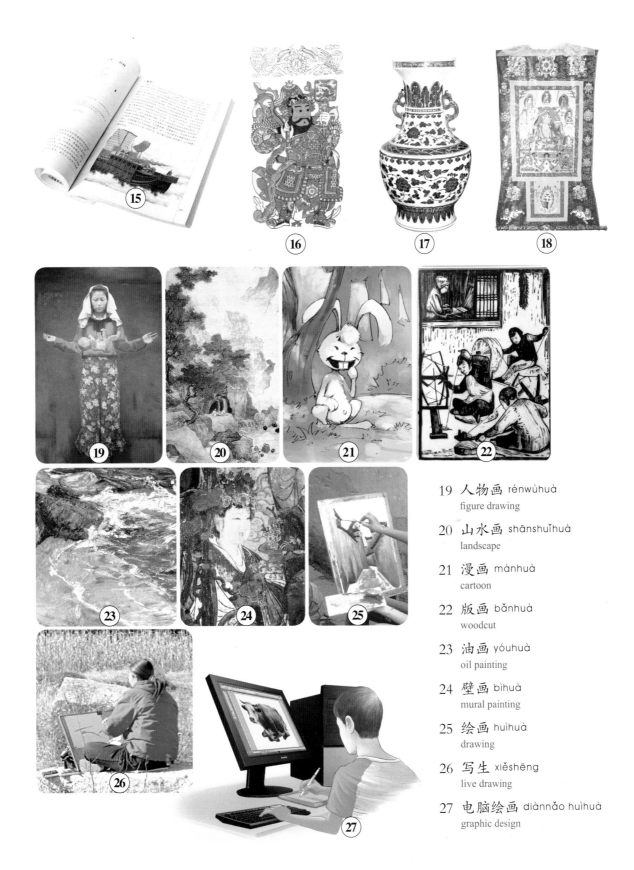

19 人物画 rénwùhuà
figure drawing

20 山水画 shānshuǐhuà
landscape

21 漫画 mànhuà
cartoon

22 版画 bǎnhuà
woodcut

23 油画 yóuhuà
oil painting

24 壁画 bìhuà
mural painting

25 绘画 huìhuà
drawing

26 写生 xiěshēng
live drawing

27 电脑绘画 diànnǎo huìhuà
graphic design

1 美术工具箱 měishù gōngjùxiāng
art supply box

2 墨条 mòtiáo
ink stick

3 砚台 yàntai
ink-slab

4 笔架 bǐjià
brush rack

5 笔洗 bǐxǐ
dish for washing the brush

6 调色板 tiáosèbǎn
palette

7 颜料 yánliào
paint

8 宣纸 xuānzhǐ
xuan paper for Chinese painting and calligraphy

9 镇尺 zhènchǐ
paperweight

10 画夹 huàjiā
painting folder

11 卷轴 juànzhóu
scroll

12 油彩 yóucǎi
oil paint

13 绘图尺 huìtúchǐ
drawing ruler

14 画板 huàbǎn
drawing board

15 画布 huàbù
canvas

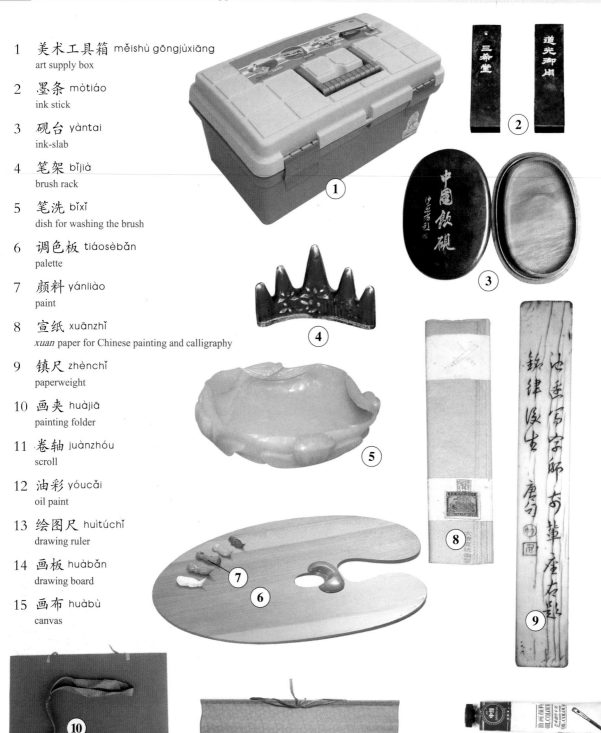

16 画架 huàjià
easel

17 画框 huàkuàng
frame

18 写生凳 xiěshēngdèng
foldable stool

19 调色油 tiáosèyóu
megilp

20 画笔 huàbǐ
paintbrush

21 画刷 huàshuā
paintbrush

22 画筒 huàtǒng
painting case

23 炭棒 tànbàng
charcoal stick

24 素描纸 sùmiáozhǐ
sketching paper

25 人体模特 réntǐ mótè
model

26 油画棒 yóuhuàbàng
cray pastel

27 刻刀 kèdāo
engraving knife

28 石膏像 shígāoxiàng
plaster model

245

音乐 Yīnyuè
Music

1 摇滚乐 yáogǔnyuè
rock and roll

2 乡村音乐 xiāngcūn yīnyuè
country music

3 节奏布鲁斯 jiézòu bùlǔsī
rhythm and blues

4 说唱 shuōchàng
hip-hop

5 蓝调 lándiào
blues

6 爵士 juéshì
jazz

7 流行音乐 liúxíng yīnyuè
pop music

8 舞曲 wǔqǔ
dance music

9 古典音乐 gǔdiǎn yīnyuè
classical music

10 协奏曲 xiézòuqǔ
concerto

11 进行曲 jìnxíngqǔ
march

12 电子音乐 diànzǐ yīnyuè
electronica

13 雷鬼乐 léiguǐyuè
reggae

14 金属音乐 jīnshǔ yīnyuè
heavy metal

15 宗教音乐 zōngjiào yīnyuè
hymns

16 民歌 míngē
folk music

17 朋克 péngkè
punk

18 旋律 xuánlǜ
melody

19 乐谱 yuèpǔ
sheet music

20 五线谱 wǔxiànpǔ
staff

21 独唱 dúchàng
solo

22 专辑 zhuānjí
album

23 作词 zuòcí
lyricist

24 作曲 zuòqǔ
composer

25 唱片 chàngpiàn
record

26 歌词 gēcí
lyric

27 排行榜 páihángbǎng
music chart

乐器
Instruments

1	笙 shēng	6	琵琶 pípa	11	柳琴 liǔqín		

1   笙 shēng
sheng (a reed pipe wind instrument)

2   葫芦丝 húlusī
cucurbit flute

3   笛子 dízi
bamboo flute

4   唢呐 suǒnà
suona horn

5   箫 xiāo
xiao (a vertical bamboo flute)

6   琵琶 pípa
lute

7   筝 zhēng
Chinese zither

8   扬琴 yángqín
Chinese dulcimer

9   冬不拉 dōngbùlā
dombra

10   阮 ruǎn
ruan (a plucked stringed instrument)

11   柳琴 liǔqín
liuqin (a kind of plucked stringed instrument)

12   鼓 gǔ
drum

13   锣 luó
gong

14   二胡 èrhú
erhu (a two-stringed fiddle)

15   马头琴 mǎtóuqín
morin khur, horse-headed violin

16 钹 bó
cymbals

17 小提琴 xiǎotíqín
violin

18 大提琴 dàtíqín
cello

19 贝司 bèisi
bass guitar

20 竖琴 shùqín
harp

21 吉他 jíta
guitar

22 单簧管 dānhuángguǎn
clarinet

23 双簧管 shuānghuángguǎn
oboe

24 萨克斯管 sàkèsīguǎn
saxophone

25 小号 xiǎohào
trumpet

26 圆号 yuánhào
French horn

27 钢琴 gāngqín
piano

28 手风琴 shǒufēngqín
accordion

29 电子琴 diànzǐqín
electronic keyboard

30 口琴 kǒuqín
harmonica

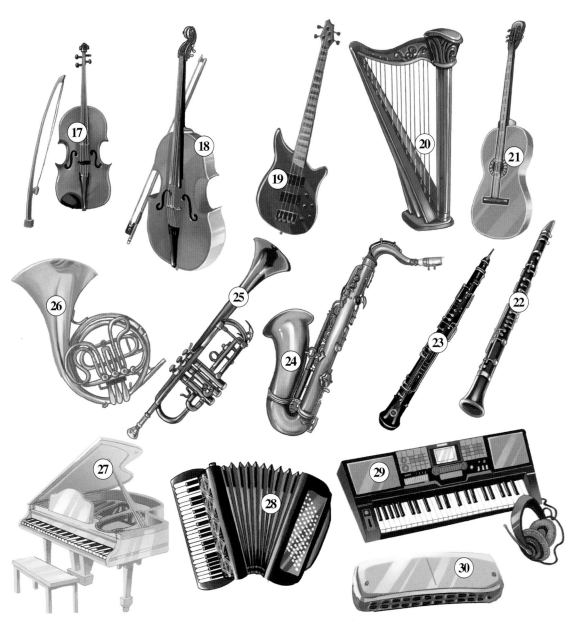

电影电视 Diànyǐng Diànshì
Film and TV

1	恐怖片 kǒngbùpiàn horror movie	6	战争片 zhànzhēngpiàn war movie	11	国产片 guóchǎnpiàn Chinese movie
2	爱情片 àiqíngpiàn romance movie	7	动画片 dònghuàpiàn animated movie	12	进口片 jìnkǒupiàn foreign movie
3	惊悚片 jīngsǒngpiàn thriller	8	故事片 gùshipiàn drama	13	电视连续剧 diànshì liánxùjù TV series
4	科幻片 kēhuànpiàn science-fiction movie	9	动作片 dòngzuòpiàn action movie	14	纪录片 jìlùpiàn documentary
5	喜剧片 xǐjùpiàn comedy	10	贺岁片 hèsuìpiàn movie for Chinese New Year	15	音乐剧 yīnyuèjù musical

16 综艺节目 zōngyì jiémù
variety show

17 选秀节目 xuǎnxiù jiémù
talent show

18 访谈节目 fǎngtán jiémù
talk show

19 节目预告 jiémù yùgào
TV guide

20 新闻 xīnwén
news

21 天气预报 tiānqì yùbào
weather forecast

22 银幕 yínmù
movie screen

23 首映式 shǒuyìngshì
premiere

24 电影节 diànyǐngjié
film festival

25 剧本 jùběn
script

26 体育节目 tǐyù jiémù
sports show

27 儿童节目 értóng jiémù
children's program

28 广告 guǎnggào
advertisement

29 字幕 zìmù
subtitle

体育竞赛 Tǐyù Jìngsài
Sports

1 奥运会 Àoyùnhuì
Olympic Games

2 奥运会会旗 Àoyùnhuì huìqí
Olympic flag

3 火炬 huǒjù
torch

4 会徽 huìhuī
logo

5 颁奖仪式 bānjiǎng yíshì
award ceremony

6 冠军 guànjūn
champion

7 亚军 yàjūn
2nd place

8 季军 jìjūn
3rd place

9 领奖台 lǐngjiǎngtái
victory podium

10 颁发奖牌 bānfā jiǎngpái
to award a medal

11 吉祥物 jíxiángwù
mascot

12 奖牌 jiǎngpái
medals

13 金牌 jīnpái
gold medal

14 银牌 yínpái
silver medal

15 铜牌 tóngpái
bronze medal

16 奖杯 jiǎngbēi
trophies

17 开幕式 kāimùshì
opening ceremony

18 升国旗 shēng guóqí
to raise a national flag

19 奏国歌 zòu guógē
to play a national anthem

20 皮划艇 píhuátǐng
kayaking

21 射击 shèjī
shooting

22 射箭 shèjiàn
archery

23 体操 tǐcāo
gymnastics

24 马术 mǎshù
equestrian

25 击剑 jījiàn
fencing

26 赛艇 sàitǐng
boat race

27 举重 jǔzhòng
weightlifting

28 蹦床 bèngchuáng
trampoline

29 闭幕式 bìmùshì
closing ceremony

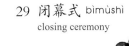

田径 ^{Tiánjìng}
Track and Field

1　田径 tiánjìng
track and field

2　障碍赛 zhàng'àisài
steeplechase

3　链球 liànqiú
hammer throw

4　撑杆跳 chēnggāntiào
pole vault

5　跳高 tiàogāo
high jump

6　跨栏 kuàlán
hurdles

7　犯规 fànguī
foul

8　跳远 tiàoyuǎn
long jump

9　长跑 chángpǎo
long-distance running

10　短跑 duǎnpǎo
dash

11　三级跳 sānjítiào
triple jump

12　接力赛 jiēlìsài
relay race

13　接力棒 jiēlìbàng
baton

14　铅球 qiānqiú
shot put

15　标枪 biāoqiāng
javelin

16　铁饼 tiěbǐng
discus

17　发令枪 fālìngqiāng
starting gun

18　裁判 cáipàn
referee

19　起跑线 qǐpǎoxiàn
starting line

20　预备 yùbèi
to get ready

21　起跑 qǐpǎo
to start

22　加速 jiāsù
to accelerate

23　冲刺 chōngcì
to dash to the finish line

24　终点 zhōngdiǎn
finish line

25　马拉松 mǎlāsōng
marathon

26　竞走 jìngzǒu
race walking

27　铁人三项 tiěrén sānxiàng
triathlon

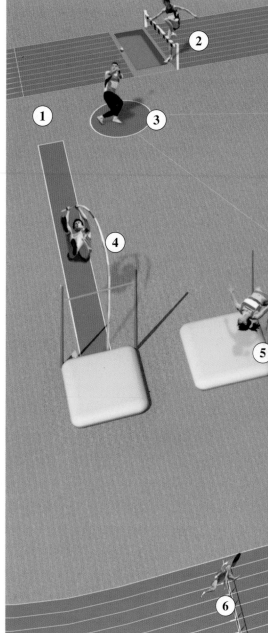

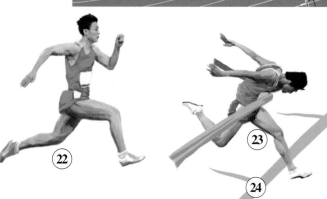

球类（1）

Ball Games (1)

1 排球 páiqiú volleyball	9 乒乓球 pīngpāngqiú ping-pong	17 越位 yuèwèi offside
2 水球 shuǐqiú water polo	10 高尔夫球 gāo'ěrfūqiú golf	18 黄牌 huángpái yellow card
3 冰球 bīngqiú ice hockey	11 篮球 lánqiú basketball	19 红牌 hóngpái red card
4 橄榄球 gǎnlǎnqiú American football	12 足球 zúqiú soccer	20 上半场 shàngbànchǎng first half
5 网球 wǎngqiú tennis	13 羽毛球 yǔmáoqiú badminton	21 中场休息 zhōngchǎng xiūxi half time
6 手球 shǒuqiú handball	14 传球 chuánqiú pass	22 下半场 xiàbànchǎng second half
7 曲棍球 qūgùnqiú field hockey	15 射门 shèmén shoot	23 加时赛 jiāshísài extra time
8 棒球 bàngqiú baseball	16 头球 tóuqiú header	24 比分 bǐfēn score

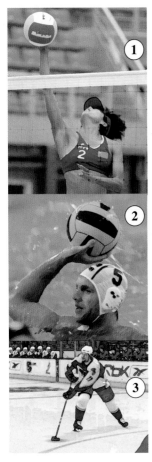

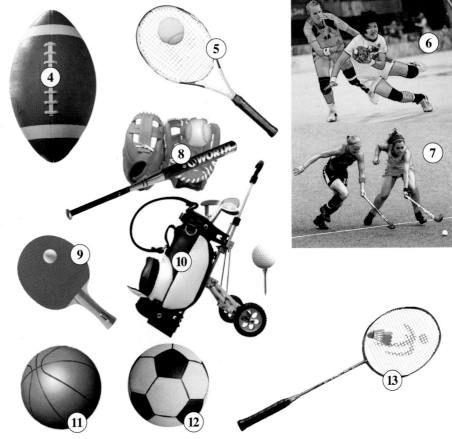

25 角球 jiǎoqiú
corner kick

26 门柱 ménzhù
goalpost

27 球门 qiúmén
goal

28 端线 duānxiàn
goal line

29 禁区 jìnqū
penalty area

30 罚点球 fá diǎnqiú
penalty kick

31 球门球 qiúménqiú
goal kick

球类（2） Qiúlèi（2）
Ball Games (2)

1	替补队员 tìbǔ duìyuán bench player		7	篮架 lánjià basketball stand
2	换人 huànrén to substitute a player		8	扣篮 kòulán dunk
3	暂停 zàntíng time-out		9	罚球 fáqiú free-throw
4	啦啦队 lālāduì cheerleader		10	队员 duìyuán player
5	篮板 lánbǎn backboard		11	防守 fángshǒu to defend
6	篮筐 lánkuāng basket		12	投篮 tóulán to shoot

13 三分线 sānfēnxiàn
   three-point line

14 超时 chāoshí
   extra time

15 球拍 qiúpāi
   paddle

16 正手 zhèngshǒu
   forehand

17 反手 fǎnshǒu
   backhand

18 发球 fāqiú
   to serve

19 削球 xiāoqiú
   chop

20 拉球 lāqiú
   rally

21 扣球 kòuqiú
   smash

22 推挡 tuīdǎng
   block

23 单打 dāndǎ
   singles

24 球台 qiútái
   table

25 球网 qiúwǎng
   net

26 弧圈球 húquānqiú
   loop

27 双打 shuāngdǎ
   doubles

28 横板 héngbǎn
   hand-shake grip

29 直板 zhíbǎn
   pen-hold grip

水中运动 Shuǐzhōng Yùndòng Water Sports

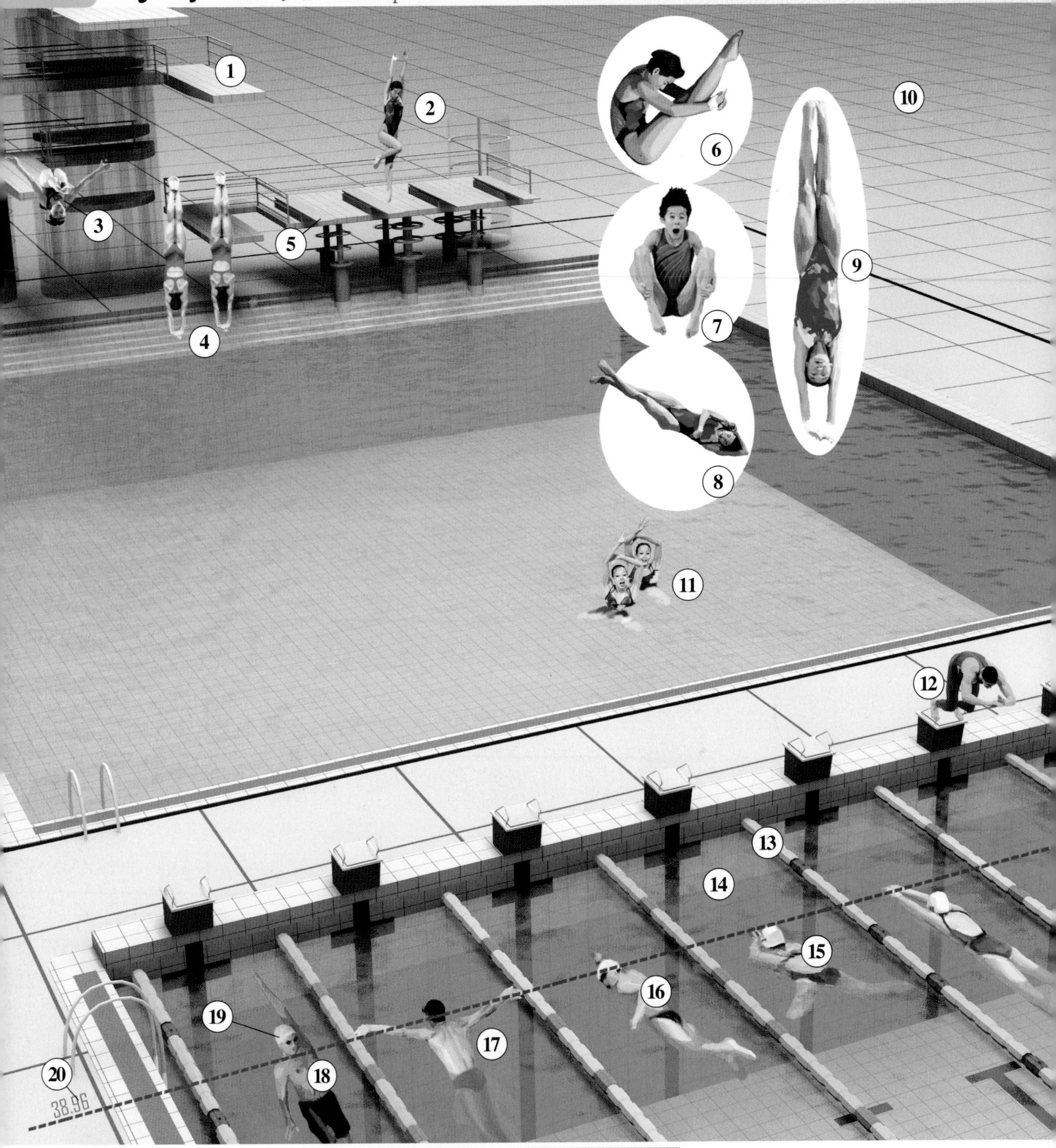
1
2
3
4
5
6
7
8
9
10
11
12
13
14
15
16
17
18
19
20
38.96

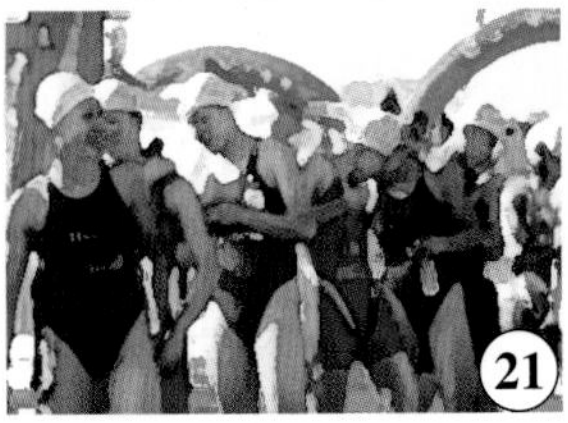
21

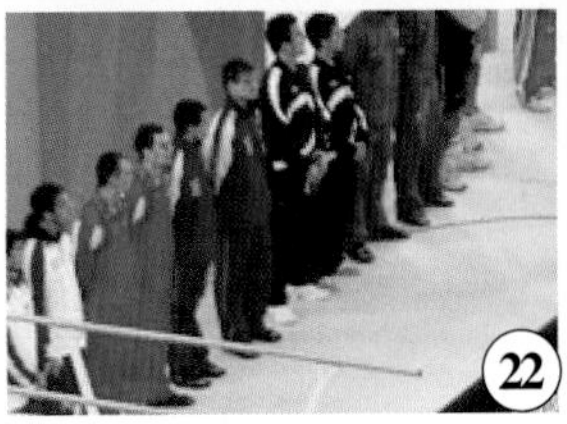
22

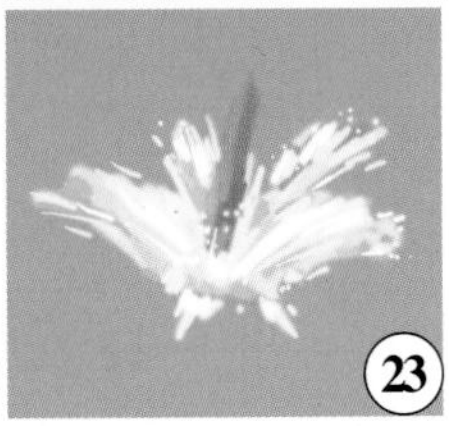
23

1　跳台 tiàotái
platform

2　跳水 tiàoshuǐ
dive

3　单人跳 dānréntiào
individual diving

4　双人跳 shuāngréntiào
synchronized diving

5　跳板 tiàobǎn
springboard

6　屈体 qūtǐ
pike

7　抱膝 bàoxī
tuck

8　转身 zhuǎnshēn
twist

9　直体 zhítǐ
straight

10　游泳馆 yóuyǒngguǎn
natatorium

11　花样游泳 huāyàng yóuyǒng
water ballet

12　入水 rùshuǐ
entry

13　分道线 fēndàoxiàn
course rope

14　泳道 yǒngdào
swimming lane

15　蛙泳 wāyǒng
breaststroke

16　自由泳 zìyóuyǒng
freestyle

17　蝶泳 diéyǒng
butterfly stroke

18　仰泳 yǎngyǒng
backstroke

19　打破纪录 dǎpò jìlù
to break a record

20　世界纪录 shìjiè jìlù
the world record

21　女子组 nǚzǐzǔ
women's group

22　男子组 nánzǐzǔ
men's group

23　水花 shuǐhuā
splash

24　游泳镜 yóuyǒngjìng
swimming goggles

25　游泳帽 yóuyǒngmào
swimming cap

26　打水 dǎshuǐ
kick

27　划臂 huábì
arm stroke

28　蹬水 dēngshuǐ
drive

29　滚翻转身 gǔn fān zhuǎnshēn
flip turn

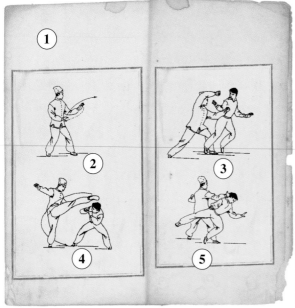

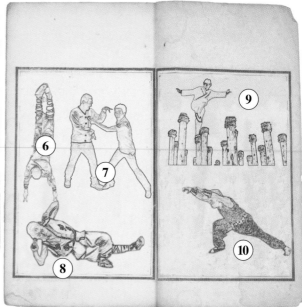

1 功夫 gōngfu
   kung fu

2 掌法 zhǎngfǎ
   palm technique

3 拳法 quánfǎ
   fist technique

4 腿法 tuǐfǎ
   leg technique

5 摔法 shuāifǎ
   throwing technique

6 二指禅 èrzhǐchán
   two-finger meditation

7 点穴 diǎnxué
   to strike a vital point

8 童子功 tóngzǐgōng
   virgin boy kung fu

9 梅花桩 méihuāzhuāng
   plum blossom pile boxing

10 形意拳 xíngyìquán
   shape-intent fist

11 柔道 róudào
   judo

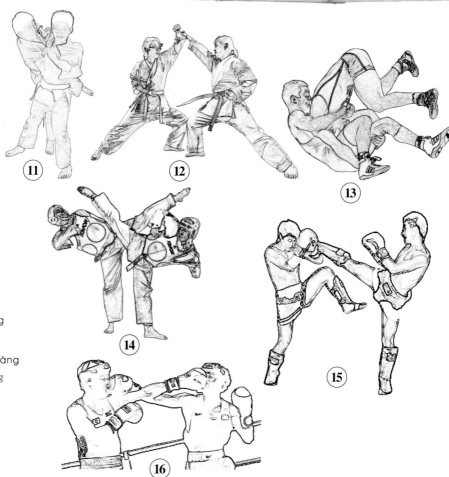

12 空手道 kōngshǒudào
Karate

13 摔跤 shuāijiāo
wrestling

14 跆拳道 táiquándào
taekwondo

15 散打 sǎndǎ
free fighting

16 拳击 quánjī
boxing

17 八卦掌 bāguàzhǎng
eight trigram palm

18 盾 dùn
shield

19 匕首 bǐshǒu
dagger

20 刀 dāo
broadsword

21 剑 jiàn
sword

22 棍 gùn
Chinese staff

23 枪 qiāng
spear

24 招式 zhāoshì
martial art moves

263

部队 Bùduì
Army

1 海军航空兵 hǎijūn hángkōngbīng
naval air force

2 海军陆战队 hǎijūn lùzhànduì
marine corps

3 岸防部队 ànfáng bùduì
coastguard

4 防空兵 fángkōngbīng
air defense force

5 战略火箭部队
zhànlüè huǒjiàn bùduì
strategic rocket force

6 空降兵 kōngjiàngbīng
airborne troops

7 骑兵 qíbīng
cavalry

8 航空兵 hángkōngbīng
airman

9 步兵 bùbīng
infantry

10 炮兵 pàobīng
artillery

11 狙击手 jūjīshǒu
sniper

12 工程兵 gōngchéngbīng
army engineer

13 装甲兵 zhuāngjiǎbīng
armored corps

14 野战军 yězhànjūn
field army

15 特种兵 tèzhǒngbīng
special forces

16 陆军 lùjūn
ground force

17 海军 hǎijūn
navy

18 空军 kōngjūn
air force

19 武警 wǔjǐng
armed police

20 消防人员 xiāofáng rényuán
firefighter

21 军衔 jūnxián
military ranks

22 士官 shìguān
noncommissioned officer

23 少尉 shàowèi
second lieutenant

24 中尉 zhōngwèi
first lieutenant

25 上尉 shàngwèi
captain

26 少校 shàoxiào
major

27 中校 zhōngxiào
lieutenant colonel

28 上校 shàngxiào
colonel

29 大校 dàxiào
senior colonel

30 少将 shàojiàng
major general

31 中将 zhōngjiàng
lieutenant general

32 上将 shàngjiàng
general of the army

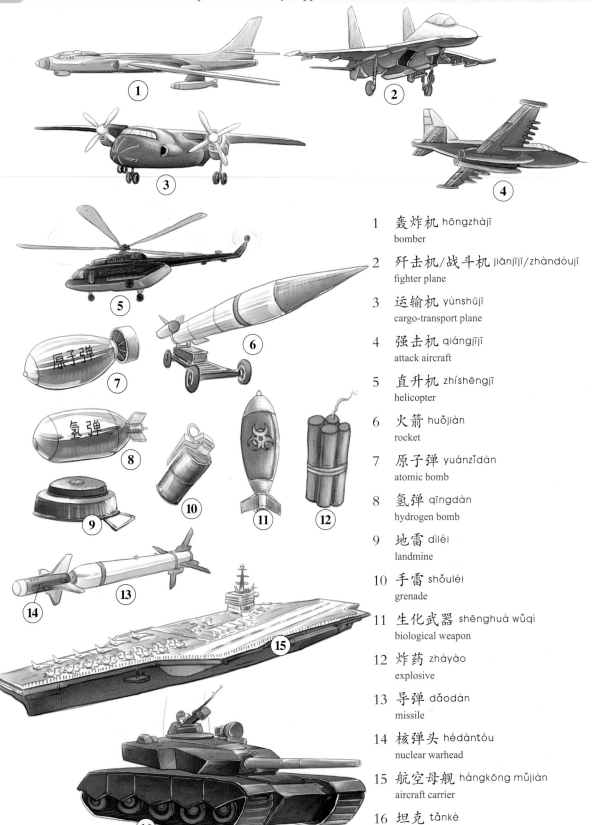

1 轰炸机 hōngzhàjī
bomber

2 歼击机/战斗机 jiānjījī/zhàndòujī
fighter plane

3 运输机 yùnshūjī
cargo-transport plane

4 强击机 qiángjījī
attack aircraft

5 直升机 zhíshēngjī
helicopter

6 火箭 huǒjiàn
rocket

7 原子弹 yuánzǐdàn
atomic bomb

8 氢弹 qīngdàn
hydrogen bomb

9 地雷 dìléi
landmine

10 手雷 shǒuléi
grenade

11 生化武器 shēnghuà wǔqì
biological weapon

12 炸药 zhàyào
explosive

13 导弹 dǎodàn
missile

14 核弹头 hédàntóu
nuclear warhead

15 航空母舰 hángkōng mǔjiàn
aircraft carrier

16 坦克 tǎnkè
tank

17 子弹 zǐdàn
bullets

18 机枪 jīqiāng
machine gun

19 冲锋枪 chōngfēngqiāng
submachine gun

20 装甲车 zhuāngjiǎchē
armored car

21 炮弹 pàodàn
artillery shells

22 火炮 huǒpào
artillery

23 激光炮 jīguāngpào
laser gun

24 雷达 léidá
radar

25 防弹背心 fángdàn bèixīn
bulletproof vest

26 步枪 bùqiāng
rifle

27 迷彩服 mícǎifú
camouflage

28 军装 jūnzhuāng
army uniform

29 水面舰艇 shuǐmiàn jiàntǐng
naval surface vessel

30 潜艇 qiántǐng
submarine

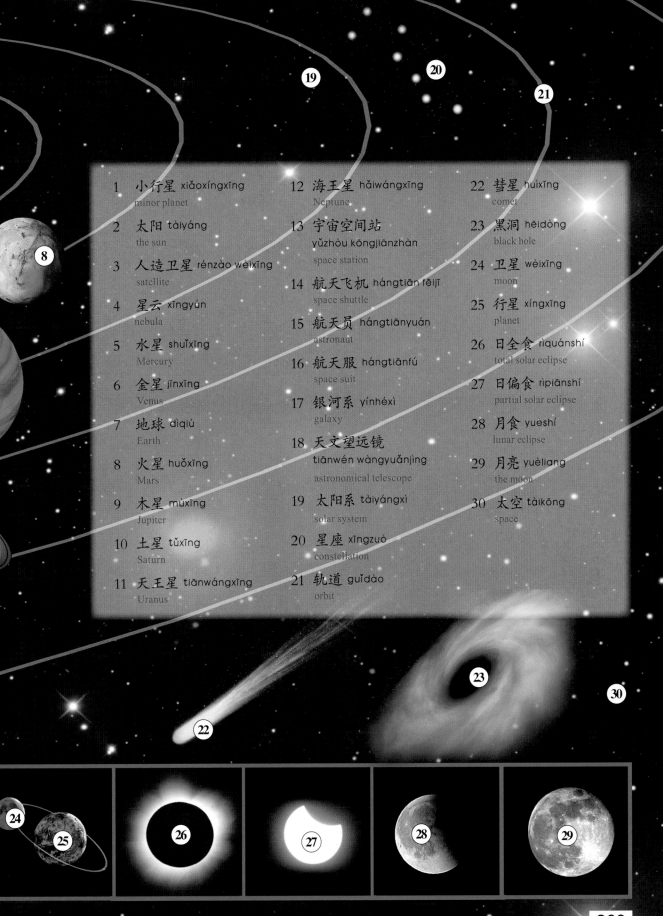

1 小行星 xiǎoxíngxīng
minor planet

2 太阳 tàiyáng
the sun

3 人造卫星 rénzào wèixīng
satellite

4 星云 xīngyún
nebula

5 水星 shuǐxīng
Mercury

6 金星 jīnxīng
Venus

7 地球 dìqiú
Earth

8 火星 huǒxīng
Mars

9 木星 mùxīng
Jupiter

10 土星 tǔxīng
Saturn

11 天王星 tiānwángxīng
Uranus

12 海王星 hǎiwángxīng
Neptune

13 宇宙空间站
yǔzhòu kōngjiānzhàn
space station

14 航天飞机 hángtiān fēijī
space shuttle

15 航天员 hángtiānyuán
astronaut

16 航天服 hángtiānfú
space suit

17 银河系 yínhéxì
galaxy

18 天文望远镜
tiānwén wàngyuǎnjìng
astronomical telescope

19 太阳系 tàiyángxì
solar system

20 星座 xīngzuò
constellation

21 轨道 guǐdào
orbit

22 彗星 huìxīng
comet

23 黑洞 hēidòng
black hole

24 卫星 wèixīng
moon

25 行星 xíngxīng
planet

26 日全食 rìquánshí
total solar eclipse

27 日偏食 rìpiānshí
partial solar eclipse

28 月食 yuèshí
lunar eclipse

29 月亮 yuèliang
the moon

30 太空 tàikōng
space

1 空气 kōngqì
air

2 氮气 dànqì
nitrogen

3 氧气 yǎngqì
oxygen

4 氩气 yàqì
argon

5 二氧化碳 èryǎnghuàtàn
carbon dioxide

6 氢气 qīngqì
hydrogen

7 大气层 dàqìcéng
atmosphere

8 外逸层 wàiyìcéng
exosphere

9 热层 rècéng
thermosphere

10 电离层 diànlícéng
ionosphere

11 中间层 zhōngjiāncéng
mesosphere

12 同温层 tóngwēncéng
stratosphere

13 对流层 duìliúcéng
troposphere

14 臭氧层 chòuyǎngcéng
ozone layer

15 星星 xīngxing
star

16 极光 jíguāng
polar light

17 紫外线 zǐwàixiàn
ultraviolet rays

18 流星 liúxīng
meteor

19 乌云 wūyún
dark cloud

20 积雨云 jīyǔyún
cumulonimbus cloud

21 蓝天 lántiān
blue sky

22 白云 báiyún
white cloud

23 阳光 yángguāng
sunshine

24 彩霞 cǎixiá
rosy cloud

25 彩虹 cǎihóng
rainbow

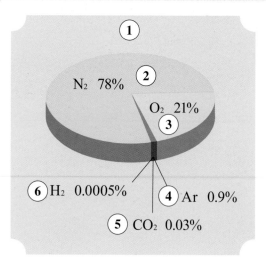

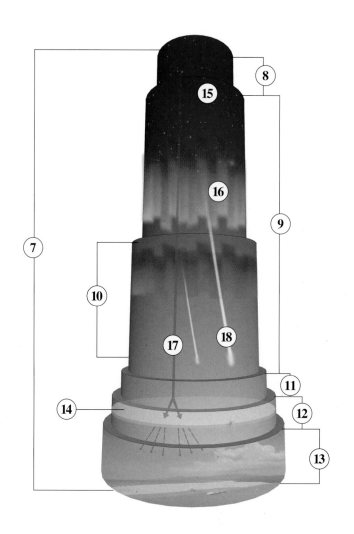

陆地 Lùdì
Land

1 山脉 shānmài
mountain range

2 冰川 bīngchuān
glacier

3 火山 huǒshān
volcano

4 岩浆 yánjiāng
magma

5 山谷 shāngǔ
valley

6 瀑布 pùbù
waterfall

7 岛屿 dǎoyǔ
island

8 湖泊 húpō
lake

9 丘陵 qiūlíng
hills

10 盆地 péndì
basin

11 温泉 wēnquán
hot spring

12 森林 sēnlín
forest

13 河流 héliú
river

14 三角洲 sānjiǎozhōu
delta

15 半岛 bàndǎo
peninsula

16 草原 cǎoyuán
grassland

17 沙漠 shāmò
desert

18 山洞 shāndòng
cave

19 峡谷 xiágǔ
canyon

20 高原 gāoyuán
plateau

21 沼泽/湿地 zhǎozé/shīdì
swamp

22 平原 píngyuán
plain

23 大陆 dàlù
continent

24 海岸 hǎi'àn
coast

25 岩石 yánshí
rock

26 悬崖 xuányá
cliff

27 大陆架 dàlùjià
continental shelf

28 地壳 dìqiào
crust

29 地幔 dìmàn
mantle

30 地核 dìhé
core

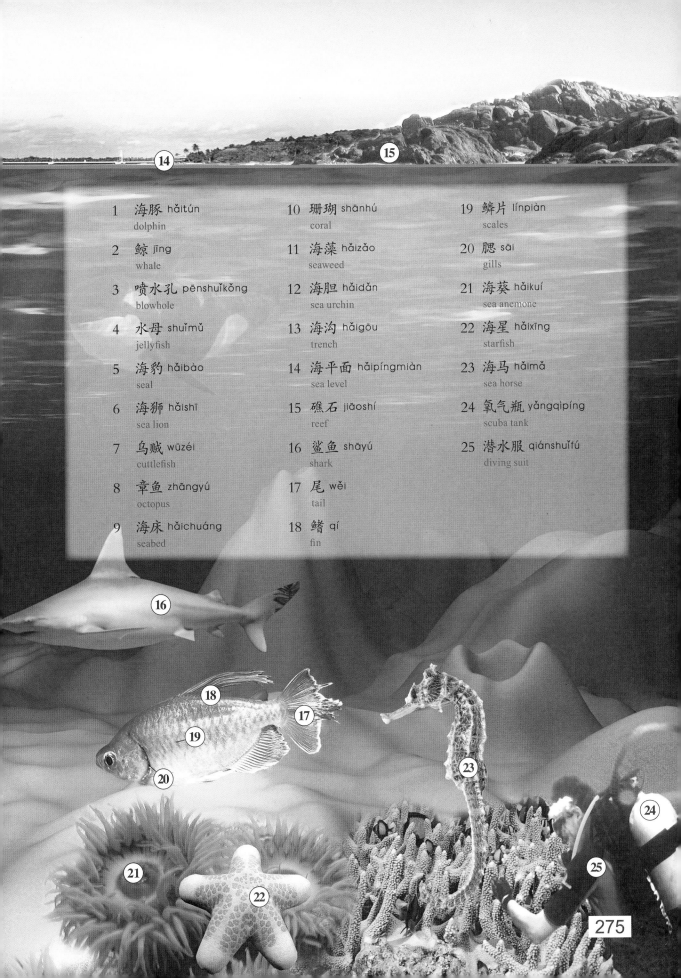

1 海豚 hǎitún
dolphin

2 鲸 jīng
whale

3 喷水孔 pēnshuǐkǒng
blowhole

4 水母 shuǐmǔ
jellyfish

5 海豹 hǎibào
seal

6 海狮 hǎishī
sea lion

7 乌贼 wūzéi
cuttlefish

8 章鱼 zhāngyú
octopus

9 海床 hǎichuáng
seabed

10 珊瑚 shānhú
coral

11 海藻 hǎizǎo
seaweed

12 海胆 hǎidǎn
sea urchin

13 海沟 hǎigōu
trench

14 海平面 hǎipíngmiàn
sea level

15 礁石 jiāoshí
reef

16 鲨鱼 shāyú
shark

17 尾 wěi
tail

18 鳍 qí
fin

19 鳞片 línpiàn
scales

20 腮 sāi
gills

21 海葵 hǎikuí
sea anemone

22 海星 hǎixīng
starfish

23 海马 hǎimǎ
sea horse

24 氧气瓶 yǎngqìpíng
scuba tank

25 潜水服 qiánshuǐfú
diving suit

鸟类 Niǎolèi
Birds

1

2

3

4

5

6

7

8

9

10

1	八哥 bāge	mynah	7	翠鸟 cuìniǎo	kingfisher	13	丹顶鹤 dāndǐnghè red-crowned crane
2	杜鹃 dùjuān	cuckoo	8	乌鸦 wūyā	crow	14	火烈鸟 huǒlièniǎo flamingo
3	鹌鹑 ānchun	quail	9	百灵 bǎilíng	lark	15	鹰 yīng hawk
4	山雀 shānquè	titmouse	10	鸵鸟 tuóniǎo	ostrich	16	海鸥 hǎi'ōu seagull
5	画眉 huàméi	thrush	11	企鹅 qǐ'é	penguin	17	鸽子 gēzi pigeon
6	麻雀 máquè	sparrow	12	鹳 guàn	stork	18	燕子 yànzi swallow

11

12

13

14

19 鹦鹉 yīngwǔ
parrot

20 雉 zhì
pheasant

21 蜂鸟 fēngniǎo
hummingbird

22 猫头鹰 māotóuyīng
owl

23 啄木鸟 zhuómùniǎo
woodpecker

24 喙 huì
beak

25 翼 yì
wing

26 爪 zhǎo
claw

27 羽毛 yǔmáo
feather

28 大雁 dàyàn
wild goose

29 金丝雀 jīnsīquè
canary

30 天鹅 tiān'é
swan

31 鸳鸯 yuānyang
mandarin duck and drake

昆虫 Kūnchóng
Insects

3 口器 kǒuqì
mouthparts

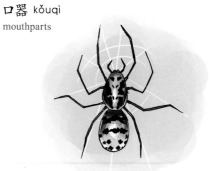

1 蟑螂 zhāngláng
cockroach

2 苍蝇 cāngying
fly

4 蜘蛛 zhīzhū
spider

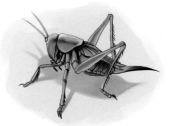

5 瓢虫 piáochóng
ladybug

6 萤火虫 yínghuǒchóng
firefly

7 蝈蝈儿 guōguor
katydid

8 蚂蚁 mǎyǐ
ant

9 蚱蜢 zhàměng
grasshopper

10 蝉 chán
cicada

13 蜇针 zhézhēn
stinger

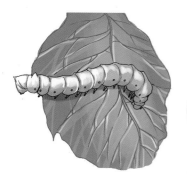

11 蚕 cán
silkworm

12 蚯蚓 qiūyǐn
earthworm

14 蝎子 xiēzi
scorpion

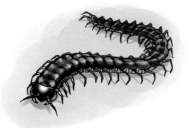

15 蜈蚣 wúgong
centipede

16 螳螂 tángláng
mantis

17 金龟子 jīnguīzǐ
scarab beetle

18 蟋蟀 xīshuài
cricket

20 触角 chùjiǎo
tentacle

19 天牛 tiānniú
longicorn

21 跳蚤 tiàozao
flea

23 卵 luǎn
egg

24 毛虫 máochóng
caterpillar

22 白蚁 báiyǐ
termite

26 翅膀 chìbǎng
wing

25 蛹 yǒng
pupa

27 蛾 é
moth

28 黄蜂 huángfēng
wasp

279

其他动物 Qítā Dòngwù
Other Animals

1 牦牛 máoniú
yak

2 狼 láng
wolf

3 河马 hémǎ
hippo

4 狐狸 húli
fox

5 羚羊 língyáng
antelope

6 犀牛 xīniú
rhinoceros

7 松鼠 sōngshǔ
squirrel

8 刺猬 cìwei
hedgehog

9 鹿 lù
deer

10 穿山甲 chuānshānjiǎ
pangolin

11 黑熊 hēixióng
black bear

12 东北虎 dōngběihǔ
Manchurian tiger

13 金丝猴 jīnsīhóu
golden monkey

14 大猩猩 dàxīngxing
gorilla

15 黑猩猩 hēixīngxing
chimpanzee

16 豹 bào
leopard

17 狒狒 fèifèi
baboon

18 鳄鱼 èyú
crocodile

19 袋鼠 dàishǔ
kangaroo

20 恐龙 kǒnglóng
dinosaur

21 考拉 kǎolā
koala

22 蝙蝠 biānfú
bat

23 眼镜蛇 yǎnjìngshé
cobra

24 老鼠 lǎoshǔ
mouse

25 乌龟 wūguī
tortoise

26 蜥蜴 xīyì
lizard

1　干旱 gānhàn
drought

2　热带气旋 rèdài qìxuán
tropical cyclone

3　冻害 dònghài
frost

4　冻雨 dòngyǔ
sleet

5　雪灾 xuězāi
blizzard

6　风灾 fēngzāi
disaster caused by windstorm

7　龙卷风 lóngjuǎnfēng
tornado

8　雷电 léidiàn
thunder and lightning

9　酸雨 suānyǔ
acid rain

10　台风 táifēng
typhoon

11　海啸 hǎixiào
tsunami

12　厄尔尼诺 è'ěrnínuò
El Niño

13　洪水 hóngshuǐ
flood

14　泥石流 níshíliú
mudslide

15　山体滑坡 shāntǐ huápō
landslide

16　地震 dìzhèn
earthquake

17 病虫害 bìngchónghài
plant diseases and insect pests

18 寒潮 háncháo
cold wave

19 瘟疫 wēnyì
plague

20 飓风 jùfēng
hurricane

21 火山爆发 huǒshān bàofā
volcanic eruption

22 雪崩 xuěbēng
avalanche

23 风暴潮 fēngbàocháo
storm surge

24 饥荒 jīhuāng
famine

25 核辐射 héfúshè
nuclear radiation

26 污染 wūrǎn
pollution

27 火灾 huǒzāi
fire

28 车祸 chēhuò
traffic accident

29 沉船 chénchuán
shipwreck

30 空难 kōngnàn
plane crash

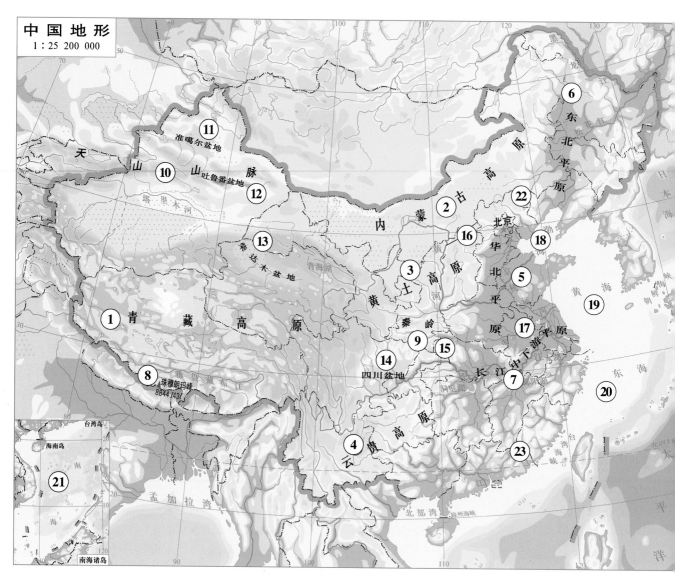

中国地形
1 : 25 200 000

1	青藏高原 Qīng-Zàng Gāoyuán Qinghai-Tibet Plateau	7	长江中下游平原 Cháng Jiāng zhōngxiàyóu Píngyuán Plain on Middle and Lower Reaches of Yangtze River
2	内蒙古高原 Nèiměnggǔ Gāoyuán Inner Mongolia Plateau	8	珠穆朗玛峰 Zhūmùlǎngmǎ Fēng Mount Qomolangma
3	黄土高原 Huángtǔ Gāoyuán Loess Plateau	9	秦岭 Qín Lǐng Qinling Mountains
4	云贵高原 Yún-Guì Gāoyuán Yunnan-Guizhou Plateau	10	天山 Tiān Shān Tianshan Mountains
5	华北平原 Huáběi Píngyuán North China Plain	11	准噶尔盆地 Zhǔngá'ěr Péndì Junggar Basin
6	东北平原 Dōngběi Píngyuán Northeast Plain	12	吐鲁番盆地 Tǔlǔfān Péndì Tarim Basin

13 柴达木盆地 Cháidámù Péndì
Qardam Basin

14 四川盆地 Sìchuān Péndì
Sichuan Basin

15 长江 Cháng Jiāng
Yangtze River

16 黄河 Huáng Hé
Yellow River

17 淮河 Huái Hé
Huai River

18 渤海 Bó Hǎi
the Bohai Sea

19 黄海 Huáng Hǎi
the Yellow Sea

20 东海 Dōng Hǎi
the East Sea

21 南海 Nán Hǎi
the South China Sea

22 北方 běifāng
Northern China

23 南方 nánfāng
Southern China

24 省 shěng
province

25 自治区 zìzhìqū
autonomous region

26 首都 shǒudū
capital

27 直辖市 zhíxiáshì
municipality directly under the central government

28 特别行政区 tèbié xíngzhèngqū
special administrative region

29 省会 shěnghuì
provincial capital

30 市 shì
city

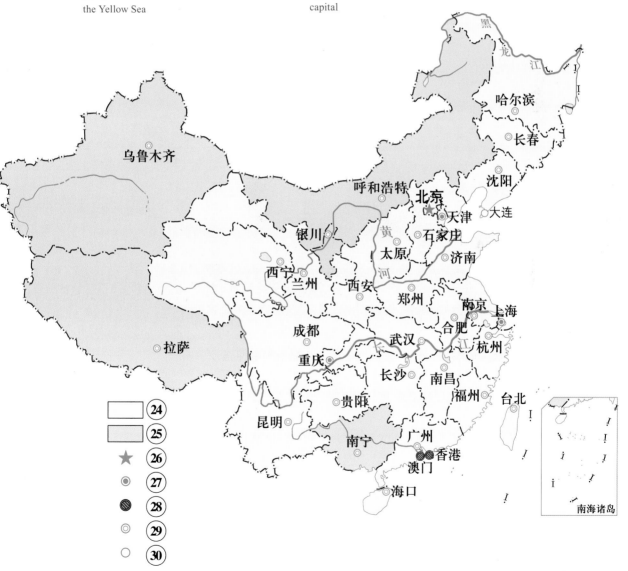

中国历史

⑰ ⑱ ⑲ ⑳ ㉑

④ **朝代:** | **夏** ⑤ (c.2100 BC–c.1600 BC) | **商** ⑥ (c.1600 BC–c.1100 BC) | **西周** ⑦ (c.1100 BC–c.771 BC)

① **原始社会**

② **奴隶社会**

㉘ ㉙ ㉚ ㉛ ㉜ ㉝

...... | **宋** ⑬ (960–1279) | **元** ⑭ (1279–1368) | **明** ⑮ (1368–1644) | **清** ⑯ (1644–1911)

封建社会

1 **原始社会** yuánshǐ shèhuì primitive society	6 **商** Shāng Shang Dynasty	11 **汉** Hàn Han Dynasty
2 **奴隶社会** núlì shèhuì slave society	7 **西周** Xīzhōu West Zhou Dynasty	12 **唐** Táng Tang Dynasty
3 **封建社会** fēngjiàn shèhuì feudal society	8 **春秋** Chūnqiū Spring and Autumn Period	13 **宋** Sòng Song Dynasty
4 **朝代** cháodài dynasty	9 **战国** Zhànguó Warring States Period	14 **元** Yuán Yuan Dynasty
5 **夏** Xià Xia Dynasty	10 **秦** Qín Qin Dynasty	15 **明** Míng Ming Dynasty

Zhōngguó Lìshǐ
Chinese History

老大回乡
識笑階客
上霜攀
㉗

春秋 ⑧	战国 ⑨	秦 ⑩	汉 ⑪	……	唐 ⑫
(770 BC–476 BC)	(475 BC–221 BC)	(221 BC–206 BC)	(206 BC–220 AD)		(618–907)

㉒　㉓　㉔　㉕

③
封建社会

16 清 Qīng
Qing Dynasty

17 北京猿人 Běijīng Yuánrén
Peking Man

18 炎黄传说 Yán-Huáng chuánshuō
legends of the Yellow Emperor and the Yan Emperor

19 大禹治水 Dàyǔ Zhìshuǐ
legend of Dayu harnessing rivers

20 甲骨文 jiǎgǔwén
oracle bone inscriptions

21 分封制 fēnfēngzhì
enfeoffment system

22 孔子 Kǒngzǐ
Confucius

23 孙子兵法 Sūnzǐ Bīngfǎ
The Art of War

24 兵马俑 bīngmǎyǒng
terracotta warriors

25 造纸术 zàozhǐshù
papermaking technology

26 丝绸之路 sīchóu zhī lù
Silk Road

27 诗 shī
poetry

28 活字印刷术 huózì yìnshuāshù
movable-type printing technology

29 火药 huǒyào
gunpowder

30 元曲 yuánqǔ
drama

31 郑和下西洋 Zhèng Hé xià xīyáng
Zheng He's voyages

32 指南针 zhǐnánzhēn
compass

33 颐和园 Yíhé Yuán
Summer Palace

34 皇帝 huángdì
emperor

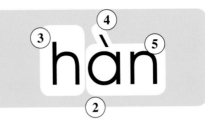

欢迎您收看《新闻联播》！

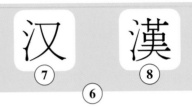

ā á ǎ à a

1 普通话 pǔtōnghuà
Standard Chinese

2 拼音 pīnyīn
pinyin (phonetic system for transcribing Chinese characters)

3 声母 shēngmǔ
initial consonant of a Chinese syllable

4 声调 shēngdiào
the tone of a Chinese syllable

5 韵母 yùnmǔ
vowel of a Chinese syllable

6 汉字 Hànzì
Chinese character

7 简体字 jiǎntǐzì
simplified Chinese character

8 繁体字 fántǐzì
traditional Chinese character

9 一声 yīshēng
1st tone

10 二声 èrshēng
2nd tone

11 三声 sānshēng
3rd tone

12 四声 sìshēng
4th tone

13 轻声 qīngshēng
neutral tone

14 偏旁 piānpáng
radical (one piece of a Chinese character)

15 笔顺 bǐshùn
stroke order

16 笔画 bǐhuà
stroke

17 句子 jùzi
sentence

18 短语 duǎnyǔ
phrase

19 词 cí
word

17 人类语言的概念生成是基于大脑对意象图式的加工来实现的。这本《汉语图解词典》利用语义关联的模式将中文词语按照主题进行相关分类，以大量直观的图片来解释词语，帮助中文学习者方便快捷地达到学习效果。 **18** **19** **20**

20 段落 duànluò
   paragraph

21 方言 fāngyán
   dialect

22 官话 guānhuà
   Mandarin dialect

23 晋语 jìnyǔ
   Jin dialect

24 吴语 wúyǔ
   Wu dialect

25 闽语 mǐnyǔ
   Min dialect

26 客家话 kèjiāhuà
   Hakka dialect

27 粤语 yuèyǔ
   Cantonese dialect

28 湘语 xiāngyǔ
   Xiang dialect

29 赣语 gànyǔ
   Gan dialect

30 徽语 huīyǔ
   Hui dialect

31 平话 pínghuà
   Pinghua dialect

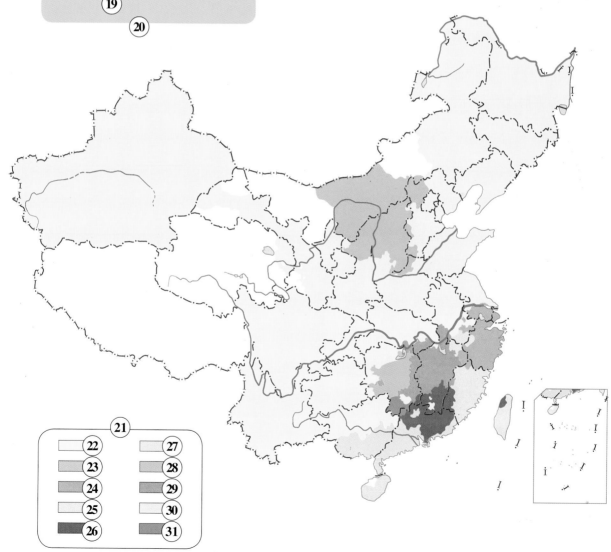

21
22 23 24 25 26 27 28 29 30 31

世界地图 Shìjiè Dìtú
World Map

1 亚洲 Yàzhōu
Asia

2 非洲 Fēizhōu
Africa

3 欧洲 Ōuzhōu
Europe

4 北美洲 Běiměizhōu
North America

5 南美洲 Nánměizhōu
South America

6 大洋洲 Dàyángzhōu
Oceania

7 南极洲 Nánjízhōu
Antarctica

8 太平洋 Tàipíng Yáng
Pacific Ocean

9 大西洋 Dàxī Yáng
Atlantic Ocean

10 印度洋 Yìndù Yáng
Indian Ocean

11 北冰洋 Běibīng Yáng
Arctic Ocean

12 北海 Běi Hǎi
North Sea

13 地中海 Dìzhōng Hǎi
Mediterranean

14 黑海 Hēi Hǎi
Black Sea

15 里海 Lǐ Hǎi
Caspian Sea

16 阿拉伯海 Ālābó Hǎi
Arabian Sea

17 红海 Hóng Hǎi
Red Sea

18 加勒比海 Jiālèbǐ Hǎi
Caribbean Sea

19 撒哈拉沙漠 Sāhālā Shāmò
Sahara

20 喜马拉雅山脉 Xǐmǎlāyǎ Shānmài
Himalayas

21 落基山脉 Luòjī Shānmài
Rocky Mountains

22 安第斯山脉 Āndìsī Shānmài
Andes

23 阿尔卑斯山脉 Ā'ěrbēisī Shānmài
Alps

24 亚马孙平原 Yàmǎsūn Píngyuán
Amazon Plain

25 维多利亚湖 Wéiduōlìyà Hú
Victoria Lake

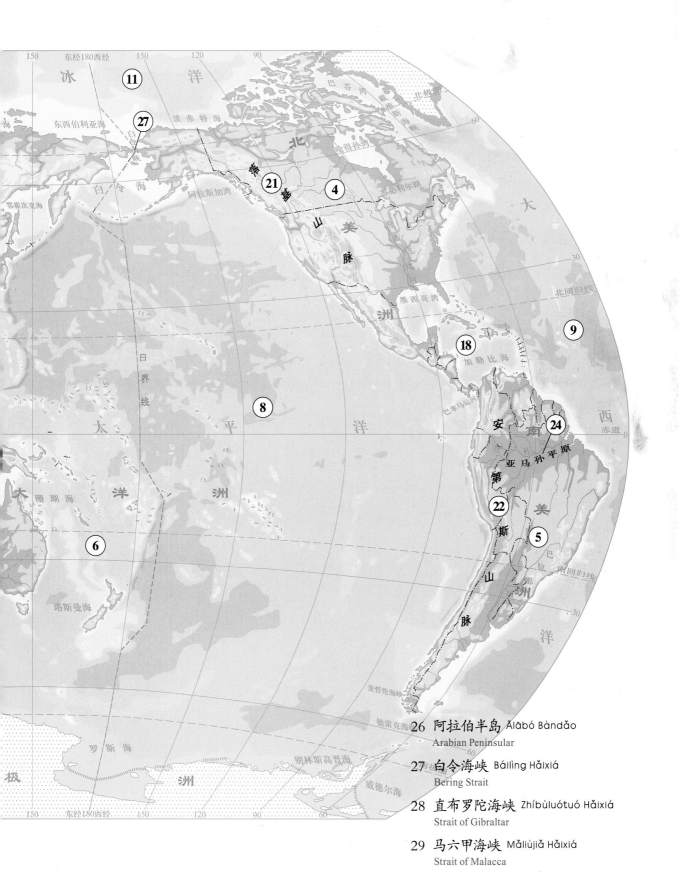

Index in Chinese ｜中文索引

1 hàoxiàn 1号(號)线(綫)	198	
332 lù 332路	199	
CD jī CD机(機)	123	
DVD jī DVD机(機)	122	
KTV bāojiān KTV包间(間)	223	
T xù T恤	120	
U pán U盘(盤)	101	
VCD jī VCD机(機)	122	
X guāng jiǎncèjī X光检(檢)测(測)机(機)	192	

A

Āchāngzú 阿昌族	36
Ā'ěrbēisī Shānmài 阿尔(爾)卑斯山脉	290
Āgēntíng 阿根廷	32
āhōng 阿訇	44
Ālābó Bàndǎo 阿拉伯半岛(島)	291
Ālābó Hǎi 阿拉伯海	290
Ālābóyǔ 阿拉伯语(語)	32
Āijí 埃及	32
Āisài'ébǐyà 埃塞俄比亚(亞)	32
áizhèng 癌症	168
ǎi 矮	38
àizībìng 艾滋病	168
ài 爱(愛)	233
àiqíngpiàn 爱(愛)情片	250
àiren/pèi'ǒu 爱(愛)人/配偶	49
Āndìsī Shānmài 安第斯山脉	290
ānjìng 安静	27
ānquándài 安全带(帶)	191
ānquánmào 安全帽	107
ānquán qìnáng 安全气(氣)囊	201
ānzhuāng ménkuàng 安装(裝)门(門)框	107
ānzhuāng xìtǒng 安装(裝)系统(統)	101
ānchun 鹌鹑(鵪鶉)	276
ānchundàn 鹌(鵪)鹑(鶉)蛋	135
ànfáng bùduì 岸防部队(隊)	264
ànmó 按摩	126
ànmóshī 按摩师(師)	97
àn 暗	22
àngsī 盎司	21
áo 熬	144
áoyào 熬药(藥)	175
àomàn 傲慢	41

Àoyùnhuì 奥运(運)会(會)	252
Àoyùnhuì huìqí 奥运(運)会(會)会(會)旗	252
Àodàlìyà 澳大利亚(亞)	32
àodàlìyàyuán 澳大利亚(亞)元	183
àoménbì 澳门(門)币(幣)	183

B

bā 八	8
bāge 八哥	276
bāguàzhǎng 八卦掌	263
bāshí 八十	8
Bāyuè 八月	15
bāshì 巴士	188
Bāxī 巴西	32
bātái 吧台(臺)	222
bālěiwǔ 芭蕾舞	208
bāhén 疤痕	38
bá guànzi 拔罐子	175
bàba/fùqin 爸爸/父亲(親)	48
báicài 白菜	132
báidàguà 白大褂	170
báijiǔ 白酒	141
báilándì 白兰(蘭)地	141
Báilíng Hǎixiá 白令海峡(峽)	291
báiluóbo 白萝(蘿)卜(蔔)	133
báipútaojiǔ 白葡萄酒	141
báisè 白色	22
báitáng 白糖	138
báixī 白皙	39
báiyǐ 白蚁(蟻)	279
báiyún 白云(雲)	270
Báizú 白族	35
bǎi fēnzhī bǎi 百分之百	9
bǎi fēnzhī shí 百分之十	9
bǎi fēnzhī yī 百分之一	9
bǎihuò dàlóu 百货(貨)大楼(樓)	114
bǎikē quánshū 百科全书(書)	80
bǎilíng 百灵(靈)	276
bǎi cānjù 摆(擺)餐具	156
bǎishǒu 摆(擺)手	228
bàijiàn fùmǔ 拜见(見)父母	46
bàinián 拜年	75
bānzi 扳子	110
bānfā jiǎngpái 颁(頒)发(發)奖(獎)牌	252

bānjiǎng yíshì 颁(頒)奖(獎)仪(儀)式	252
bānmǎ 斑马(馬)	210
bān 搬	228
bānjiā 搬家	69
bānyùn xíngli 搬运(運)行李	192
bǎncùn 板寸	124
bǎnliǎn 板脸(臉)	225
bǎnshū 板书(書)	90
bǎnhuà 版画(畫)	243
bàngōngzhuō 办(辦)公桌	99
bàn hùzhào 办(辦)护(護)照	92
bànpiào guìtái 办(辦)票柜(櫃)台(臺)	192
bàndǎo 半岛(島)	273
bàn gè yuè 半个(個)月	12
bànláng 伴郎	72
bànniáng 伴娘	72
bànzòu 伴奏	223
bàn 拌	144
bāngzhù 帮(幫)助	71
bǎngjià 绑(綁)架	185
bàngwǎn 傍晚	13
bàngqiú 棒球	256
bàngqiúmào 棒球帽	116
bàng 磅	21
bāo 包	145
bāoguǒ 包裹	176
bāojiān/yǎjiān 包间(間)/雅间(間)	156
bāo jiǎozi 包饺(餃)子	75
bāozā 包扎(紮)	171
bāozhuāng 包装(裝)	178
bāozi 包子	136
báo 薄	26
bǎo 饱(飽)	231
bǎohé zhīfáng 饱(飽)和脂肪	129
bǎo'ān 保安	50
Bǎo'ānzú 保安族	37
bǎoguǎn hǎo suíshēn wùpǐn 保管好随(隨)身物品	156
bǎohù 保护(護)	71
bǎojiàfèi 保价(價)费(費)	178
bǎojiànchá 保健茶	153
bǎolíngqiú 保龄(齡)球	222
bǎolíngqiúguǎn 保龄(齡)球馆(館)	222
bǎomǔ 保姆	96

bǎoxiāndài 保鲜(鲜)袋 58
bǎoxiānhé 保鲜(鲜)盒 58
bǎoxiānmó 保鲜(鲜)膜 59
bǎoxiǎngàng 保险(險)杠 201
bǎoxiǎnguì 保险(險)柜(櫃) 181
bǎoxiū 保修 123
bàodào zhùcè 报(報)到注册 84
bàogào 报(報)告 99
bàojǐng 报(報)警 185
bàokāntíng 报(報)刊亭 115
bàozhǐ 报纸(報紙) 80
bào mùbǎn 刨木板 107
bào sūnzi 抱孙(孫)子 47
bàoxī 抱膝 261
bào 豹 281
bàofēngxuě 暴风(風)雪 234
bàoyǔ 暴雨 234
bàozào 暴躁 40
bēi 背 229
bēibāo 背包 216
bēiguān 悲观(觀) 40
bēiwén 碑文 73
běi 北 186
Běibīng Yáng 北冰洋 290
běifāng 北方 285
Běi Hǎi 北海 290
běihándài 北寒带(帶) 236
běihuíguīxiàn 北回归(歸)线(綫) 236
běijíquān 北极(極)圈 236
Běijīng Yuánrén 北京猿人 287
Běiměizhōu 北美洲 290
běiwēndài 北温带(帶) 236
bèisi 贝(貝)司 249
bèibù 背部 163
bèishǒu 背手 228
bèitào 被套 55
bèizi 被子 55
bèn 笨 24
bēngdài 绷带(繃帶) 173
bèngchuáng 蹦床 253
bígǔ 鼻骨 166
bíkǒng 鼻孔 161
bízi 鼻子 160
bǐshǒu 匕首 263
bǐfēn 比分 256
bǐjīní 比基尼 219
Bǐlìshí 比利时(時) 32
bǐsàbǐng 比萨(薩)饼(餅) 151
bǐhuà 笔画(筆畫) 288
bǐjìběn 笔(筆)记(記)本 87

bǐjìběn diànnǎo 笔(筆)记(記)本
　电(電)脑(腦) 100
bǐjià 笔(筆)架 244
bǐshì 笔试(筆試) 112
bǐshùn 笔顺(筆順) 288
bǐxǐ 笔(筆)洗 244
bǐxīn 笔(筆)芯 86
bìyè 毕业(畢業) 85
bìyè yuànxiào 毕(畢)业(業)院校 28
bìyèzhèng 毕业证(畢業證) 30
bìmùshì 闭(閉)幕式 253
bìyǎn 闭(閉)眼 225
bìluóchūn 碧螺春 153
bìdēng 壁灯(燈) 53
bìhuà 壁画(畫) 243
biānjí 编辑(編輯) 94
biānfú 蝙蝠 281
biānpào 鞭炮 74
biǎn 扁 27
biànyī jǐngchá 便衣警察 185
biàn móshù 变(變)魔术(術) 212
biànsùdǎng 变(變)速挡(擋) 200
biànzi 辫(辮)子 124
biāoběn 标(標)本 214
biāoqiān 标签(標簽) 99
biāoqiāng 标枪(標槍) 254
biāozhǔnjiān 标准间(標準間) 206
biǎoxiàn chà 表现(現)差 113
bīnkè 宾(賓)客 72
bìngǔ 髌(髕)骨 167
bìnjiǎo 鬓(鬢)角 124
bīngbáo 冰雹 234
bīngchuān 冰川 272
bīngdēng 冰灯(燈) 241
bīngdiāo 冰雕 241
bīngguì 冰柜(櫃) 119
bīnggùnr 冰棍儿(兒) 142
bīnghóngchá 冰红(紅)茶 141
bīnghuátī 冰滑梯 241
bīngjīlíng 冰激凌 142
bīngkuàir 冰块(塊)儿(兒) 150
bīngpù 冰瀑 241
bīngqiú 冰球 256
bīngshuǐ 冰水 150
bīngxiāng 冰箱 57
bīngmǎyǒng 兵马(馬)俑 287
bǐnggān 饼干(餅乾) 216
bìngchónghài 病虫(蟲)害 283
bìngfáng 病房 159
bìnghàofú 病号(號)服 159

bìngrén 病人 159
bōhào 拨号(撥號) 102
bōli 玻璃 50
bōlibēi 玻璃杯 57
bōliguā 玻璃刮 64
bōlishuǐ 玻璃水 64
bōcài 菠菜 132
bōluó 菠萝(蘿) 131
bōzhǒng 播种(種) 109
bóbo 伯伯 48
bó 钹(鈸) 249
bózi 脖子 163
bóshì 博士 76
bóshìhòu 博士后(後) 76
Bó Hǎi 渤海 285
bòji 簸箕 64
bǔrǔ 哺乳 70
bùbǎohé zhīfáng 不饱(飽)和脂肪 129
bùdīng 布丁 151
Bùlǎngzú 布朗族 36
Bùyīzú 布依族 34
bùzhì xīnfáng 布置新房 46
bùbīng 步兵 264
bùqiāng 步枪(槍) 267

C

cā bōli 擦玻璃 68
cā fángshàiyóu 擦防晒(曬)油 219
cā hēibǎn 擦黑板 90
cáifeng 裁缝(縫) 94
cáipàn 裁判 254
cǎizhāi 采摘 109
cǎidàn 彩蛋 16
cǎidiàn 彩电(電) 122
cǎihóng 彩虹 270
cǎixiá 彩霞 270
càibǎn 菜板 59
càidān 菜单(單) 149
càidāo 菜刀 59
càihuā 菜花 132
càiyuán 菜园(園) 109
cānjiā jùhuì 参(參)加聚会(會) 93
cānjiā zhāopìnhuì 参(參)加招聘
　会(會) 112
cānchē 餐车(車) 197
cānjīn 餐巾 150
cānjīnzhǐ 餐巾纸(紙) 57
cānpán 餐盘(盤) 146
cānyǐ 餐椅 57

cānzhuō 餐桌 57

cánjírénzhèng 残(殘)疾人证(證) 31

cán 蚕(蠶) 278

cāngying 苍蝇(蒼蠅) 278

cāngyingpāi 苍(蒼)蝇(蠅)拍 64

cāochǎng 操场(場) 78

cāozuò 操作 106

cǎo 草 216

cǎoméi 草莓 131

cǎopíng 草坪 210

cǎoshū 草书(書) 242

cǎoyào 草药(藥) 174

cǎoyuán 草原 273

cè shìlì 测(測)视(視)力 171

chāyāo 叉腰 228

chāzi 叉子 150

chārù yínhángkǎ 插入银(銀)行卡 182

chātóu 插头(頭) 53

chātú 插图(圖) 242

chāyāng 插秧 109

chāzuò 插座 53

cháhàotái 查号(號)台(臺) 102

chákàn hángbān xiǎnshì 查看航班显(顯)示 194

cháxún yú'é 查询(詢)余(餘)额(額) 182

chá yóujiàn 查邮(郵)件 104

chá 茶 140

chábēi 茶杯 152

cháguǎn 茶馆(館) 115

cháhú 茶壶(壺) 152

chájī 茶几 52

chájù 茶具 53

cháyè 茶叶(葉) 152

cháyì 茶艺(藝) 153

cházhǎn 茶盏(盞) 153

cházhǎntuōr 茶盏(盞)托儿(兒) 153

cházhuō 茶桌 152

chà shí fēn qī diǎn 差十分七点(點) 13

chà yí kè qī diǎn 差一刻七点(點) 13

Cháidámù Péndì 柴达(達)木盆地 285

chán 蝉(蟬) 278

chǎnshā 铲(鏟)沙 106

chǎnzi 铲(鏟)子 111

cháng 长(長) 27

chángfà 长发(長髮) 124

chángfāngtǐ 长(長)方体(體) 23

chángfāngxíng 长(長)方形 22

chánghuàfèi 长话费(長話費) 178

Cháng Jiāng 长(長)江 285

Cháng Jiāng zhōngxiàyóu Píngyuán 长(長)江中下游平原 284

chángjǐnglù 长(長)颈(頸)鹿 210

chángpǎo 长(長)跑 254

chángshòumiàn 长寿面(長壽麵) 74

chángtú qìchē 长(長)途汽车(車) 198

chángyǐ 长(長)椅 210

cháng 尝(嘗) 145

chǎngpéngchē 敞篷车(車) 188

chànggē 唱歌 42

chàng kǎlā OK 唱卡拉OK 223

chàngpiàn 唱片 247

chàng shēngrìgē 唱生日歌 74

chàngxì 唱戏(戲) 210

chàng yáolánqǔ 唱摇篮(籃)曲 70

chāo kèwén 抄课(課)文 90

chāoshēngbō 超声(聲)波 172

chāoshí 超时(時) 259

chāoshì 超市 114

cháodài 朝代 286

Cháoxiǎnzú 朝鲜(鮮)族 34

cháoshī 潮湿(濕) 234

chǎo 吵 27

chǎojià 吵架 47

chǎo 炒 144

chǎofàn 炒饭(飯) 136

chǎoguō 炒锅(鍋) 58

chǎomiàn 炒面(麵) 136

chēfèi 车费(車費) 198

chēhuò 车祸(車禍) 283

chēxiāng 车(車)厢 196

chēzài yīnxiǎng 车(車)载(載)音响(響) 200

chēzhàn zhōubiān cháxún 车(車)站周边(邊)查询(詢) 198

chénchuán 沉船 283

chénmò 沉默 40

chènshān 衬(襯)衫 120

chēng zhòngliàng 称(稱)重量 178

chēnggāntiào 撑杆跳 254

chéngzhǎng 成长(長) 47

chéngjìdān 成绩(績)单(單) 92

chéngrénpiào 成人票 214

chéngshú 成熟 240

chéngshì 城市 204

chéngjǐng 乘警 197

chéngkè 乘客 196

chéngliáng 乘凉 239

chéngwùyuán 乘务(務)员(員) 190

chéng 盛 145

chéngsè 橙色 22

chéngzhī 橙汁 141

chéngzi 橙子 131

chèng 秤 119

chī 吃 230

chī diǎnxin 吃点(點)心 152

chī niányèfàn 吃年夜饭(飯) 75

chī wǎnfàn 吃晚饭(飯) 66

chī wǔcān 吃午餐 105

chīyào 吃药(藥) 170

chī zǎofàn 吃早饭(飯) 67

chítáng 池塘 239

chǐ 尺 20

chǐgǔ 尺骨 167

chǐzi 尺子 86

chìdào 赤道 236

chìbǎng 翅膀 279

chōngdiàn diànchí 充电(電)电(電)池 123

chōngdiànqì 充电(電)器 123

chōngzhídiǎn 充值点(點) 198

chōngcì 冲(衝)刺 254

chōngfēngqiāng 冲锋枪(衝鋒槍) 267

chōnglàng 冲(衝)浪 219

chōnglàngbǎn 冲(衝)浪板 219

chóngbō 重拨(撥) 103

chóngqǐ 重启(啟) 101

chōuqì 抽泣 224

chōuti 抽屉 55

chōuxiě 抽血 171

chōuyóuyānjī 抽油烟机(機) 57

chōuzhī 抽脂 126

chóu méi kǔ liǎn 愁眉苦脸(臉) 227

chǒulòu 丑(醜)陋 39

chòu 臭 24

chòudòufu 臭豆腐 143

chòuyǎngcéng 臭氧层(層) 270

chū 出 26

chūbǎnshè 出版社 80

chūchāi 出差 113

chūfā 出发(發) 190

chūfā chéngshì 出发(發)城市 204

chūfā rìqī 出发(發)日期 204

chūguó 出国(國) 92

chūhàn 出汗 231

chūjīchǎng tōngdào 出机(機)场(場)通道 192

chūjìng dàtīng 出境大厅(廳) 192

chūjìng lǚyóu 出境旅游	204	
chūkǒu 出口	198	
chūmén 出门(門)	67	
chūnà 出纳(納)	97	
chūrùzhèng 出入证(證)	30	
chūshēng rìqī 出生日期	28	
chūshēng zhèngmíng 出生证(證)明	31	
chūshì gèrén zhèngjiàn 出示个(個)人证(證)件	194	
chūzhàn 出站	196	
chūzhànkǒu 出站口	196	
chūzūchē 出租车(車)	189	
chūzūchēzhàn 出租车(車)站	192	
chūzhōng 初中	76	
chúchén 除尘(塵)	69	
chúxī 除夕	16	
chúfáng 厨房	50	
chúshī 厨师(師)	95	
chútou 锄头(鋤頭)	111	
chúguì 橱柜(櫃)	57	
chǔfāngyào 处(處)方药(藥)	172	
chǔcángshì 储(儲)藏室	50	
chùjiǎo 触(觸)角	279	
chuāizi 擓子	61	
chuāncàiguǎn 川菜馆(館)	147	
chuān 穿	26	
chuānshānjiǎ 穿山甲	280	
chuānxié 穿鞋	67	
chuān yīfu 穿衣服	67	
chuándáshì 传(傳)达(達)室	78	
chuánméi 传(傳)媒	83	
chuánqiú 传(傳)球	256	
chuánzhēnjī 传(傳)真机(機)	98	
chuāngkětiē 创(創)可贴(貼)	173	
chuānghu 窗户	50	
chuānghuā 窗花	74	
chuānglián 窗帘(簾)	50	
chuāngtái 窗台(臺)	51	
chuáng 床	55	
chuángdān 床单(單)	55	
chuángdiàn 床垫(墊)	55	
chuángshàng yòngpǐn 床上用品	116	
chuángtóu 床头(頭)	54	
chuángtóudēng 床头(頭)灯(燈)	54	
chuángtóuguì 床头(頭)柜(櫃)	54	
chuángzhào 床罩	54	
chuīgān 吹干(乾)	124	
chuíliǔ 垂柳	239	
chuí tóu sàng qì 垂头(頭)丧(喪)气(氣)	227	
chuízi 锤(錘)子	110	
Chūnjié 春节(節)	16	
chūnlián 春联(聯)	74	
Chūnqiū 春秋	286	
chūntiān/chūnjì 春天/春季	238	
cí 词(詞)	288	
cídiǎn 词(詞)典	80	
cízhuān 瓷砖(磚)	61	
cítiě 磁铁(鐵)	89	
cìwei 刺猬	280	
cìxiù 刺绣(繡)	43	
cōng 葱	138	
cōngming 聪(聰)明	24	
cū 粗	24	
cūcāo 粗糙	27	
cùxiāo 促销(銷)	122	
cù 醋	139	
cùhú 醋壶(壺)	149	
cuìniǎo 翠鸟(鳥)	276	
cúnchǔkǎ 存储(儲)卡	123	
cúnkuǎn 存款	182	
cúnkuǎn rìqī 存款日期	181	
cúnkuǎn shùliàng 存款数(數)量	181	
cúnzhé 存折	181	
cùn 寸	20	
cuōyībǎn 搓衣板	64	
cuòdāo 锉(銼)刀	110	
D		
Dáwò'ěrzú 达(達)斡尔(爾)族	36	
dáfù 答复(復)	112	
dǎ bāzhé 打八折	123	
dǎbǎchǎng 打靶场(場)	212	
dǎbāo 打包	157	
dǎdàn 打蛋	145	
dǎ diànhuà 打电(電)话(話)	104	
dǎgér 打嗝儿(兒)	231	
dǎ hāqian 打哈欠	231	
dǎhuǒjī 打火机(機)	52	
dǎkǎ 打卡	104	
dǎkāi 打开(開)	26	
dǎkāi shū 打开(開)书(書)	91	
dǎkāi tóudǐngdēng 打开(開)头(頭)顶(頂)灯(燈)	195	
dǎkǒngjī 打孔机(機)	99	
dǎléi 打雷	234	
dǎ májiàng 打麻将(將)	75	
dǎmó 打磨	155	
dǎmójī 打磨机(機)	155	
dǎ pēntì 打喷(噴)嚏	231	
dǎpò jìlù 打破纪(紀)录(錄)	261	
dǎqiú 打球	42	
dǎsǎo 打扫(掃)	75	
dǎshuǐ 打水	261	
dǎ tàijíquán 打太极(極)拳	210	
dǎ xuězhàng 打雪仗	241	
dǎyìn 打印	100	
dǎyìnjī 打印机(機)	100	
dǎzhēn 打针(針)	171	
dǎzì 打字	105	
dǎzìjī 打字机(機)	99	
dà 大	27	
dàbēi 大杯	155	
dàbōlàng 大波浪	124	
dàcháng 大肠(腸)	164	
dàchú 大厨	148	
dàdǎn 大胆(膽)	40	
dàfang 大方	41	
dàliào/bājiǎo 大料/八角	138	
dàlù 大陆(陸)	273	
dàlùjià 大陆(陸)架	273	
dàmén 大门(門)	50	
dàmǐ 大米	136	
dàmuzhǐ 大拇指	161	
dànǎo 大脑(腦)	164	
dàpáidàng 大排档(檔)	147	
dàqìcéng 大气(氣)层(層)	270	
dàqìhuánliú 大气(氣)环(環)流	237	
dàtáng 大堂	207	
dàtíqín 大提琴	249	
dàtuǐ 大腿	162	
Dàxī Yáng 大西洋	290	
dàxiàng 大象	210	
dàxiào 大校	264	
dàxīngxing 大猩猩	280	
dàxué 大学(學)	76	
dàxuéshēng 大学(學)生	76	
dàxué zhuānyè 大学(學)专(專)业(業)	83	
dàyàn 大雁	277	
Dàyángzhōu 大洋洲	290	
dàyī 大衣	120	
dàyǔ 大雨	234	
Dàyǔ Zhìshuǐ 大禹治水	287	
Dǎizú 傣族	35	
dàifu 大夫	170	
dài háizi kàn yīshēng 带(帶)孩子看医(醫)生	70	
dàixīn jiàqī 带(帶)薪假期	113	

dàichá 袋茶 153
dàishǔ 袋鼠 281
dàibǔ 逮捕 185
dài ěrjī 戴耳机(機) 195
dài màozi 戴帽子 67
dài yǎnjìng 戴眼镜(鏡) 38
dāndǐnghè 丹顶(頂)鹤(鶴) 276
dānmài kèlǎng 丹麦(麥)克朗 182
dānchéng 单(單)程 204
dāndǎ 单(單)打 259
dānhuángguǎn 单(單)簧管 249
dānqīn jiātíng 单(單)亲(親)家庭 47
dānrénchuáng 单(單)人床 55
dānrénjiān 单(單)人间(間) 206
dānréntiào 单(單)人跳 261
dānxínglù 单(單)行路 203
dānyǎnpí 单(單)眼皮 38
dānjià 担(擔)架 158
dānrèn zhíwù 担(擔)任职(職)务(務) 29
dānxīn 担(擔)心 233
dǎnnáng 胆(膽)囊 164
dàn 淡 139
dànbáizhì 蛋白质(質) 129
dàngāodiàn 蛋糕店 115
dànqì 氮气(氣) 270
dǎngfēng bōli 挡(擋)风(風)玻璃 201
dǎngníbǎn 挡(擋)泥板 201
dāo 刀 263
dāojià 刀架 59
dāozi 刀子 150
dǎodàn 导弹(導彈) 266
dǎogòu 导购(導購) 119
dǎoyǎn 导(導)演 96
dǎoyóu 导(導)游 97
dǎoyóuzhèng 导(導)游证(證) 30
dǎo 岛(島) 219
dǎoyǔ 岛屿(島嶼) 272
dào 倒 145
dàochá 倒茶 156
dào lājī 倒垃圾 69
dàolì 倒立 229
dàoshǔ 倒数(數) 75
dàodá 到达(達) 190
dàodá chéngshì 到达(達)城市 204
dàozhàn 到站 196
dàoniàn 悼念 73
dàobié 道别 121
dàoguàn 道观(觀) 44
Dàojiào 道教 44

dàojù 道具 208
dàojùjiān 道具间(間) 208
dàoshi 道士 44
Dé'ángzú 德昂族 37
Déguó 德国(國) 32
Déyǔ 德语(語) 32
dēngguāng 灯(燈)光 208
dēngzhào 灯(燈)罩 52
dēngjī 登机(機) 194
dēngjīkǒu 登机(機)口 193
dēngjīpái 登机(機)牌 193
dēngjì jiéhūn 登记(記)结(結)婚 46
dēngjì zhùsù 登记(記)住宿 206
dēngshān 登山 216
dēngshuǐ 蹬水 261
děnghòu 等候 194
děngwēnxiàn 等温线(線) 237
dèngyǎn 瞪眼 224
dīyīnpào 低音炮 122
dīzhī niúnǎi 低脂牛奶 142
dībàlù 堤坝(壩)路 202
dīguǎn 滴管 89
dísīkē 迪斯科 222
dítīng 迪厅(廳) 222
dízi 笛子 248
dǐdá jīchǎng 抵达(達)机(機)场(場) 194
dǐgǔ 骶骨 167
dìbǎn 地板 50
dìbǎnlà 地板蜡(蠟) 64
dìhé 地核 273
dìléi 地雷 266
dìlǐ 地理 82
dìlòu 地漏 60
dìmàn 地幔 273
dìqiào 地壳(殼) 273
dìqiú 地球 269
dìtǎn 地毯 53
dìtiě 地铁(鐵) 189
dìtiězhàn 地铁(鐵)站 198
dìxià chāoshì 地下超市 117
dìxià tōngdào 地下通道 186
dìxíng 地形 237
dìzhèn 地震 282
dìzhìxué 地质(質)学(學) 83
Dìzhōng Hǎi 地中海 290
dìdi 弟弟 49
dì yǎnsè 递(遞)眼色 225
dì-èr 第二 9
dì-sān 第三 9

dì-yī 第一 9
diǎncài 点(點)菜 156
diǎnchāojī 点钞机(點鈔機) 181
diǎngē 点(點)歌 223
diǎnhuǒ kāiguān 点(點)火开(開)关(關) 200
diǎnjī 点击(點擊) 100
diǎntóu 点头(點頭) 225
diǎnxué 点(點)穴 262
diǎn 碘 129
diànchí 电(電)池 123
diàncílú 电(電)磁炉(爐) 58
diàndòng tàngfàqì 电(電)动(動)烫(燙)发(髮)器 124
diàndòng tìxūdāo 电(電)动(動)剃须(須)刀 63
diàndòng yáshuā 电(電)动(動)牙刷 63
diànfànbāo 电(電)饭(飯)煲 59
diànfèi 电费(電費) 178
diànfēngshàn 电(電)风(風)扇 52
diàngōng 电(電)工 94
diànhuà 电话(電話) 53
diànhuàbù 电(電)话(話)簿 103
diànhuàfèi 电话费(電話費) 178
diànhuà hàomǎ 电话号码(電話號碼) 103
diànhuàkǎ 电(電)话(話)卡 102
diànhuà língshēng 电话铃声(電話鈴聲) 103
diànhuàxiàn 电话线(電話線) 103
diànlícéng 电离层(電離層) 270
diànnǎo/diànzǐ jìsuànjī 电脑(電腦)/电(電)子计(計)算机(機) 98
diànnǎo dǎolǎn 电脑导览(電腦導覽) 214
diànnǎo huìhuà 电脑绘画(電腦繪畫) 243
diànnǎo jìshùyuán 电(電)脑(腦)技术(術)员(員) 97
diànpíng 电(電)瓶 201
diànrèshuǐhú 电(電)热(熱)水壶(壺) 57
diànshìguì 电视柜(電視櫃) 53
diànshìjī 电视机(電視機) 53
diànshì liánxùjù 电视连续剧(電視連續劇) 250
diàntī 电(電)梯 51
diàntuīzi 电(電)推子 124
diànxiàn 电线(電線) 110

296

diànyǐngjié 电(電)影节(節) 251
diànyǐngtīng 电(電)影厅(廳) 208
diànzǐ cídiǎn 电(電)子词(詞)典 123
diànzǐ qīkān 电(電)子期刊 81
diànzǐqín 电(電)子琴 249
diànzǐ yīnyuè 电(電)子音乐(樂) 246
diànzǐ yóujiàn 电(電)子邮(郵)件 101
diànzǐ yóuxìtīng 电(電)子游戏
　(戲)厅(廳) 223
diànfěn 淀(澱)粉 138
diāosù 雕塑 242
diāosùjiā 雕塑家 96
diāoxiàng 雕像 210
diàochē 吊车(車) 107
diàochuáng 吊床 216
diàodēng 吊灯(燈) 53
diàoyú 钓鱼(釣魚) 216
diēdǎo/shuāidǎo 跌倒/摔倒 228
dié bèizi 叠被子 69
dié luóhàn 叠罗(羅)汉(漢) 212
diézi 碟子 148
diéyǒng 蝶泳 261
dīngxiāng 丁香 238
dīngzi 钉(釘)子 111
dǐnggǔ 顶(頂)骨 166
dìng fángjiān 订(訂)房间(間) 206
dìnghūn 订(訂)婚 46
dìngshūdīng 订书钉(訂書釘) 99
dìngshūjī 订书机(訂書機) 99
dìngwèi 订(訂)位 156
dìng dīngzi 钉(釘)钉(釘)子 107
dìng niǔkòu 钉(釘)纽(紐)扣 68
dìngqī cúnkuǎn 定期存款 181
dìngqiújià 定球架 222
dōng 东(東) 187
dōngběi 东(東)北 186
dōngběihǔ 东(東)北虎 280
Dōngběi Píngyuán 东(東)北平
　原 284
Dōng Hǎi 东(東)海 285
dōngnán 东(東)南 187
Dōngxiāngzú 东(東)乡(鄉)族 35
dōng zhāng xī wàng 东(東)张
　(張)西望 226
Dōngzhèngjiào 东(東)正教 45
dōngbùlā 冬不拉 248
dōngguā 冬瓜 133
dōngtiān/dōngjì 冬天/冬季 240
dōngzhuāng 冬装(裝) 117
dònghuàpiàn 动(動)画(畫)片 250

dòngwùyuán 动(動)物园(園) 210
dòngzuòpiàn 动(動)作片 250
dònghài 冻(凍)害 282
dòngyǔ 冻(凍)雨 282
Dòngzú 侗族 34
dòufu 豆腐 143
dòufugānr 豆腐干(乾)儿(兒) 143
dòufujuǎnr 豆腐卷儿(兒) 143
dòufunǎor 豆腐脑(腦)儿(兒) 143
dòufupāor 豆腐泡儿(兒) 143
dòufupír 豆腐皮儿(兒) 143
dòujiāng 豆浆(漿) 143
dòujiǎor 豆角儿(兒) 132
dòulèi 豆类(類) 128
dòumiàn 豆面(麵) 143
dòunǎi 豆奶 140
dòuyár 豆芽儿(兒) 132
dú bàozhǐ 读报纸(讀報紙) 66
dúchàng 独(獨)唱 247
Dúlóngzú 独(獨)龙(龍)族 37
dúlúnchē 独轮车(獨輪車) 212
dúshēngzǐnǚ 独(獨)生子女 47
dúzòu 独(獨)奏 208
dùjuān 杜鹃(鵑) 276
dùjuānhuā 杜鹃(鵑)花 238
dùpíwǔ 肚皮舞 220
dùqí 肚脐(臍) 162
dùzi 肚子 163
dù mìyuè 度蜜月 47
Duānwǔjié 端午节(節) 16
duānxiàn 端线(線) 257
duǎn 短 27
duǎnfà 短发(髮) 124
duǎnkù 短裤(褲) 120
duǎnpǎo 短跑 254
duǎnyǔ 短语(語) 288
duànluò 段落 289
duànliàn 锻炼(鍛煉) 220
duī shābǎo 堆沙堡 219
duī xuěrén 堆雪人 241
duìyuán 队员(隊員) 258
duìjiǎng huàtǒng 对(對)讲(講)话
　(話)筒 181
duìjiǎngjī 对讲机(對講機) 185
duìliúcéng 对(對)流层(層) 270
dūn 吨(噸) 21
dūnbù/tuōbǎ 墩布/拖把 64
dūn 蹲 229
dùn 炖 144
dùn 盾 263

duōgōngnéng yùndòngchē 多功
　能运(運)动(動)车(車) 189
duōméitǐ kòngzhìtái 多媒体(體)
　控制台(臺) 88
duōyún 多云(雲) 234
duò 剁 144

E

Éluósī 俄罗(羅)斯 32
Éluósīzú 俄罗(羅)斯族 37
Éyǔ 俄语(語) 32
é 鹅(鵝) 109
é 蛾 279
égǔ 额(額)骨 166
étóu 额头(額頭) 160
ěxin 恶(噁)心 169
è'ěrnínuò 厄尔(爾)尼诺(諾) 282
è 饿(餓) 231
Èlúnchūnzú 鄂伦(倫)春族 37
Èwēnkèzú 鄂温克族 37
èyú 鳄鱼(鱷魚) 281
érkē 儿(兒)科 159
értóng 儿(兒)童 71
értóng càidān 儿(兒)童菜单(單)
　 150
értóng jiémù 儿(兒)童节(節)目 251
értóngpiào 儿(兒)童票 214
értóng wánjùdiàn 儿(兒)童玩具
　店 114
értóngyǐ 儿(兒)童椅 150
értóng yóulèchǎng 儿(兒)童游
　乐(樂)场(場) 51
érzi 儿(兒)子 49
ěrchuí 耳垂 160
ěrduo 耳朵 161
ěrhuán 耳环(環) 117
ěrjī 耳机(機) 103
ěrwāsháor 耳挖勺儿(兒) 63
èr 二 8
èr fēn 二分 18
èr fēnzhī yī 二分之一 9
èrhú 二胡 248
èr líng líng bā nián Bāyuè bā rì
　Xīngqīwǔ wǎnshang bā diǎn
　二〇〇八年八月八日星期五
　晚上八点(點) 15
èrshēng 二声(聲) 288
èrshí 二十 8
èrshí yuán 二十元 19

èryǎnghuàtàn 二氧化碳 270
èr yuán 二元 19
Èryuè 二月 15
èrzhǐchán 二指禅(禪) 262

F

fā chuánzhēn 发(發)传(傳)真 104
fādòngjī 发动机(發動機) 201
fādǒu 发(發)抖 231
fāgāo 发(發)糕 136
fālìngqiāng 发(發)令枪(槍) 254
fāpiào 发(發)票 198
fāqiú 发(發)球 259
fāshāo 发烧(發燒) 169
fāyá 发(發)芽 238
fāyán 发(發)言 105
fā yóujiàn 发(發)邮(郵)件 104
fā zuòyè 发(發)作业(業) 91
fá diǎnqiú 罚(罰)点(點)球 257
fákuǎn 罚(罰)款 81
fáqiú 罚(罰)球 258
fǎguān 法官 95
Fǎguó 法国(國) 32
fǎtíng 法庭 185
fǎxué 法学(學) 83
Fǎyǔ 法语(語) 32
fàjì 发(髮)髻 124
fàqiǎ 发(髮)卡 124
fānchuán 帆船 219
fānqiéjiàng 番茄酱(醬) 150
fān báiyǎn 翻白眼 227
fānyì 翻译(譯) 94
fánmáng 繁忙 240
fántǐzì 繁体(體)字 288
fǎnduì 反对(對) 233
fǎnkàng 反抗 233
fǎnmiàn/bèimiàn 反面/背面 18
fǎnshǒu 反手 259
fǎnxiàng wānlù 反向弯(彎)路 202
fǎnhuí rìqī 返回日期 205
fànguī 犯规(規) 254
fànzuì xiányírén 犯罪嫌疑人 185
fàndiàn 饭(飯)店 115
fànhé 饭(飯)盒 216
fànsháo 饭(飯)勺 59
fàntīng 饭厅(飯廳) 50
fàntuán 饭团(飯糰) 136
fāngbiànmiàn 方便面(麵) 136
fāngxiàngpán 方向盘(盤) 200

fāngyán 方言 289
fángdàn bèixīn 防弹(彈)背心 267
fángkōngbīng 防空兵 264
fángshàishuāng 防晒(曬)霜 63
fángshǒu 防守 258
fángchǎnzhèng 房产(産)证(證) 31
fángchē 房车(車) 189
fángdìchǎnshāng 房地产(産)商 97
fǎngtán jiémù 访(訪)谈(談)节(節)目 251
fàng biānpào 放鞭炮 16
fàngdàjìng 放大镜(鏡) 89
fàng fēngzheng 放风(風)筝 210
fàngxià zhédié cānzhuō 放下折叠餐桌 195
fàng xíngli 放行李 194
fàngxué 放学(學) 84
fēijī 飞机(飛機) 188
fēijī pǎodào 飞(飛)机(機)跑道 191
fēijīpiào 飞(飛)机(機)票 193
fēixíngyuán 飞(飛)行员(員) 94
fēichǔfāngyào 非处(處)方药(藥) 172
Fēizhōu 非洲 290
fēilǜbīn bǐsuǒ 菲律宾(賓)比索 183
féiròu 肥肉 134
féigǔ 腓骨 167
fěijǐng 匪警 102
fèifèi 狒狒 281
fèi 肺 164
fēn 分 18
fēndàoxiàn 分道线(綫) 261
fēnfēngzhì 分封制 287
fēnjī 分机(機) 103
fēnmǐ 分米 20
fēnxiàng xíngshǐ chēdào 分向行驶(駛)车(車)道 203
fénmù 坟(墳)墓 73
fěnbǐ 粉笔(筆) 88
fěnbǐng 粉饼(餅) 63
fěncì 粉刺 127
fěndǐyè 粉底液 63
fěnpū 粉扑(撲) 63
fěnsè 粉色 22
fēngshōu 丰(豐)收 240
fēngbàocháo 风(風)暴潮 283
fēngyī 风(風)衣 120
fēngzāi 风(風)灾 282
fēngjiàn shèhuì 封建社会(會) 286
fēngmì 蜂蜜 155

fēngniǎo 蜂鸟(鳥) 277
féngrèn 缝纫(縫紉) 43
féngzhēn 缝针(縫針) 171
Fó 佛 44
Fójiào 佛教 44
fójīng 佛经(經) 44
fǒudìng 否定 233
fūsè 肤(膚)色 38
fútèjiā 伏特加 141
fúwù chuāngkǒu 服务(務)窗口 178
fúwùtái 服务(務)台(臺) 119
fúwùyuán 服务(務)员(員) 149
fúzhuāng 服装(裝) 208
fúzhuāngdiàn 服装(裝)店 115
fúchén 浮尘(塵) 234
fúlì dàiyù 福利待遇 112
fúzì 福字 74
fúshè 辐(輻)射 237
fǔzi/fǔtou 斧子/斧头(頭) 110
fǔwòchēng 俯卧撑 221
fǔdǎo 辅导(輔導) 71
fǔrǔ 腐乳 143
fǔzhú 腐竹 143
fùmǔ 父母 48
fùfèi 付费(費) 178
fùqián 付钱(錢) 121
fùchǎnkē 妇(婦)产(産)科 159
fùdújī 复读机(復讀機) 123
Fùhuójié 复(復)活节(節) 16
fùyìn 复(復)印 104
fùyìnjī 复(復)印机(機) 98
fùyìnjiàn 复(復)印件 104
fùyìnshì 复(復)印室 81
fùzá 复杂(複雜) 27
fùjīzhǎng 副机(機)长(長) 190
fùbù 腹部 162
fùxiè/lā dùzi 腹泻(瀉)/拉肚子 169

G

gāzhiwō 胳肢窝(窩) 163
gǎijuàn 改卷 91
gài 钙(鈣) 129
gàiwǎn 盖(蓋)碗 152
gān 干(乾) 24
gānbiān sìjìdòu 干(乾)煸四季豆 148
gānhàn 干(乾)旱 282
gānjìng 干(乾)净 24
gānxǐ 干(乾)洗 207
gānxǐdiàn 干(乾)洗店 115

gānzào 干(乾)燥 234

gān 肝 164

gāngà 尴(尷)尬 232

Gǎn'ēnjié 感恩节(節) 16

gǎnjué 感觉(覺) 230

gǎnmào 感冒 168

gǎnlǎnqiú 橄榄(欖)球 256

gǎnmiànzhàng 擀面(麵)杖 58

gànyǔ 赣语(贛語) 289

gāngbǐ 钢笔(鋼筆) 86

gāngjīn 钢(鋼)筋 107

gāngkuī 钢(鋼)盔 185

gāngqín 钢(鋼)琴 249

gāngsī qìchē 钢丝骑车(鋼絲騎車) 212

Gǎng-Ào tōngxíngzhèng 港澳通行证(證) 31

gǎngbì 港币(幣) 183

gànglíng 杠铃(鈴) 220

gāo 高 38

gāobíliáng 高鼻梁 38

gāo'ěrfūqiú 高尔(爾)夫球 256

gāogēnrxié 高跟儿(兒)鞋 117

gāojiǎobēi 高脚杯 150

gāokǎo/kǎo dàxué 高考/考大学(學) 85

gāoquángǔ 高颧(顴)骨 38

Gāoshānzú 高山族 35

gāoxuèyā 高血压(壓) 169

gāoyāguō 高压(壓)锅(鍋) 58

gāoyīn gēchàngjiā 高音歌唱家 208

gāoyuán 高原 273

gāozhōng 高中 76

gāozhōng yī niánjí èr bān 高中一年级(級)二班 88

gāoyao 膏药(藥) 175

gāodiǎn 糕点(點) 118

Gēlǎozú 仡佬族 36

gēge 哥哥 49

gēbo 胳膊 163

gēbozhǒur 胳膊肘儿(兒) 163

gēzi 鸽(鴿)子 276

gēshāng 割伤(傷) 168

gē shuāngyǎnpí 割双(雙)眼皮 127

gēcí 歌词(詞) 247

gējù 歌剧(劇) 208

gējùyuàn 歌剧(劇)院 208

gēshǒu 歌手 96

géli 蛤蜊 135

gé 膈 164

gèrén tècháng 个(個)人特长(長) 29

gèrén yèwù 个(個)人业(業)务(務) 180

gěi háizi chuān yīfu 给(給)孩子穿衣服 70

gěi háizi xǐzǎo 给(給)孩子洗澡 70

gēngyīshì 更衣室 220

gōngchéngbīng 工程兵 264

gōngchéngshī 工程师(師) 94

gōngjùshū 工具书(書) 81

gōngrén 工人 95

gōngshāng guǎnlǐ 工商管理 83

gōngzī 工资(資) 112

gōngzītiáo 工资(資)条(條) 105

gōngzuò jīnglì 工作经(經)历(歷) 29

gōngzuò rényuán 工作人员(員) 178

gōngzuòzhèng 工作证(證) 30

gōng'ānjú 公安局 185

gōnggàolán 公告栏(欄) 78

gōnggong 公公 49

gōnggòng qìchē 公共汽车(車) 189

gōngjī 公鸡(鷄) 109

gōngjiāochē 公交车(車) 198

gōngjiāo chēzhàn 公交车(車)站 199

gōngjiāokǎ 公交卡 199

gōngjīn 公斤 21

gōnglǐ 公里 20

gōngqǐng 公顷(頃) 21

gōngwén 公文 98

gōngwùyuán 公务(務)员(員) 94

gōngyòng diànhuà 公用电(電)话(話) 102

gōngfàng 功放 122

gōngfu 功夫 262

gōnggǔ 肱骨 167

gōngbǎo jīdīng 宫保鸡(鷄)丁 148

gǒu 狗 14

gòuwù 购(購)物 93

gòuwùchē 购(購)物车(車) 118

gòuwùlán 购(購)物篮(籃) 118

gòuwù xiǎopiào 购(購)物小票 123

gūsuàn fèiyong 估算费(費)用 204

gūgu 姑姑 48

gūdú 孤独(獨) 233

gǔdiǎn yīnyuè 古典音乐(樂) 246

Gǔlánjīng 古兰(蘭)经(經) 44

gǔwándiàn 古玩店 115

gǔgǔ 股骨 167

gǔ 骨 135

gǔgé 骨骼 161

gǔhuīhé 骨灰盒 73

gǔpén 骨盆 167

gǔzhé 骨折 168

gǔ 鼓 27,248

gǔlì 鼓励(勵) 71

gùzhí 固执(執) 41

gùshipiàn 故事片 250

guāzǐ 瓜子 131

guādāo 刮刀 111

guāfēng 刮风(颱風) 234

guāhúdāo 刮胡(鬍)刀 63

guā húzi 刮胡(鬍)子 67

guāshā 刮痧 126

guà 挂 68

guàduàn 挂断(斷) 103

guàgōu 挂钩(鈎) 61

guàhào 挂号(號) 170

guàhàochù 挂号(號)处(處) 158

guàhàoxìn 挂号(號)信 176

guàmiàn 挂面(麵) 136

guàshī 挂失 181

guàzhōng 挂钟(鐘) 53

guǎizhàng 拐杖 159

guān 关(關) 26

guānbì shǒujī 关闭(關)手机(機) 194

guāndēng 关(關)灯 66

guānjié 关节(關節) 161

guānjiéyán 关(關)节(節)炎 169

guānshǎng zhíwù 观(觀)赏(賞)植物 53

Guānyīn 观(觀)音 44

guānhuà 官话(話) 289

guāncai 棺材 73

guǎndào 管道 57

guǎnqián 管钳(鉗) 111

guǎnzi 管子 111

guànjūn 冠军(軍) 252

guànxǐjiān 盥洗间(間) 190

guàn 鹳(鸛) 276

guàntou shípǐn 罐头(頭)食品 119

guāngbiāo 光标(標) 101

guānghuá 光滑 27

guāngpán 光盘(盤) 101

guāngqū 光驱(驅) 100

guǎnggào 广(廣)告 251

guàngjiē 逛街 43

guàng miàohuì 逛庙(廟)会(會) 16

guǐdào 轨(軌)道 269

guǐwū 鬼屋 212

guì 贵(貴) 24

guìbīntīng 贵宾厅(貴賓廳) 208
guìpí 桂皮 139
guì 跪 229
gǔn fān zhuǎnshēn 滚翻转(轉)身 261
gǔnshuā 滚刷 111
gùn 棍 263
guōchǎn 锅铲(鍋鏟) 58
guōgài 锅盖(鍋蓋) 58
guōtiēr 锅贴(鍋貼)儿 136
guōguor 蝈蝈儿(蟈蟈兒) 278
guóchǎnpiàn 国(國)产(産)片 250
guóhuà 国画(國畫) 242
guójì chángtú diànhuà 国(國)际(際)长(長)途电(電)话(話) 103
guójì huìkuǎn 国(國)际(際)汇(匯)款 178
guójì lǚxíng jiànkāngzhèng 国(國)际(際)旅行健康证(證) 31
guójì yóujiàn 国(國)际(際)邮(郵)件 176
guójiā dàimǎ 国(國)家代码(碼) 103
guónèi chángtú diànhuà 国(國)内长(長)途电(電)话(話) 103
guónèi huìkuǎn 国(國)内汇(匯)款 178
guónèi lǚyóu 国(國)内旅游 204
guónèi yóujiàn 国(國)内邮(郵)件 176
Guóqìngjié 国庆节(國慶節) 16
guǒduàn 果断(斷) 40
guǒshí 果实(實) 240
guǒshūlèi 果蔬类(類) 128
guǒshù 果树(樹) 109
guǒyuán 果园(園) 109
guǒzhī 果汁 140
guòjiē tiānqiáo 过(過)街天桥(橋) 186
guòmǐn 过(過)敏 169
guònián 过(過)年 74
guòqī 过(過)期 81
guòshānchē 过(過)山车(車) 212

H

hāmìguā 哈密瓜 131
Hānízú 哈尼族 35
hāqì 哈气(氣) 241
Hāsàkèzú 哈萨(薩)克族 35
hǎi'àn 海岸 273
hǎibá 海拔 237
hǎibào 海豹 275
hǎichuáng 海床 275

hǎidǎn 海胆(膽) 275
hǎidàochuán 海盗船 212
hǎigōu 海沟(溝) 275
hǎiguān 海关(關) 193
hǎiguān shēnbàobiǎo 海关(關)申报(報)表 193
hǎijūn 海军(軍) 264
hǎijūn hángkōngbīng 海军(軍)航空兵 264
hǎijūn lùzhànduì 海军(軍)陆(陸)战(戰)队(隊) 264
hǎikuí 海葵 275
hǎilàng 海浪 219
hǎilǐ 海里 20
hǎimǎ 海马(馬) 275
hǎimián 海绵(綿) 64
hǎi'ōu 海鸥(鷗) 276
hǎipíngmiàn 海平面 275
hǎishī 海狮(獅) 275
hǎitān 海滩(灘) 219
hǎitáng 海棠 238
hǎitún 海豚 275
hǎiwángxīng 海王星 269
hǎixiào 海啸(嘯) 282
hǎixīng 海星 275
hǎiyùn 海运(運) 176
hǎizǎo 海藻 275
hàipà 害怕 233
hàixiū 害羞 232
háncháo 寒潮 283
hánjià 寒假 84
hánlěng 寒冷 240
hánliú 寒流 240
Hánguó 韩国(韓國) 32
hánguó shāokǎo 韩(韓)国(國)烧(燒)烤 147
hányuán 韩(韓)元 183
Hàn 汉(漢) 286
hànbǎo 汉(漢)堡 151
Hànyǔ 汉语(漢語) 32
Hànzì 汉(漢)字 288
Hànzú 汉(漢)族 37
hànjì 旱季 237
hànjiē 焊接 106
hángbānhào 航班号(號) 205
hángbān xiǎnshìpíng 航班显(顯)示屏 192
hángkōngbīng 航空兵 264
hángkōng gōngsī 航空公司 205
hángkōng mǔjiàn 航空母舰(艦) 266

hángkōngxìn 航空信 176
hángtiān fēijī 航天飞(飛)机(機) 269
hángtiānfú 航天服 269
hángtiānyuán 航天员(員) 269
hángzhànlóu 航站楼(樓) 192
háokè 毫克 21
háomǐ 毫米 20
háoshēng 毫升 21
háoyóu 蚝油 139
hǎo 好 24
hàomài 号(號)脉 175
hàoqí 好奇 232
hē 喝 230
hējiǔ 喝酒 222
héshàng 合上 26
héshàng shū 合上书(書) 90
hé'ǎi 和蔼(藹) 39
héshang 和尚 44
héliú 河流 273
hémǎ 河马(馬) 280
hédàntóu 核弹(彈)头(頭) 266
héfúshè 核辐(輻)射 283
hétao 核桃 131
héhuā 荷花 239
héfàn 盒饭(飯) 146
hèkǎ 贺(賀)卡 176
hèsuìpiàn 贺(賀)岁(歲)片 250
hèsè 褐色 22
Hèzhézú 赫哲族 37
hēibǎn 黑板 88
hēibǎncā 黑板擦 88
hēidòng 黑洞 269
Hēi Hǎi 黑海 290
hēikāfēi 黑咖啡 154
hēimǐ 黑米 136
hēisè 黑色 22
hēixīngxing 黑猩猩 280
hēixióng 黑熊 280
hēiyǎnquān 黑眼圈 127
hèn 恨 233
héngbǎn 横板 259
hōngzhàjī 轰(轟)炸机(機) 266
hōnggānjī 烘干(乾)机(機) 123
hóngbāo 红(紅)包 72
hóngbǎoshí 红(紅)宝(寶)石 117
hóngchá 红(紅)茶 153
Hóng Hǎi 红(紅)海 290
hónglǐngjīn 红(紅)领(領)巾 87
hónglǜdēng 红绿灯(紅綠燈) 186
hóngpái 红(紅)牌 256

hóngpútaojiǔ 红(紅)葡萄酒	141	
hóngsè 红(紅)色	22	
hóngtáng 红(紅)糖	138	
hóngyǎnbìng 红(紅)眼病	169	
hóngzhǒng 红肿(紅腫)	169	
hóngshuǐ 洪水	282	
hǒng háizi shuìjiào 哄孩子睡觉(覺)	70	
hóujié 喉结(結)	160	
hóu 猴	14	
hóuzi 猴子	210	
hòu 后(後)	187	
hòubèixiāng 后(後)备(備)箱	201	
hòushìjìng 后视镜(後視鏡)	200	
hòutiān 后(後)天	14	
hòutuì 后(後)退	26	
hòu 厚	26	
hòuchēshì 候车(車)室	196	
hòujī dàtīng 候机(機)大厅(廳)	193	
hòuzhěn 候诊(診)	170	
hòuzhěnqū 候诊(診)区(區)	158	
hūxī 呼吸	230	
húquānqiú 弧圈球	259	
húli 狐狸	280	
hújiāofěn 胡椒粉	138	
hújiāopíng 胡椒瓶	150	
húluóbo 胡萝(蘿)卜(蔔)	132	
húxū 胡须(鬚)	124	
húbàr 壶(壺)把儿(兒)	152	
húzuǐr 壶(壺)嘴儿(兒)	152	
húpō 湖泊	272	
húlusī 葫芦(蘆)丝(絲)	248	
húdié 蝴蝶	216	
hǔ 虎	14	
hùkǒubù 户口簿	30	
hùfàsù 护(護)发(髮)素	63	
hùfū 护肤(護膚)	126	
hùshi 护(護)士	170	
hùshǒushuāng 护(護)手霜	63	
hùzhào 护(護)照	30	
huā 花	216	
huāchá 花茶	153	
huādàn 花旦	208	
huājiāo 花椒	138	
huājuǎnr 花卷儿(兒)	136	
huālěi 花蕾	238	
huāpén 花盆	53	
huāpíng 花瓶	53	
huāquān 花圈	73	
huāshēng 花生	131	
huātán 花坛(壇)	211	
huāyàng yóuyǒng 花样(樣)游泳	261	
huāyuán 花园(園)	51	
huábì 划(劃)臂	261	
huáchuánjī 划船机(機)	221	
huátǐng 划艇	212	
Huáběi Píngyuán 华(華)北平原	284	
huá'ěrzī 华(華)尔(爾)兹	223	
huáshìdù 华(華)氏度	21	
huábīng 滑冰	241	
huádào 滑道	212	
huá hànbīng 滑旱冰	211	
huáshuǐ 滑水	219	
huátī 滑梯	211	
huáxuě 滑雪	241	
huàxué 化学(學)	82	
huàzhuāng 化妆(妝)	67	
huàzhuāngpǐn 化妆(妝)品	116	
huàzhuāngshì 化妆(妝)室	208	
huàzhuāngshuā 化妆(妝)刷	63	
huàbǎn 画(畫)板	244	
huàbǐ 画笔(畫筆)	245	
huàbù 画(畫)布	244	
huàcè 画(畫)册	80	
huàhuàr 画画儿(畫畫兒)	43	
huàjiā 画夹(畫夾)	244	
huàjiā 画(畫)家	96	
huàjià 画(畫)架	245	
huàkuàng 画(畫)框	245	
huàméi 画(畫)眉	276	
huàshuā 画(畫)刷	245	
huàtǒng 画(畫)筒	245	
huàtǒng 话(話)筒	102	
huáiyùn 怀(懷)孕	47	
Huái Hé 淮河	285	
huáigǔ 踝骨	167	
huài 坏(壞)	24	
huánshū 还书(還書)	81	
huánshūchù 还书处(還書處)	81	
huánbǎodài 环(環)保袋	119	
huánxíng jiāochā 环(環)形交叉	202	
huàndēngjī 幻灯(燈)机(機)	88	
huànchéng 换乘	199	
huàn chuángdān 换床单(單)	68	
huàn dēngpào 换灯(燈)泡	69	
huàn dēngjīpái 换登机(機)牌	194	
huànhào 换号(號)	121	
huànhuò 换货(貨)	123	
huàn niàobù 换尿布	70	
huànrén 换人	258	
huànxié 换鞋	66	
huànzhě 患者	170	
huāngzhāng 慌张(張)	27	
huángdì 皇帝	287	
huángfēng 黄蜂	279	
huángguā 黄瓜	133	
Huáng Hǎi 黄海	285	
Huáng Hé 黄河	285	
huángjiǔ 黄酒	141	
huángpái 黄牌	256	
huángsè 黄色	22	
Huángtǔ Gāoyuán 黄土高原	284	
huángyóu 黄油	142	
huīsè 灰色	22	
huīshǒu 挥(揮)手	228	
huīyǔ 徽语(語)	289	
huídá 回答	90	
huí diànhuà 回电(電)话(話)	104	
huíguōròu 回锅(鍋)肉	148	
huíguó tànqīn 回国(國)探亲(親)	93	
huíjiā 回家	66	
huí niángjia 回娘家	47	
huíqiújià 回球架	222	
huítóu 回头(頭)	229	
Huízú 回族	34	
huìkuǎn 汇(匯)款	178	
huìkuǎnrén qiānmíng 汇(匯)款人签(簽)名	178	
huìkuǎnrén xìngmíng 汇(匯)款人姓名	178	
huìkuǎn rìqī 汇(匯)款日期	178	
huìkuǎn shùliàng 汇(匯)款数(數)量	178	
huìhuī 会(會)徽	252	
huìjí gùwèn 会(會)籍顾(顧)问(問)	220	
huìyìshì 会(會)议(議)室	105	
huìyuán 会员(會員)	220	
huìyuánkǎ 会(會)员(員)卡	118	
huìyuánzhèng 会员证(會員證)	30	
huìhuà 绘画(繪畫)	243	
huìtúchǐ 绘(繪)图(圖)尺	244	
huìxīng 彗星	269	
huì 喙	277	
hūnmí bùxǐng 昏迷不醒	169	
hūnlǐ 婚礼(禮)	72	
hūnshā 婚纱(紗)	72	
hūnshāzhào 婚纱(紗)照	72	
hūnwàiliàn 婚外恋(戀)	47	

hūnyīn zhuàngkuàng 婚姻状(狀)
况 28
húntun 馄饨(餛飩) 136
hùnníngtǔ jiǎobànjī 混凝土搅(攪)拌机(機) 106
huóqī cúnkuǎn 活期存款 181
huóyú 活鱼(魚) 148
huózì yìnshuāshù 活字印刷术(術) 287
huǒchái 火柴 216
huǒchē 火车(車) 189
huǒchēpiào 火车(車)票 196
huǒchēzhàn 火车(車)站 196
huǒguànr 火罐儿(兒) 175
huǒguō 火锅(鍋) 149
huǒguōchéng 火锅(鍋)城 147
huǒjī 火鸡(鷄) 16
huǒjiàn 火箭 266
huǒjǐng 火警 102
huǒjù 火炬 252
huǒlièniǎo 火烈鸟(鳥) 276
huǒlóngguǒ 火龙(龍)果 131
huǒpào 火炮 267
huǒshān 火山 272
huǒshān bàofā 火山爆发(發) 283
huǒxīng 火星 269
huǒyào 火药(藥) 287
huǒzāi 火灾 283
huǒzàngchǎng 火葬场(場) 73
huòcāng 货舱(貨艙) 190
huòchē 货车(貨車) 189
huòjiǎng qíngkuàng 获(獲)奖(奬)情况 29

J

jījiàn 击剑(擊劍) 253
jīhuāng 饥(饑)荒 283
jīchǎng bāshì 机(機)场(場)巴士 192
jīfáng 机(機)房 79
jīqiāng 机枪(機槍) 267
jīshēn 机(機)身 190
jīwěi 机(機)尾 190
jīyì 机(機)翼 190
jīzhǎng 机长(機長) 190
jīròu 肌肉 161
jī 鸡(鷄) 14
jībózi 鸡(鷄)脖子 135
jīchì 鸡(鷄)翅 135
jīdàn 鸡(鷄)蛋 135
jīmáo dǎnzi 鸡(鷄)毛掸(撢)子 64

jīròu 鸡(鷄)肉 134
jītuǐ 鸡(鷄)腿 135
jīwěijiǔ 鸡(鷄)尾酒 141
jīxiōng 鸡(鷄)胸 135
jīzhuǎzǐ 鸡(鷄)爪子 135
jīxuě 积(積)雪 241
jīyǔyún 积(積)雨云(雲) 270
Jīdūjiào 基督教 45
Jīdū Zōngjiào 基督宗教 44
Jīnuòzú 基诺(諾)族 37
jīguāngbǐ 激光笔(筆) 88
jīguāngpào 激光炮 267
jíta 吉他 249
jíxiángwù 吉祥物 252
jíguāng 极(極)光 270
jíjiù diànhuà 急救电(電)话(話) 102
jízhěnshì 急诊(診)室 159
jíyóu 集邮(郵) 43
jíguàn 籍贯(貫) 28
jǐ méi nòng yǎn 挤(擠)眉弄眼 226
jǐnǎi 挤(擠)奶 109
jǐ yǎnjing 挤(擠)眼睛 224
jǐzhuī 脊椎 167
jìjiàqì 计(計)价(價)器 198
jìsuànqì 计(計)算器 99
jì bǐjì 记笔记(記筆記) 90
jìshìběn 记(記)事本 99
jìzhě 记(記)者 94
jìlùpiàn 纪(紀)录(録)片 250
jìniànpǐn shāngdiàn 纪(紀)念品商店 212
jìgōng 技工 94
jìshù xuéxiào 技术(術)学(學)校 76
jì ānquándài 系(繫)安全带(帶) 194
jìfēng 季风(風) 237
jìjūn 季军(軍) 252
jìfù 继(繼)父 47
jìmǔ 继(繼)母 47
jì bāoguǒ 寄包裹 178
jìxìnrén dìzhǐ 寄信人地址 177
jiābān 加班 105
Jiālèbǐ Hǎi 加勒比海 290
Jiānádà 加拿大 32
jiānádàyuán 加拿大元 183
jiāshīqì 加湿(濕)器 122
jiāshísài 加时(時)赛(賽) 256
jiāsù 加速 254
jiāyóuzhàn 加油站 201
jiā 夹(夾) 145
jiākè 夹(夾)克 120

jiāzi 夹(夾)子 99
jiādiànchéng 家电(電)城 115
jiājù 家具 50
jiājùchéng 家具城 115
jiāyòng diànqì 家用电(電)器 116
jiāzhǎng 家长(長) 76
jiǎcuò 甲锉(銼) 127
jiǎgǔwén 甲骨文 287
jiǎpiàn 甲片 126
jiǎzhuàngxiàn 甲状(狀)腺 164
jiǎbì 假币(幣) 181
jiǎfà 假发(髮) 124
jiàgé fànwéi 价(價)格范(範)围(圍) 204
jiàmùbiǎo 价(價)目表 196
jiàshǐcāng 驾驶舱(駕駛艙) 190
jiàshǐ zhízhào 驾(駕)驶(駛)执(執)照 30
jiàxiào 驾(駕)校 201
jiàzhào 驾(駕)照 200
jià diànxiàn 架电(電)线(線) 107
jiàzi 架子 61
jiānjījī/zhàndòujī 歼击机/战斗机(殲擊機/戰鬥機) 266
jiānbǎng 肩膀 162
jiānjiǎgǔ 肩胛骨 166
jiānkǎo 监(監)考 91
jiānshìqì 监(監)视(視)器 181
jiānyù 监狱(監獄) 185
jiān 煎 144
jiǎn bèiké 捡贝壳(撿貝殼) 219
jiǎnféichá 减肥茶 153
jiǎnsù ràngxíng 减速让(讓)行 203
jiǎndāo 剪刀 86
jiǎnfà 剪发(髮) 124
jiǎnzhǐ 剪纸(紙) 43
jiǎnchá 检(檢)查 170
jiǎnpiàoyuán 检(檢)票员(員) 196
jiǎnsuǒ 检(檢)索 81
jiǎndān 简单(簡單) 27
jiǎntǐzì 简(簡)体(體)字 288
jiàn kèhù 见(見)客户 105
jiànzhù gōngrén 建筑(築)工人 94
jiànzhùshī 建筑(築)师(師) 94
jiànzhùxué 建筑(築)学(學) 83
jiàn 剑(劍) 263
jiànkāng zhuàngkuàng 健康状(狀)况 28
jiànměicāo 健美操 220
jiànshēn 健身 42

jiànshēnchē 健身车(車) 221

jiànshēnkǎ 健身卡 220

jiànshēnkè 健身课(課) 220

jiànshēn qìcái 健身器材 51

jiànshēn zhōngxīn 健身中心 206

jiànpán 键盘(鍵盤) 100

jiāng 姜(薑) 138

jiǎng gùshi 讲(講)故事 70

jiǎngkè 讲课(講課) 90

jiǎngtái 讲台(講臺) 88

jiǎngbēi 奖(獎)杯 253

jiǎngjīn 奖(獎)金 113

jiǎngpái 奖(獎)牌 252

jiàngluò 降落 195

jiàngshuǐ 降水 237

jiàngzhí 降职(職) 113

jiàngyóu 酱(醬)油 139

jiàngyóuhú 酱(醬)油壶(壺) 149

jiànghu 糨糊 176

jiāofèi 交费(費) 178

jiāojuàn 交卷 91

jiāo péngyou 交朋友 93

jiāo shuǐdiànfèi 交水电(電)费(費) 69

jiāotán 交谈(談) 103

jiāotōng jǐngchá 交通警察 185

jiāoxiǎngyuè 交响(響)乐(樂) 208

jiāo xuéfèi 交学(學)费(費) 84

jiāo zuòyè 交作业(業) 91

jiāohuā 浇(澆)花 69

jiāoshuǐ 浇(澆)水 109

jiāo'ào 骄(驕)傲 232

jiāodài 胶带(膠帶) 110

jiāohébǎn 胶(膠)合板 107

jiāojuǎn 胶(膠)卷 123

jiāonáng 胶(膠)囊 173

jiāoshuǐ 胶(膠)水 99

jiāoshí 礁石 275

jiǎo 角 18

jiǎoqiú 角球 257

jiǎozi 饺(餃)子 136

jiǎo 脚 163

jiǎohuái 脚踝 162

jiǎopǔ 脚蹼 219

jiǎoshǒujià 脚手架 106

jiǎotàdiàn 脚踏垫(墊) 60

jiǎozhǐjia 脚指甲 163

jiǎozhǐ 脚趾 163

jiào fúwùyuán 叫服务(務)员(員) 156

jiàochē 轿车(轎車) 189

jiàobiān 教鞭 88

jiàoliàn 教练(練) 79

jiàoshī 教师(師) 96

jiàoshī bàngōngshì 教师(師)办(辦)公室 78

jiàoshī cāntīng 教师(師)餐厅(廳) 78

jiàoshī sùshè 教师(師)宿舍 78

jiàoshīzhèng 教师(師)证(證) 30

jiàoshì 教士 44

jiàoshì 教室 78

jiàoshòu 教授 76

jiàotáng 教堂 45

jiàowùchù 教务(務)处(處) 79

jiàoxuélóu 教学(學)楼(樓) 78

jiàoyùxué 教育学(學) 83

jiētī jiàoshì 阶(階)梯教室 79

jiēshi 结实(結實) 38

jiē diànhuà 接电(電)话(話) 104

jiē háizi 接孩子 70

jiēlìbàng 接力棒 254

jiēlìsài 接力赛(賽) 254

jiētōng 接通 103

jiētóu 接头(頭) 110

jiēwěn 接吻 228

jiēxiànbǎn 接线(線)板 100

jiēxiànyuán 接线(線)员(員) 103

jiēwǔ 街舞 220

jiémù yùgào 节(節)目预(預)告 251

jiézòu bùlǔsī 节(節)奏布鲁(魯)斯 246

jiécèlíng 洁厕灵(潔厠靈) 64

jiébīng 结(結)冰 241

jiéhūn jièzhi 结(結)婚戒指 72

jiéhūnzhèng 结(結)婚证(證) 30

jiézhàng 结账(結賬) 155

jiémáo 睫毛 160

jiémáogāo 睫毛膏 63

jiémáojiā 睫毛夹(夾) 63

jiějie 姐姐 49

jiě ānquándài 解安全带(帶) 195

jièshào 介绍(紹) 46

jièzhi 戒指 117

jièshū 借书(書) 81

jièshūchù 借书(書)处(處) 80

jièshūzhèng 借书(書)证(證) 80

jīn 斤 21

jīntiān 今天 14

jīnguīzǐ 金龟(龜)子 279

jīnhuáng 金黄 240

jīnjú 金橘 240

jīnkù 金库(庫) 181

jīnpái 金牌 252

jīnróng 金融 83

jīnsè 金色 22

jīnsīhóu 金丝(絲)猴 280

jīnsīquè 金丝(絲)雀 277

jīnxīng 金星 269

jīnyú 金鱼(魚) 53

jīnshǔ tàncèqì 金属(屬)探测(測)器 192

jīnshǔ yīnyuè 金属(屬)音乐(樂) 247

jǐn 紧(緊) 24

jǐnjí chūkǒu 紧(緊)急出口 191

jǐnzhāng 紧张(緊張) 232

jǐnshèn 谨(謹)慎 41

jìn 近 24

jìn 进(進) 26

jìnkǒupiàn 进(進)口片 250

jìnxíngqǔ 进(進)行曲 246

jìnzhànkǒu 进(進)站口 196

jìnshēng 晋升(陞) 113

jìnyǔ 晋语(語) 289

jìnqū 禁区(區) 257

jìnzhǐ chēliàng tíngfàng 禁止车(車)辆(輛)停放 203

jìnzhǐ diàotóu 禁止掉头(頭) 203

jìnzhǐ míng lǎba 禁止鸣(鳴)喇叭 203

jìnzhǐ shǐrù 禁止驶(駛)入 203

jìnzhǐ xiàng zuǒ zhuǎnwān 禁止向左转(轉)弯(彎) 203

jìnzhǐ zhíxíng 禁止直行 203

jīngjù 京剧(劇) 208

Jīngzú 京族 37

jīngdù 经(經)度 236

jīngjìcāng 经济舱(經濟艙) 190

jīngjìxué 经济学(經濟學) 83

jīnglǐ 经(經)理 94

jīngluò 经络(經絡) 175

jīngxiàn 经线(經綫) 236

jīngsǒngpiàn 惊(驚)悚片 250

jīngyà 惊讶(驚訝) 232

jīng 鲸(鯨) 275

jǐngbù 颈(頸)部 160

jǐngzhuī 颈(頸)椎 167

Jǐngpōzú 景颇(頗)族 36

jǐngchá 警察 185

jǐngchē 警车(車) 185

jǐngdí 警笛 185

jǐngfú 警服 185

jǐngguānzhèng 警官证(證) 30

jǐnggùn 警棍 185

jǐnghuī 警徽 185
jǐngmào 警帽 185
jǐngquǎn 警犬 185
jǐngwèi 警卫(衛) 96
jǐngyòng mótuōchē 警用摩托
车(車) 185
jìnggǔ 胫(脛)骨 167
jìngzǒu 竞(競)走 254
jìngchá 敬茶 153
jìngjiǔ 敬酒 72
jìngkuàng 镜(鏡)框 172
jìngpiàn 镜(鏡)片 172
jìngzi 镜(鏡)子 61
jiǔ 九 8
jiǔshí 九十 8
Jiǔyuè 九月 15
jiǔbā 酒吧 222
jiǔbēi 酒杯 148
jiǔdiàn míngchēng 酒店名称(稱) 204
jiǔdiàn xīngjí 酒店星级(級) 204
jiǔjīngdēng 酒精灯(燈) 89
jiǔlóu 酒楼(樓) 146
jiǔwō 酒窝(窩) 38
jiùhùchē 救护(護)车(車) 158
jiùshēngquān 救生圈 219
jiùshēngyī 救生衣 191
jiùshēngyuán 救生员(員) 219
jiùyè 就业(業) 85
jiùjiu 舅舅 48
jūmín shēnfènzhèng 居民身份证(證) 30
jūliú 拘留 185
jūjīshǒu 狙击(擊)手 264
jūgōng 鞠躬 228
júhuā 菊花 240
júhuāchá 菊花茶 153
júyóu 焗油 124
júzi 橘子 131
jǔsàng 沮丧(喪) 233
jǔbàn hūnlǐ 举(舉)办(辦)婚礼(禮) 46
jǔshǒu 举(舉)手 91
jǔzhòng 举(舉)重 253
jùzi 句子 288
jùjué 拒绝(絕) 112
jùběn 剧(劇)本 251
jùchǎng 剧场(劇場) 208
jùfēng 飓风(颶風) 283
jù 锯(鋸) 110
jù mùtou 锯(鋸)木头(頭) 106
juǎnbǐdāo/zhuànbǐdāo 卷笔(筆)

刀/转(轉)笔(筆)刀 86
juǎnchǐ 卷尺 110
juǎnfà 卷发(髮) 124
juǎnfàjiā 卷发(髮)夹(夾) 124
juànzhóu 卷轴(軸) 244
juēzuǐ 撅嘴 227
juédìng 决定 123
juédìng xíngchéng tiānshù 决定
行程天数(數) 204
juéshì 爵士 246
jūnguānzhèng 军(軍)官证(證) 31
jūnrén 军人 94
jūnshì bówùguǎn 军(軍)事博物馆
(館) 214
jūnshì xuéyuàn 军(軍)事学(學)院 76
jūnxián 军衔(軍銜) 264
jūnzhuāng 军装(軍裝) 267

K

kāfēi 咖啡 140
kāfēi bànlǚ 咖啡伴侣 154
kāfēibēi 咖啡杯 155
kāfēidòu 咖啡豆 155
kāfēifěn 咖啡粉 155
kāfēiguǎn 咖啡馆(館) 114
kāfēihú 咖啡壶(壺) 155
kāfēijī 咖啡机(機) 155
kāfēitīng 咖啡厅(廳) 208
kǎ 卡 129
kǎbùqínuò 卡布奇诺(諾) 154
kǎchē 卡车(車) 189
kāi 开(開) 26
kāichē 开车(開車) 42
kāichú 开(開)除 113
kāi diànnǎo 开电脑(開電腦) 104
kāi fāpiào 开(開)发(發)票 157
kāifàng 开(開)放 238
kāifàng shíjiān 开(開)放时(時)间
(間) 214
kāiguān 开关(開關) 53
kāiguànqì 开(開)罐器 59
kāihù 开(開)户 181
kāihuì 开会(開會) 105
kāilǎng 开(開)朗 40
kāimùshì 开(開)幕式 253
kāiwèipǐn 开(開)胃品 151
kāixīnguǒ 开(開)心果 131
kāixué 开学(開學) 84
kāiyào 开药(開藥) 170

kǎishū/zhèngshū 楷书(書)/正书
(書) 242
kǎn 砍 144
kàn 看 230
kàn ānquán lùxiàng 看安全录
(錄)像 195
kàn càidān 看菜单(單) 156
kàn diànshì 看电(電)视(視) 66
kàn diànyǐng 看电(電)影 42
kàn qìsè 看气(氣)色 175
kànshū 看书(書) 42
kàn túzhǐ 看图(圖)纸(紙) 107
kàn zhāopìn guǎnggào 看招聘
广(廣)告 112
kāngnǎixīn 康乃馨 16
káng dàizi 扛袋子 106
kǎobó 考博 85
kǎolā 考拉 281
kǎoshì 考试(試) 91
kǎoyán 考研 85
kǎo 烤 144
kǎoròu 烤肉 216
kǎoxiāng 烤箱 57
kǎoyā 烤鸭(鴨) 148
kàochuāng zuòwèi 靠窗座位 191
kàodiàn 靠垫(墊) 52
kàotōngdào zuòwèi 靠通道座
位 191
Kē'ěrkèzīzú 柯尔(爾)克孜族 36
kēhuànpiàn 科幻片 250
kēxué jìshù bówùguǎn 科学(學)
技术(術)博物馆(館) 214
kēxuéjiā 科学(學)家 94
késou 咳嗽 231
kěkěfěn 可可粉 155
kělè 可乐(樂) 140
kě 渴 231
kè 克 21
kèdāo 刻刀 245
kèfáng qīngjiéchē 客房清洁(潔)
车(車) 206
kèfáng qīngjiéyuán 客房清洁(潔)
员(員) 206
kèjiāhuà 客家话(話) 289
kètīng 客厅(廳) 50
kèběn 课(課)本 86
kèchéngbiǎo 课(課)程表 82
kèjiān xiūxi 课(課)间(間)休息 84
kèwài huódòng 课(課)外活动(動) 84
kèzhuō 课(課)桌 88

kōngtiáo 空调(調) 53
kōngjiàngbīng 空降兵 264
kōngjiě 空姐 190
kōngjūn 空军(軍) 264
kōngnàn 空难(難) 283
kōngqì 空气(氣) 270
kōngqì jìnghuàqì 空气(氣)净化器 122
kōngshǒudào 空手道 263
kōngxīncài 空心菜 132
kōngyùn 空运(運) 176
kōngzhōng fēirén 空中飞(飛)人 212
kǒngquè 孔雀 210
Kǒngzǐ 孔子 287
kǒngbùpiàn 恐怖片 250
kǒnglóng 恐龙(龍) 281
kǒnglóng huàshí 恐龙(龍)化石 214
kǒuhóng 口红(紅) 63
kǒuqì 口器 278
kǒuqiāng 口腔 160
kǒuqín 口琴 249
kǒuzhào 口罩 170
kòulán 扣篮(籃) 258
kòuqiú 扣球 259
kū 哭 230
kǔ 苦 139
kǔguā 苦瓜 133
kùzi 裤(褲)子 120
kuàlán 跨栏(欄) 254
kuàiji 会计(會計) 97
kuàijizhèng 会计证(會計證) 30
kuài 块(塊) 18
kuài 快 24
kuàicāndiàn 快餐店 146
kuàidì 快递(遞) 176
kuàilè 快乐(樂) 232
kuàizi 筷子 148
kuàizijià 筷子架 148
kuān 宽(寬) 27
kuāngǔ 髋(髖)骨 167
kuángxiào 狂笑 224
kuàngquánshuǐ 矿(礦)泉水 140
kuàngwùzhì 矿(礦)物质(質) 129
kūnchóngguǎn 昆虫(蟲)馆(館) 214
kùn 困(睏) 231
kùnhuò 困惑 233

L

lājīchē 垃圾车(車) 189
lājīdài 垃圾袋 61

lājītǒng 垃圾桶 61
lā 拉 26
lā chángliǎn 拉长(長)脸(臉) 226
lādīngwǔ 拉丁舞 220
lā èrhú 拉二胡 43
Lāhùzú 拉祜族 35
lāqiú 拉球 259
lāshou 拉手 55
lāzhí 拉直 124
lālāduì 啦啦队(隊) 258
lǎba 喇叭 200
làbǐ 蜡笔(蠟筆) 87
làxiàngguǎn 蜡(蠟)像馆(館) 214
làzhú 蜡烛(蠟燭) 74
là 辣 139
làjiāofěn 辣椒粉 138
làjiāoyóu 辣椒油 149
lái 来(來) 26
lánwěi 阑(闌)尾 164
lánbǎoshí 蓝(藍)宝(寶)石 117
lándiào 蓝调(藍調) 246
lánsè 蓝(藍)色 22
lántiān 蓝(藍)天 270
lánbǎn 篮(籃)板 258
lánjià 篮(籃)架 258
lánkuāng 篮(籃)筐 258
lánqiú 篮(籃)球 256
lánqiúchǎng 篮(籃)球场(場) 78
lǎnchē 缆车(纜車) 188
lǎn 懒(懶) 24
láng 狼 280
lǎngdú 朗读(讀) 91
lāo 捞(撈) 145
Láodòngjié 劳动节(勞動節) 16
lǎobǎn 老板(闆) 104
lǎohǔ 老虎 210
lǎonián 老年 71
lǎoniánpiào 老年票 214
lǎoniánzhèng 老年证(證) 30
lǎoshēng 老生 208
lǎoshī 老师(師) 76
lǎoshǔ 老鼠 281
lǎolao/wàipó 姥姥/外婆 48
lǎoye/wàigōng 姥爷(爺)/外公 48
làobǐng 烙饼(餅) 136
lèguān 乐观(樂觀) 40
léidá 雷达(達) 267
léidiàn 雷电(電) 282
léiguǐyuè 雷鬼乐(樂) 247
léizhènyǔ 雷阵(陣)雨 234

lèigǔ 肋骨 167
lèi 累(纍) 231
léngzhuītǐ 棱锥(錐)体(體) 23
lěng 冷 234
lěngcángshì 冷藏室 57
lěngdòng shípǐn 冷冻(凍)食品 119
lěngdòngshì 冷冻(凍)室 57
lěngjìng 冷静 41
lěngmiàn 冷面(麵) 136
lěngshuǐ 冷水 57
lěngxiào 冷笑 224
lěngyǐn 冷饮(飲) 155
lěngyǐntíng 冷饮(飲)亭 211
límǐ 厘米 20
lí 梨 131
lí diàn rìqī 离(離)店日期 204
líhūn 离(離)婚 47
líhūnzhèng 离(離)婚证(證) 30
líkāi 离开(離開) 157
límíng 黎明 13
Lízú 黎族 35
lǐbài 礼(禮)拜 45
lǐfú 礼(禮)服 72
lǐpǐndiàn 礼(禮)品店 115
lǐtáng 礼(禮)堂 78
lǐzi 李子 131
lǐ 里 20
Lǐ Hǎi 里(裏)海 290
lǐcái yèwù 理财(財)业(業)务(務) 181
lǐfàdiàn 理发(髮)店 114
lǐfàshī 理发(髮)师(師) 96
lǐzhì 理智 41
lìshǐ 历(歷)史 82
lìshǐ bówùguǎn 历(歷)史博物馆
(館) 214
lìjiāoqiáo 立交桥(橋) 186
lìxī 利息 181
lìshū 隶书(隸書) 242
lìzhī 荔枝 131
lìzi 栗子 131
Lìsùzú 傈僳族 35
liánxù wānlù 连(連)续(續)弯(彎)
路 202
liányīqún 连(連)衣裙 120
liánwù 莲雾(蓮霧) 131
liánxì fāngshì 联(聯)系(繫)方式 28
liǎn 脸(臉) 160
liǎnhóng 脸红(臉紅) 227
liǎnjiá 脸颊(臉頰) 160
liǎnpǔ 脸谱(臉譜) 208

liǎnsè tiěqīng 脸(臉)色铁(鐵)青 226

liànrǔ 炼(煉)乳 143

liànqiú 链(鏈)球 254

liángcài 凉菜 148

liángkuai 凉快 234

liángshuǎng 凉爽 240

liángtíng 凉亭 210

liángxié 凉鞋 117

liángcāng 粮仓(糧倉) 109

liángbēi 量杯 89

liáng chǐcùn 量尺寸 106

liáng shēngāo 量身高 171

liáng tǐwēn 量体(體)温 171

liáng tǐzhòng 量体(體)重 171

liáng xuèyā 量血压(壓) 171

liǎng 两(兩) 21

liǎngcè biàn zhǎi 两(兩)侧(側)
变(變)窄 202

liǎng fèn kuàicān 两(兩)份快餐 10

liǎng fù kuàizi 两(兩)副筷子 10

liǎng jiàn dàyī 两(兩)件大衣 10

liǎng kē shù 两(兩)棵树(樹) 11

liǎng kuài nǎilào 两(兩)块(塊)奶
酪 11

liǎng pǐ mǎ 两(兩)匹马(馬) 10

liǎng piān wénzhāng 两(兩)篇
文章 11

liǎng shuāng wàzi 两(兩)双(雙)
袜(襪)子 11

liǎng tiáo yú 两条鱼(兩條魚) 11

liǎng tóu niú 两(兩)头(頭)牛 10

liǎng zhāng zhàopiàn 两(兩)张(張)
照片 10

liàng 晾 68

liàngyījià 晾衣架 64

liáotiānr 聊天儿(兒) 42

liǎojiě wénhuà 了(瞭)解文化 93

liàojiǔ 料酒 139

lièchē 列车(車) 196

lièchē shíkèbiǎo 列车(車)时(時)
刻表 196

lièchēyuán 列车(車)员(員) 196

lièchēzhǎng 列车(車)长(長) 197

línjū 邻(鄰)居 50

línyù 淋浴 66

línyùshì 淋浴室 220

lín 磷 129

línpiàn 鳞(鱗)片 275

língchén 凌晨 13

língyáng 羚羊 280

língxíng 菱形 23

líng 零/〇 8

língqián 零钱(錢) 19

língshí 零食 118

lǐngdài 领带(領帶) 116

lǐng gōngzī 领(領)工资(資) 105

lǐngjiǎngtái 领奖台(領獎臺) 252

lǐngqǔ xínglì 领(領)取行李 195

lǐngwèi 领(領)位 156

liúhǎir 刘(劉)海儿(兒) 124

liúlǎn wǎngyè 浏览网页(瀏覽網
頁) 100

liú bítì 流鼻涕 231

liú bíxiě 流鼻血 168

liúdòng shòuhuòchē 流动(動)售
货(貨)车(車) 197

liúxīng 流星 270

liúxíng yīnyuè 流行音乐(樂) 246

liúxiě 流血 168

liú yǎnlèi 流眼泪 231

liújí 留级(級) 85

liúyánbù 留言簿 196

liúlián 榴莲(蓮) 131

liǔqín 柳琴 248

liù 六 8

liù diǎn 六点(點) 13

liù diǎn bàn 六点(點)半 13

liù diǎn líng wǔ fēn 六点(點)零五
分 13

liù diǎn shíwǔ fēn 六点(點)十五
分 13

liù diǎn sìshíwǔ fēn 六点(點)四十
五分 13

liù diǎn wǔshí fēn 六点(點)五十分 13

liù diǎn yí kè 六点(點)一刻 13

liùshí 六十 8

Liùyuè 六月 15

liùgǒu 遛狗 211

lóng 龙(龍) 14

lóngjǐng 龙(龍)井 153

lóngjuǎnfēng 龙(龍)卷风(風) 282

lóngxiā 龙虾(龍蝦) 135

lóngyǎn/guìyuán 龙(龍)眼/桂圆
(圓) 131

lóngbí 隆鼻 126

lóngxiōng 隆胸 126

lóu 楼(樓) 51

lóudào 楼(樓)道 50

lóushàng 楼(樓)上 186

lóutī 楼(樓)梯 51

lóuxià 楼(樓)下 186

lǒu 搂(摟) 228

lòudǒu 漏斗 89

lòusháo 漏勺 58

lúsǔn 芦(蘆)笋 133

lùjūn 陆军(陸軍) 264

lùqǔ tōngzhī 录(録)取通知 92

lù 鹿 280

lùmiàn bùpíng 路面不平 202

lǘ 驴(驢) 109

lǚkè 旅客 192

lǚxíngshè 旅行社 204

lǚxíngtuán 旅行团(團) 204

lǚyóu 旅游 42

lǚyóuxié 旅游鞋 216

lǜshī 律师(師) 95

lǜshī zīgézhèng 律师(師)资(資)
格证(證) 31

lǜchá 绿(緑)茶 153

lǜsè 绿(緑)色 22

luǎn 卵 279

luànmǎ 乱码(亂碼) 101

lúnchuán 轮(輪)船 189

lúnhuá 轮(輪)滑 43

lúntāi 轮(輪)胎 201

lúnyǐ 轮(輪)椅 158

lùnwén 论(論)文 80

luó 锣(鑼) 248

luómǔ/luósīmào 螺母/螺丝(絲)
帽 111

luóshuān 螺栓 111

luósīdāo/gǎizhuī 螺丝(絲)刀/改
锥(錐) 110

luósīdīng 螺丝(絲)钉(釘) 111

luòsāihú 络(絡)腮胡(鬍) 38

Luòbāzú 珞巴族 37

luòbǎng 落榜 85

luòdìdēng 落地灯(燈) 52

Luòjī Shānmài 落基山脉 290

luòyè 落叶(葉) 240

M

māma/mǔqīn 妈妈(媽媽)/母亲
(親) 48

mābù 抹布 57

má 麻 139

mápó dòufu 麻婆豆腐 149

máquè 麻雀 276

mázuìshī 麻醉师(師) 159

mǎ 马(馬) 14,109
mǎchē 马车(馬車) 188
mǎhu/cūxīn 马(馬)虎/粗心 40
mǎjiǎ 马(馬)甲 120
mǎjiù 马(馬)厩 109
mǎlāsōng 马(馬)拉松 254
Mǎliùjiǎ Hǎixiá 马(馬)六甲海峡(峽) 291
mǎlù 马(馬)路 186
mǎshù 马术(馬術) 253
mǎtǒng 马(馬)桶 60
mǎtǒnggài 马(馬)桶盖(蓋) 61
mǎtǒngquān 马(馬)桶圈 60
mǎtǒngshuā 马(馬)桶刷 61
mǎtóuqín 马(馬)头(頭)琴 248
mǎwěibiàn 马(馬)尾辫(辮) 124
mǎxìtuán 马戏团(馬戲團) 212
mǎ 码(碼) 20
mǎyǐ 蚂蚁(螞蟻) 278
mǎicài 买(買)菜 68
mǎidān/máidān 买单(買單)/埋单(單) 156
mǎi fángzi 买(買)房子 46
mǎi wánjù 买(買)玩具 70
màikèfēng 麦(麥)克风(風) 223
mántou 馒头(饅頭) 136
Mǎnzú 满(滿)族 34
màn 慢 24
mànxíng 慢行 203
mànhuà 漫画(畫) 243
mángguǒ 芒果 131
māotóuyīng 猫头(頭)鹰(鷹) 277
máo 毛 18
máobǐ 毛笔(筆) 86
máochóng 毛虫(蟲) 279
máojīn 毛巾 61
máoliào 毛料 121
Máonánzú 毛南族 36
máoyī 毛衣 120
máoniú 牦牛 280
mào lěnghàn 冒冷汗 226
méigui 玫瑰 16
méibǐ 眉笔(筆) 63
méi kāi yǎn xiào 眉开(開)眼笑 227
méimao 眉毛 160
méihuā 梅花 238
méihuāzhuāng 梅花桩(樁) 262
méiren 媒人 46
Měiguó 美国(國) 32
měijiǎ 美甲 127

měiróngyuàn 美容院 115
měishù 美术(術) 82
měishù gōngjùxiāng 美术(術)工具箱 244
měishùguǎn 美术(術)馆(館) 214
měishù xuéyuàn 美术(術)学(學)院 76
měiyuán 美元 182
mèimei 妹妹 49
mēn 闷(悶) 234
Ménbāzú 门(門)巴族 37
ménlíng 门铃(門鈴) 50
méntóng 门(門)童 207
ménzhěnbù 门(門)诊(診)部 158
ménzhù 门(門)柱 257
mèn 焖(燜) 144
méngyǎn fēidāo 蒙眼飞(飛)刀 212
Měnggǔzú 蒙古族 34
mī yǎnjing 眯眼睛 227
mísa 弥(彌)撒 45
mícǎifú 迷彩服 267
míhóutáo 猕(獼)猴桃 131
mǐ 米 20
mǐfàn 米饭(飯) 136
mìshū 秘书(書) 94
mìmǎxiāng 密码(碼)箱 181
mìfēng 蜜蜂 216
miánbù 棉布 120
miánqiān 棉签(籤) 173
miǎnfèi kāifàng 免费(費)开(開)放 214
miǎnshuì shāngdiàn 免税商店 193
miǎntiǎn 腼腆 40
miànbǎn 面(麵)板 58
miànbāo 面(麵)包 216
miànfěn 面(麵)粉 136
miàn hóng ěr chì 面红(紅)耳赤 226
miànjīnzhǐ 面巾纸(紙) 63
miànshì 面试(試) 112
miànshuāng 面霜 63
miàntiáo 面条(麵條) 146
miáotiao 苗条(條) 39
Miáozú 苗族 34
miáoshù bìngqíng 描述病情 170
míngē 民歌 247
mínsú bówùguǎn 民俗博物馆(館) 214
mínyuè 民乐(樂) 208
mínzú 民族 28
mǐnzuǐ 抿嘴 227

mǐnyǔ 闽语(閩語) 289
míngpiàn 名片 99
Míng 明 286
míngtiān 明天 14
míngxìnpiàn 明信片 176
móhu 模糊 24
mókǎ kāfēi 摩卡咖啡 154
mósī 摩丝(絲) 124
mótiānlún 摩天轮(輪) 212
mótuōchē 摩托车(車) 189
mótuōtǐng 摩托艇 219
mógu 蘑菇 132
móshùshī 魔术(術)师(師) 212
mòbānchē 末班车(車) 199
mòlìhuāchá 茉莉花茶 153
mòshuǐ 墨水 86
mòtiáo 墨条(條) 244
Mòxīgē 墨西哥 32
mòzhī 墨汁 86
móushā 谋杀(謀殺) 185
mǔjī 母鸡(鷄) 109
Mǔqīnjié 母亲(親)节(節) 16
mǔdan 牡丹 211
mǔ 亩(畝) 21
mùcái 木材 107
mùdiāo 木雕 242
mùguā 木瓜 131
mùjiang 木匠 94
mùxīng 木星 269
Mùlǎozú 仫佬族 36
mù dèng kǒu dāi 目瞪口呆 226
mùjīzhě 目击(擊)者 185
mùchǎng 牧场(場) 109
mùshī 牧师(師) 45
mùbēi 墓碑 73
mùsīlín 穆斯林 44

N

ná 拿 228
nábāo 拿包 67
náqǐ huàtǒng 拿起话(話)筒 102
nátiě kāfēi 拿铁(鐵)咖啡 154
Nàxīzú 纳(納)西族 35
nà 钠(鈉) 129
nǎi 奶 155
nǎichá 奶茶 140
nǎifěn 奶粉 143
nǎiguō 奶锅(鍋) 58
nǎilào 奶酪 142

nǎilèi 奶类(類) 128
nǎinai/zǔmǔ 奶奶/祖母 48
nǎiniú 奶牛 109
nǎipíng 奶瓶 54
nǎixī 奶昔 143
nǎiyóu 奶油 142
nǎizuǐ 奶嘴 54
nán 男 26
nánshēng sùshè 男生宿舍 78
nánzhuāng 男装(裝) 116
nánzǐzǔ 男子组(組) 261
nán 南 187
nánfāng 南方 285
Nánfēi 南非 32
nánguā 南瓜 132
nánguādēng 南瓜灯(燈) 16
Nán Hǎi 南海 285
nánhándài 南寒带(帶) 236
nánhuíguīxiàn 南回归(歸)线(線) 236
nánjíquān 南极(極)圈 236
Nánjízhōu 南极(極)洲 290
Nánměizhōu 南美洲 290
nánwēndài 南温带(帶) 236
nánguò 难过(難過) 232
nánkàn 难(難)看 27
nánshòu 难(難)受 24
nǎobù 脑(腦)部 164
nǎodai 脑(腦)袋 163
nào dòngfáng 闹(鬧)洞房 72
nàozhōng 闹钟(鬧鐘) 54
nèicún 内存 101
nèifēnmìkē 内分泌科 159
nèikē 内科 158
Nèiměnggǔ Gāoyuán 内蒙古高原 284
nèixiàng 内向 40
nèiyī 内衣 120
nígū 尼姑 44
níkèsuān 尼克酸 129
níshíliú 泥石流 282
nísù 泥塑 242
nìshuǐ 溺水 219
niánhuà 年画(畫) 242
niánlíng 年龄(齡) 28
niánxīn 年薪 112
niàobù 尿布 54
niàodào 尿道 164
niē 捏 145
niē bízi 捏鼻子 225
nièzi 镊(鑷)子 89
niègǔ 颞(顬)骨 166

níngméng 柠(檸)檬 131
niú 牛 14
niúnǎi 牛奶 140
niúpái 牛排 151
niúròu 牛肉 134
niúzǎikù 牛仔裤(褲) 120
niǔshāng 扭伤(傷) 168
niǔ yāngge 扭秧歌 210
nóngchǎng 农场(農場) 109
nóngmào shìchǎng 农(農)贸(貿)市场(場) 115
nóngmín 农(農)民 94
nóngshè 农(農)舍 109
nóngtián 农(農)田 109
nóngxué 农学(農學) 83
nóngyè bówùguǎn 农(農)业(業)博物馆(館) 214
nóngzuòwù 农(農)作物 109
nóngsuō kāfēi 浓(濃)缩(縮)咖啡 154
núlì shèhuì 奴隶(隸)社会(會) 286
nǔlì gōngzuò 努力工作 113
Nùzú 怒族 36
nǚ 女 26
nǚ'ér 女儿(兒) 49
nǚshēng sùshè 女生宿舍 78
nǚzhuāng 女装(裝) 117
nǚzǐzǔ 女子组(組) 261
nuǎnqì 暖气(氣) 57
nuǎnshuǐpíng 暖水瓶 57
nuówēi kèlǎng 挪威克朗 182
nuòmǐ 糯米 136

O

ōuyuán 欧(歐)元 182
Ōuzhōu 欧(歐)洲 290
ǒutù 呕(嘔)吐 168
ǒutùdài 呕(嘔)吐袋 191
ǒu 藕 132

P

pā 趴 229
pá 爬 229
pá tīzi 爬梯子 106
páiduì 排队(隊) 170
páiduì děnghòu 排队(隊)等候 182
páigǔ 排骨 135
páihángbǎng 排行榜 247
páiliàntīng 排练(練)厅(廳) 208

páiqìguǎn 排气(氣)管 201
páiqiú 排球 256
páishuǐkǒng 排水孔 60
páizhào 牌照 201
pánzi 盘(盤)子 150
pángguāng 膀胱 164
pángxiè 螃蟹 135
pàng 胖 38
pǎobù 跑步 42
pǎobùjī 跑步机(機) 220
pǎochē 跑车(車) 188
pàozǎo 泡澡 66
pàobīng 炮兵 264
pàodàn 炮弹(彈) 267
péi háizi wánr 陪孩子玩儿(兒) 70
pēnquán 喷(噴)泉 210
pēnshuǐkǒng 喷(噴)水孔 275
pēntóu 喷头(噴頭) 61
péndì 盆地 273
pēngrèn 烹饪(飪) 43
péngkè 朋克 247
pèngpèngchē 碰碰车(車) 212
pèngpèngchuán 碰碰船 212
pīgǎi zuòyè 批改作业(業) 91
pīfā shìchǎng 批发(發)市场(場) 115
pījiānfà 披肩发(髮) 124
pí 皮 134
píbāo 皮包 117
pídài 皮带(帶) 116
pífū 皮肤(膚) 161
pífūkē 皮肤(膚)科 159
pígé 皮革 120
píhuátǐng 皮划艇 253
pízhěn 皮疹 169
pípa 枇杷 131
píbèi 疲惫(憊) 232
píjiǔ 啤酒 141
pípa 琵琶 248
pí 脾 164
pìgu 屁股 163
piānpáng 偏旁 288
piányi 便宜 24
piāoliú 漂流 212
piáochóng 瓢虫(蟲) 278
piǎobáijì 漂白剂(劑) 64
piǎo 瞟 227
piàoliang 漂亮 27
pīnyīn 拼音 288
pǐnchá 品茶 153
pìnyòng 聘用 112

pīngpāngqiú 乒乓球　256
píngdǐguō 平底锅(鍋)　58
píngfāngmǐ 平方米　21
pínghuà 平话(話)　289
píngjìng 平静　232
píngtóu 平头(頭)　124
píngyuán 平原　273
píngtán 评弹(評彈)　152
píngguǒ 苹(蘋)果　131
píngguǒpài 苹(蘋)果派　151
píngmù 屏幕　88
pópo 婆婆　49
pūchuáng 铺(鋪)床　68
pūlù 铺(鋪)路　107
púsà 菩萨(薩)　44
pútao 葡萄　131
pǔ'ěrchá 普洱茶　153
Pǔlātí 普拉提　220
Pǔmǐzú 普米族　36
pǔtōnghuà 普通话(話)　288
pùbù 瀑布　272

Q

qī 七　8
qīshí 七十　8
Qīxījié 七夕节(節)　16
Qīyuè 七月　15
qīchá 沏茶　153
qīzi 妻子　46
qīkān 期刊　80
qīmò kǎoshì 期末考试(試)　84
qīzhōng kǎoshì 期中考试(試)　84
qídǎo 祈祷(禱)　45
qíbīng 骑(騎)兵　264
qíchē 骑(騎)车(車)　43
qípáo 旗袍　120
qí 鳍(鰭)　275
qǐ'é 企鹅(鵝)　276
qǐyè yèwù 企业(業)业(業)务(務)　180
qǐchuáng 起床　67
qǐfēi 起飞(飛)　195
qǐlì 起立　90
qǐpǎo 起跑　254
qǐpǎoxiàn 起跑线(綫)　254
qǐzi 起子　59
qìdiàn 气垫(氣墊)　219
qìgōng 气(氣)功　175
qìguǎn 气(氣)管　164

qìtuán 气团(氣團)　237
qìwēn 气(氣)温　237
qìyā 气压(氣壓)　237
qìchē 汽车(車)　188
qìshuǐ 汽水　140
qìtǐng 汽艇　219
qìzhuān 砌砖(磚)　107
qiàqià 恰恰　222
qiāncéngmiàn 千层(層)面(麵)　151
qiānbǐ 铅笔(鉛筆)　86
qiānqiú 铅(鉛)球　254
qiānxū 谦(謙)虚　41
qiān hétong 签(簽)合同　112
qiānyuē 签约(簽約)　105
qián 前　187
qiándēng 前灯(燈)　201
qiánjìn 前进(進)　26
qiántái 前台(臺)　207
qiántiān 前天　14
qiánbāo 钱(錢)包　116
qiánzi 钳(鉗)子　110
qiánshuǐ 潜水　219
qiánshuǐfú 潜水服　275
qiánshuǐjìng 潜水镜(鏡)　219
qiánshuǐyuán 潜水员(員)　219
qiántǐng 潜艇　267
qiǎnsè 浅(淺)色　22
Qiāngzú 羌族　36
qiāng 枪(槍)　263
qiáng 强　24
qiángjījī 强击(擊)机(機)　266
qiángbì 墙(墙)壁　50
qiǎngjié 抢(搶)劫　185
qiǎngjiù 抢(搶)救　219
qiāoqiāobǎn 跷(蹺)跷(蹺)板　211
qiāotuǐ 跷(蹺)腿　229
qiáo 桥(橋)　210
qiǎokèlì 巧克力　16
qiǎokèlì dàngāo 巧克力蛋糕　151
qiē 切　144
qiēgēdāo 切割刀　110
qiézi 茄子　132
qíncài 芹菜　132
Qín 秦　286
Qín Lǐng 秦岭(嶺)　284
qínkuai 勤快　24
Qīng-Zàng Gāoyuán 青藏高原　284
qīngjiāo 青椒　132
qīngnián 青年　71
qīngwā 青蛙　216

qīngdàn 氢弹(氫彈)　266
qīngqì 氢气(氫氣)　270
qīng 轻(輕)　24
qīngshēng 轻声(輕聲)　288
Qīng 清　287
qīngchu 清楚　24
qīngdàn 清淡　139
qīngjiégōng 清洁(潔)工　96
qīngjié yòngpǐn 清洁(潔)用品　119
qīnglǐ kèfáng 清理客房　206
qīnglǐ zhuōzi 清理桌子　157
Qīngmíngjié 清明节(節)　16
qīngxǐyè 清洗液　172
qīngxiù 清秀　39
qīngzhēn fànguǎn 清真饭(飯)馆(館)　147
qīngzhēnsì 清真寺　44
qīngtíng 蜻蜓　216
Qíngrénjié 情人节(節)　16
qíngxùhuà 情绪(緒)化　41
qíng 晴　234
qìngzhù zhōunián 庆(慶)祝周年　47
qiūlíng 丘陵　272
qiūqiān 秋千(鞦韆)　211
qiūtiān/qiūjì 秋天/秋季　240
qiūyǐn 蚯蚓　278
qiúdào 球道　222
qiúgān 球杆　222
qiúgānjià 球杆架　222
qiúmén 球门(門)　257
qiúménqiú 球门(門)球　257
qiúpāi 球拍　259
qiúpíng 球瓶　222
qiútái 球台(臺)　259
qiútǐ 球体(體)　23
qiúwǎng 球网(網)　259
qūhào 区号(區號)　103
qūbiézhēn 曲别针(針)　99
qūgùnqiú 曲棍球　256
qūtǐ 屈体(體)　261
qūgàn 躯干(軀幹)　160
qǔhàojī 取号(號)机(機)　180
qǔkǎ 取卡　182
qǔkuǎn 取款　181
qǔyào 取药(藥)　171
qù 去　26
qù gōngyuán 去公园(園)　70
qùpí 去皮　145
qùwūfěn 去污粉　64
quánjiāfú 全家福　49

quánzhī niúnǎi 全脂牛奶	142	
quánfǎ 拳法	262	
quánjī 拳击(擊)	263	
quángǔ 颧(顴)骨	166	
quèbān 雀斑	126	
quèqiáo 鹊桥(鵲橋)	16	
qúnzi 裙子	120	

R

ránqìfèi 燃气(氣)费(費)	178
ránqìzào 燃气(氣)灶(竈)	57
rányóubiǎo 燃油表	200
rǎnfà 染发(髮)	124
ráogǔ 桡(橈)骨	167
rè 热(熱)	234
rècài 热(熱)菜	148
rècéng 热层(熱層)	270
rèdài 热带(熱帶)	236
rèdài qìxuán 热(熱)带(帶)气(氣)旋	282
règǒu 热(熱)狗	151
rèliàng 热(熱)量	129
rèqiǎokèlì 热(熱)巧克力	154
rèshuǐ 热(熱)水	57
rèshuǐhú 热(熱)水壶(壺)	57
rèshuǐqì 热(熱)水器	61
rèyǐn 热饮(熱飲)	155
rénshēnchá 人参(參)茶	153
Rénlì Zīyuán Bù 人力资(資)源部	29
rénmínbì 人民币(幣)	19
réntǐ mótè 人体(體)模特	245
rénwùhuà 人物画(畫)	243
rénxíngdào 人行道	186
rénxíng-héngdào 人行横道	186
rénzào wèixīng 人造卫(衛)星	269
rènxìng 任性	40
rēng 扔	228
rēng lājī 扔垃圾	69
Rìběn 日本	32
rìběn liàolǐ 日本料理	147
rìlì 日历(曆)	98
rìpiānshí 日偏食	269
rìquánshí 日全食	269
rìyòng záhuò 日用杂(雜)货(貨)	119
Rìyǔ 日语(語)	32
rìyuán 日元	182
rìzádiàn 日杂(雜)店	115
róudào 柔道	262
róuruò 柔弱	38

róushùnjì 柔顺(順)剂(劑)	64
ròudànlèi 肉蛋类(類)	128
ròukuài 肉块(塊)	134
ròulèi 肉类(類)	118
ròupiàn 肉片	135
ròusī 肉丝(絲)	134
ròuwán 肉丸	134
ròuxiànr 肉馅(餡)儿(兒)	134
rǔjiāo shǒutào 乳胶(膠)手套	170
rǔzhìpǐn 乳制(製)品	119
rùkǒu 入口	198
rùshuǐ 入水	261
rùzhù 入住	206
rùzhù rìqī 入住日期	204
rùzi 褥子	54
ruǎn 阮	248
ruǎn 软(軟)	24
ruǎnjiàn 软(軟)件	101
ruǎnpán 软盘(軟盤)	101
ruǎnruò 软(軟)弱	41
ruǎnwò 软(軟)卧	197
ruìdiǎn kèlǎng 瑞典克朗	182
ruìshì fǎláng 瑞士法郎	182
rùnchúngāo 润(潤)唇膏	63
ruò 弱	24

S

Sāhālā Shāmò 撒哈拉沙漠	290
Sālāzú 撒拉族	36
sǎyán 撒盐(鹽)	145
sàkèsīguǎn 萨(薩)克斯管	249
sāi 腮	275
sāihóng 腮红(紅)	63
sāixiànyán 腮腺炎	169
sàichē 赛车(賽車)	188
sài lóngzhōu 赛(賽)龙(龍)舟	16
sàitǐng 赛(賽)艇	253
sān 三	8
sān bǎ dāo 三把刀	11
sānbǎi kuài líng bā máo 三百块(塊)零八毛	19
sān běn shū 三本书(書)	11
sān bù shǒujī 三部手机(機)	11
sānfēnxiàn 三分线(綫)	259
sān fēnzhī èr 三分之二	9
sānjítiào 三级(級)跳	254
sānjiǎochǐ 三角尺	86
sānjiǎoxíng 三角形	22
sānjiǎozhōu 三角洲	273

sān kē xīngxing 三颗(顆)星星	11
sānkǒu zhī jiā 三口之家	47
sān lì yào 三粒药(藥)	11
sānmíngzhì 三明治	151
sān piàn yèzi 三片叶(葉)子	11
sānshēng 三声(聲)	288
sānshí 三十	8
Sānyuè 三月	15
sān zhī huā 三枝花	11
sān zhī māo 三只(隻)猫	11
sǎn 伞(傘)	116
sǎndǎ 散打	263
sànbù 散步	211
sànrèqì 散热(熱)器	201
sāngbā 桑巴	223
sāngná zhōngxīn 桑拿中心	207
sǎngzi fāyán 嗓子发(發)炎	169
sǎodì 扫(掃)地	68
sǎomiáo 扫(掃)描	100
sǎomiáoqì 扫(掃)描器	119
sǎomiáoyí 扫(掃)描仪(儀)	100
sàozhou 扫(掃)帚	64
sēnlín 森林	273
shāchóngjì 杀虫剂(殺蟲劑)	64
shāchénbào 沙尘(塵)暴	234
shāfā 沙发(發)	52
shāfādiàn 沙发(發)垫(墊)	52
shālā/sèlā 沙拉/色拉	151
shāmò 沙漠	273
shātānyǐ 沙滩(灘)椅	219
Shātè'ālābó 沙特阿拉伯	32
shāzi 沙子	106
shābù 纱(紗)布	173
shāchē 刹车(車)	200
shāchēdēng 刹车(車)灯(燈)	201
shāguō 砂锅(鍋)	59
shāzhǐ 砂纸(紙)	111
shāyú 鲨鱼(鯊魚)	275
shǎxiào 傻笑	224
shài 晒(曬)	239
shài tàiyáng 晒(曬)太阳(陽)	219
shāndìchē 山地车(車)	189
shāndòng 山洞	273
shāngǔ 山谷	272
shānmài 山脉	272
shānquè 山雀	276
shānshuǐhuà 山水画(畫)	243
shāntǐ huápō 山体(體)滑坡	282
shānhú 珊瑚	275
shǎndiàn 闪电(閃電)	234

310

shànbèi 扇贝(貝) 135
shànzi 扇子 239
shānghài pífū 伤(傷)害皮肤(膚) 239
Shāng 商 286
shāngliang 商量 123
shāngrén 商人 95
shāngwùcāng 商务(務)舱(艙) 190
shāngwù zhōngxīn 商务(務)中心 207
shàng 上 186
shàngbān 上班 104
shàngbànchǎng 上半场(場) 256
shàng bǔxíbān 上补(補)习(習)班 84
shàngcài 上菜 156
shàng cèsuǒ 上厕(廁)所 66
shàngchē 上车(車) 199
shàngchuáng 上床 66
Shàngdì 上帝 44
shàngdǒupō 上陡坡 202
shànghégǔ 上颌(頜)骨 166
shàngjiàng 上将(將) 264
shàngkè 上课(課) 84
shàngpù 上铺(鋪) 196
shàngqiāng jìngmài 上腔静脉 164
shàngwǎng 上网(網) 100
shàngwèi 上尉 264
shàngwǔ 上午 13
shàngxiào 上校 264
shàngxué 上学(學) 84
shàngyào 上药(藥) 171
shāo 烧(燒) 144
shāobēi 烧(燒)杯 89
shāobing 烧饼(燒餅) 136
shāokǎo 烧(燒)烤 216
shāokǎojià 烧(燒)烤架 216
shāopíng 烧(燒)瓶 89
shāoshāng 烧伤(燒傷) 169
shāoshuǐ 烧(燒)水 68
sháozi 勺子 150
shǎoshù mínzú 少数(數)民族 34
shàojiàng 少将(將) 264
shàonián 少年 71
shàowèi 少尉 264
shàoxiào 少校 264
Shēzú 畲族 35
shétou 舌头(頭) 161
shé 蛇 14
shèhuì bǎoxiǎn 社会(會)保险(險) 112
shèhuìxué 社会(會)学(學) 83
shèjī 射击(擊) 253
shèjiàn 射箭 253

shèmén 射门(門) 256
shèshìdù 摄(攝)氏度 21
shèxiàng 摄(攝)像 72
shèxiàngjī 摄(攝)像机(機) 123
shèxiàngtóu 摄(攝)像头(頭) 100
shèyǐng 摄(攝)影 42
shèyǐngshī 摄(攝)影师(師) 97
shēnqǐng 申请(請) 92
shēnqǐng qiānzhèng 申请(請)签(簽)证(證) 92
shēnqǐng zhíwèi 申请(請)职(職)位 112
shēn lǎnyāo 伸懒(懶)腰 231
shēn shétou 伸舌头(頭) 225
shēntuǐ 伸腿 228
shēncái 身材 38
shēngāo 身高 28
shēnsè 深色 22
shénfu 神父 45
shénxian 神仙 44
shěnpàn 审(審)判 185
shěnwèn 审问(審問) 185
shèn 肾(腎) 164
shēng 升 21
shēng guóqí 升(陞)国(國)旗 253
shēngxué 升学(陞學) 85
shēng 生 24,145
shēngcài 生菜 132
shēng háizi 生孩子 47
shēngháo 生蚝 135
shēnghuà wǔqì 生化武器 266
shēngqì 生气(氣) 232
shēngrì dàngāo 生日蛋糕 74
shēngrìkǎ 生日卡 74
shēngrì lǐwù 生日礼(禮)物 74
shēngrì wǎnhuì 生日晚会(會) 74
shēngwù 生物 82
shēngxiào 生肖 14
shēngyù 生育 70
shēngzhǎng 生长(長) 238
shēngdiào 声调(聲調) 288
shēngmǔ 声(聲)母 288
shēng 笙 248
shěng 省 285
shěnghuì 省会(會) 285
Shèngdànjié 圣诞节(聖誕節) 16
Shèngdàn Lǎorén 圣(聖)诞(誕)老人 16
shèngdànshù 圣诞树(聖誕樹) 16
Shèngjīng 圣经(聖經) 45
shīfàn xuéyuàn 师(師)范(範)学

(學)院 76
shī 诗(詩) 287
shīféi 施肥 109
shīgōng 施工 203
shīzi 狮(獅)子 210
shī 湿(濕) 24
shí 十 8
Shí'èryuè 十二月 15
shíjiǔ kuài líng wǔ fēn 十九块(塊)零五分 19
Shíyīyuè 十一月 15
shí yuán 十元 19
Shíyuè 十月 15
shízìjià 十字架 45
shízì jiāochā 十字交叉 202
shízì lùkǒu 十字路口 186
shígāoxiàng 石膏像 245
shíliu 石榴 131
shízǐr 石子(兒) 106
shíxí 实习(實習) 85
shíyànshì 实(實)验(驗)室 79
shídào 食道 164
shíliáo 食疗(療) 175
shítáng 食堂 147
shíyòngyóu 食用油 138
shízhǐ 食指 161
shìguān 士官 264
shìjiè jìlù 世界纪(紀)录(錄) 261
shì 市 285
shìhuàfèi 市话(話)费(費) 178
shìnèi diànhuà 市内电(電)话(話) 103
shìzhì 市制 20
shìgù yìfā lùduàn 事故易发(發)路段 203
shìlìbiǎo 视(視)力表 172
shìchīpǐn 试(試)吃品 119
shìchuān 试(試)穿 121
shìguǎn 试(試)管 89
shìjì 试剂(試劑) 89
shìjuàn 试(試)卷 91
shìyòngqī 试(試)用期 112
shìzi 柿子 131
shìyìng huánjìng 适(適)应(應)环(環)境 93
shōuduì bìzhǒng 收兑币(幣)种(種) 182
shōugē 收割 240
shōugējī 收割机(機) 109
shōuhuò 收获(穫) 109
shōujù 收据(據) 178

shōukuǎnrén xìngmíng 收款人姓名 178
shōukuǎnyuán 收款员(員) 119
shōuqǐ zhédié cānzhuō 收起折叠餐桌 195
shōushí xíngli 收拾行李 92
shōuxìnrén dìzhǐ 收信人地址 177
shōuxìnrén xìngmíng 收信人姓名 177
shōuyīnjī 收音机(機) 123
shōuyínjī 收银(銀)机(機) 118
shōuyíntái 收银(銀)台(臺) 119
shōu zuòyè 收作业(業) 91
shǒubì 手臂 162
shǒubiǎo 手表 117
shǒudiàntǒng 手电(電)筒 110
shǒufēngqín 手风(風)琴 249
shǒujī 手机(機) 103
shǒujī hàomǎ 手机(機)号(號)码(碼) 28
shǒukào 手铐(銬) 185
shǒuléi 手雷 266
shǒuqiāng 手枪(槍) 185
shǒuqiú 手球 256
shǒushùshì 手术(術)室 159
shǒushùtái 手术(術)台(臺) 159
shǒutào 手套 116
shǒuwàn 手腕 162
shǒuxùfèi 手续(續)费(費) 178
shǒuzhǐ 手指 163
shǒuzhǐjia 手指甲 163
shǒuzhuó 手镯(鐲) 117
shǒubānchē 首班车(車) 199
shǒudū 首都 285
shǒuyìngshì 首映式 251
shòutáo 寿(壽)桃 74
shòuxing 寿(壽)星 74
shòuhàizhě 受害者 185
shòuyī 兽医(獸醫) 97
shòupiàochù 售票处(處) 196
shòupiào guìtái 售票柜(櫃)台(臺) 192
shòupiàokǒu 售票口 198
shòupiàoyuán 售票员(員) 198
shòu 瘦 38
shòuròu 瘦肉 134
shòushēn 瘦身 126
shū 书(書) 80
shūbāo 书(書)包 86
shūdiàn 书(書)店 114
shūfǎ 书(書)法 242
shūfáng 书(書)房 50

shūguì 书柜(書櫃) 55
shūjià 书(書)架 81
shūmíng 书(書)名 81
shūshu 叔叔 48
shūlǐ 梳理 124
shūtóu 梳头(頭) 67
shūzhuāngtái 梳妆(妝)台(臺) 54
shūzi 梳子 63
shūfu 舒服 24
shūniàoguǎn 输(輸)尿管 164
shūrù mìmǎ 输(輸)入密码(碼) 182
shūxiě 输(輸)血 171
shūyè/dǎ diǎndī 输(輸)液/打点(點)滴 171
shūcài 蔬菜 118
shú 熟 145
shúshí 熟食 118
shǔjià 暑假 85
shǔ 鼠 14
shǔbiāo 鼠标(標) 100
shǔbiāodiàn 鼠标(標)垫(墊) 100
shǔtiáo 薯条(條) 151
shù 树(樹) 216
shùguà 树(樹)挂 241
shù méimao 竖(竪)眉毛 224
shùqín 竖(竪)琴 249
shùmǎ xiàngjī 数(數)码(碼)相机(機) 122
shùxué 数学(數學) 82
shùkǒubēi 漱口杯 63
shuākǎ 刷卡 123
shuā mǎtǒng 刷马(馬)桶 69
shuāqiáng 刷墙(墻) 106
shuāyá 刷牙 67
shuāzi 刷子 64
shuāifǎ 摔法 262
shuāijiāo 摔跤 263
shuāngdǎ 双(雙)打 259
shuānghuángguǎn 双(雙)簧管 249
shuāngrénjiān 双(雙)人间(間) 206
shuāngréntiào 双(雙)人跳 261
shuāngxiàng jiāotōng 双(雙)向交通 202
shuāngyǎnpí 双(雙)眼皮 38
shuāng 霜 240
shuǐ 水 140
shuǐcǎibǐ 水彩笔(筆) 86
shuǐcǎihuà 水彩画(畫) 242
shuǐcáo 水槽 57
shuǐchǎn 水产(産) 119

shuǐchí 水池 210
shuǐdòu 水痘 168
shuǐfèi 水费(費) 178
shuǐfěnhuà 水粉画(畫) 242
shuǐguǒ 水果 118
shuǐguǒdāo 水果刀 59
shuǐhú 水壶(壺) 216
shuǐhuā 水花 261
shuǐjiǎo 水饺(餃) 146
shuǐliáo 水疗(療) 126
shuǐlóngtóu 水龙(龍)头(頭) 57
shuǐmiàn jiàntǐng 水面舰(艦)艇 267
shuǐmǔ 水母 275
shuǐní 水泥 107
shuǐpào 水泡 169
shuǐqiú 水球 256
shuǐshàng lèyuán 水上乐(樂)园(園) 212
shuǐtǒng 水桶 64
shuǐxiāng 水箱 61
shuǐxīng 水星 269
Shuǐzú 水族 35
shuǐzúguǎn 水族馆(館) 214
shuìjiào 睡觉(覺) 67
shuìyī 睡衣 55
shùncóng 顺从(順從) 233
shuō 说(說) 230
shuōchàng 说(說)唱 246
shuōshū 说书(說書) 152
shuòshì 硕(碩)士 76
sīchóu 丝绸(絲綢) 121
sīchóu zhī lù 丝(絲)绸(綢)之路 287
sīguā 丝(絲)瓜 133
sījī 司机(機) 94
sīrén jiàoliàn 私人教练(練) 221
sīkǎo 思考 90
sǐ 死 24
sǐjī 死机(機) 100
sì 四 8
Sìchuān Péndì 四川盆地 285
sì fēnzhī yī 四分之一 9
sìshēng 四声(聲) 288
sìshí 四十 8
Sìyuè 四月 15
sìzhī 四肢 160
sìmiào 寺庙(廟) 44
sìliàocáo 饲(飼)料槽 109
sōng 松(鬆) 24
sōnghuādàn 松花蛋 135
sōngshǔ 松鼠 280

Sòng 宋 286

sòngcān 送餐 206

sòng háizi 送孩子 70

sònghuòyuán 送货(貨)员(員) 97

sòngxíng 送行 192

sòngzàng 送葬 73

sōusuǒ 搜索 101

sūdǎshuǐ 苏(蘇)打水 140

sùmiáo 素描 242

sùmiáozhǐ 素描纸(紙) 245

sùdùbiǎo 速度表 200

sùróng kāfēi 速溶咖啡 154

sùjiāo shǒutào 塑胶(膠)手套 64

sùliàodài 塑料袋 118

suān 酸 139

suānlàtāng 酸辣汤(湯) 148

suānnǎi 酸奶 142

suānyǔ 酸雨 282

suàn 蒜 138

suíshēntīng 随(隨)身听(聽) 122

suíshēn xíngli 随(隨)身行李 192

suìzhǐjī 碎纸(紙)机(機) 98

suìdào 隧道 202

sūnnǚ 孙(孫)女 49

sūnzi 孙(孫)子 49

Sūnzǐ Bīngfǎ 孙(孫)子兵法 287

sǔnhuài 损坏(損壞) 81

suǒnà 唢(嗩)呐 248

suǒ 锁(鎖) 50

suǒgǔ 锁(鎖)骨 166

T

Tǎjíkèzú 塔吉克族 36

Tǎtǎ'ěrzú 塔塔尔(爾)族 37

táidēng 台灯(臺燈) 55

táifēng 台风(颱風) 282

táiqiúshì 台(臺)球室 222

táiqiúzhuō 台(臺)球桌 222

táishì diànnǎo 台(臺)式电(電)脑(腦) 100

táitóu 抬头(頭) 228

tàiquándào 跆拳道 263

tàikōng 太空 269

Tàipíng Yáng 太平洋 290

tàiyáng 太阳(陽) 269

tàiyánggāodùjiǎo 太阳(陽)高度角 237

tàiyángjìng 太阳(陽)镜(鏡) 116

tàiyángmào 太阳(陽)帽 216

tàiyángxì 太阳(陽)系 269

Tàiguó 泰国(國) 32

tàizhū 泰铢(銖) 183

tán gōngzuò jīngyàn 谈(談)工作经(經)验(驗) 112

tán liàn'ài 谈恋爱(談戀愛) 46

tánpàn 谈(談)判 105

tánqín 弹(彈)琴 43

tǎnkè 坦克 266

tǎnzi 毯子 54

tànqì 叹气(嘆氣) 230

tànbàng 炭棒 245

tàngē 探戈 223

tànshì 探视(視) 159

tànshuǐ-huàhéwù 碳水化合物 129

tāng 汤(湯) 151

tāngmiàn 汤面(湯麵) 136

tāngsháo 汤(湯)勺 58

Táng 唐 286

tángkǎ 唐卡 242

tángzhuāng 唐装(裝) 120

táng 糖 155

tángcù lǐjǐ 糖醋里(裏)脊 148

tángguàn 糖罐 150

tángguǒ 糖果 118

tángjiāng 糖浆(漿) 173

tángniàobìng 糖尿病 169

tángláng 螳螂 279

tǎng 躺 229

tàngfà 烫发(燙髮) 124

táo 桃 131

táohuā 桃花 238

táocí 陶瓷 242

tǎojià huánjià 讨价还价(討價還價) 121

tǎolùn 讨论(討論) 90

tǎoyàn 讨厌(討厭) 233

tàocān 套餐 146

tàofáng 套房 206

tàoquān 套圈 212

tèbié xíngzhèngqū 特别行政区(區) 285

tèdàbēi 特大杯 155

tèjià jīpiào 特价(價)机(機)票 205

tèzhǒngbīng 特种(種)兵 264

tī 剔 145

tīxíng 梯形 23

tī 踢 229

tīqiú 踢球 42

tītàwǔ 踢踏舞 220

tíqǔ xiànjīn 提取现(現)金 182

tíwèn 提问(問) 90

tǐcāo 体(體)操 253

tǐjiǎn 体检(體檢) 112

tǐjiǎn zhōngxīn 体(體)检(檢)中心 170

tǐyù 体(體)育 82

tǐyùguǎn 体(體)育馆(館) 78

tǐyù jiémù 体(體)育节(節)目 251

tǐyù xuéyuàn 体(體)育学(學)院 76

tǐyù yòngpǐn shāngchǎng 体(體)育用品商场(場) 114

tìbǔ duìyuán 替补(補)队(隊)员(員) 258

tiān'é 天鹅(鵝) 277

tiānhuābǎn 天花板 50

tiānniú 天牛 279

tiānpíng 天平 89

tiānqì yùbào 天气(氣)预(預)报(報) 251

Tiān Shān 天山 284

tiānwángxīng 天王星 269

tiānwénguǎn 天文馆(館) 214

tiānwén wàngyuǎnjìng 天文望远(遠)镜(鏡) 269

tiānwénxué 天文学(學) 83

Tiānzhǔjiào 天主教 45

tiánjìng 田径(徑) 254

tián 甜 139

tiándiǎn 甜点(點) 151

tiánbiǎo 填表 178

tiāoxuǎn 挑选(選) 121

tiáogēng 调(調)羹 149

tiáojiǔshī 调(調)酒师(師) 222

tiáoliàoguàn 调(調)料罐 59

tiáopí/táoqì 调(調)皮/淘气(氣) 41

tiáosèbǎn 调(調)色板 244

tiáosèyóu 调(調)色油 245

tiáozhí kàobèi 调(調)直靠背 195

tiào 跳 229

tiàobǎn 跳板 261

tiàocáo 跳槽 113

tiàogāo 跳高 254

tiàoshéng 跳绳(繩) 221

tiàoshuǐ 跳水 261

tiàotái 跳台(臺) 261

tiàowǔ 跳舞 42

tiàoyuǎn 跳远(遠) 254

tiàozao 跳蚤 279

tiē yóupiào 贴(貼)邮(郵)票 177

tiě 铁(鐵) 129

tiěbǎn niúliǔ 铁(鐵)板牛柳 149

tiěbǐng 铁饼(鐵餅) 254

tiěguānyīn 铁(鐵)观(觀)音 153

tiěguǐ 铁轨(鐵軌) 196

tiěqiāo 铁锹(鐵鍬) 111

tiěrén sānxiàng 铁(鐵)人三项
(項) 254

tīng 听(聽) 230

tīnghuà/guāi 听话(聽話)/乖 41

tīngjiǎng 听讲(聽講) 90

tīng yīnyuè 听(聽)音乐(樂) 66

tīngzhěnqì 听(聽)诊(診)器 172

tíngchēchǎng 停车(車)场(場) 50

tíngchē ràngxíng 停车(車)让(讓)
行 203

tōngguò ānjiǎn 通过(過)安检(檢) 194

tōngqìguǎn 通气(氣)管 219

tóngshì 同事 104

tóngwēncéng 同温层(層) 270

tóngyì 同意 233

tóngpái 铜(銅)牌 252

tóngzhuāng 童装(裝) 117

tóngzǐgōng 童子功 262

tǒngjìxué 统计学(統計學) 83

tòngkū 痛哭 224

tóubù 头(頭)部 160

tóuděngcāng 头(頭)等舱(艙) 190

tóudǐng xínglicāng 头(頭)顶(頂)
行李舱(艙) 190

tóufa 头发(頭髮) 161

tóugàigǔ 头(頭)盖(蓋)骨 166

tóuqiú 头(頭)球 256

tóutòng 头(頭)痛 169

tóuyūn 头晕(頭暈) 169

tóu 投 228

tóujì 投寄 177

tóu jiǎnlì 投简(簡)历(歷) 112

tóulán 投篮(籃) 258

tóuyǐngyí 投影仪(儀) 100

tòumíngjiāo 透明胶(膠) 99

tòumíng jiāodài 透明胶(膠)带
(帶) 178

tūdǐng 秃顶(頂) 38

tú'àn 图(圖)案 126

túdīng 图钉(圖釘) 99

túhuàběn 图(圖)画(畫)本 86

túpiànshè 图(圖)片社 114

túshūguǎn 图书馆(圖書館) 78

túshū guǎnlǐyuán 图(圖)书(書)管
理员(員) 81

tú zhǐjia 涂(塗)指甲 127

tǔdòu 土豆 133

Tǔ'ěrqí 土耳其 32

Tǔjiāzú 土家族 35

tǔrǎng 土壤 109

tǔxīng 土星 269

Tǔzú 土族 36

tù 吐 26

tǔ kǒushuǐ 吐口水 227

Tǔlǔfān Péndì 吐鲁(魯)番盆地 284

tǔtán 吐痰 231

tù 兔 14

tuántǐpiào 团(團)体(體)票 214

tuányuán 团圆(團圓) 75

tuī 推 26

tuīchē 推车(車) 107

tuīdǎng 推挡(擋) 259

tuījiànxìn 推荐(薦)信 92

tuījǔ 推举(舉) 220

tuīná 推拿 175

tuīnáshī 推拿师(師) 175

tuītǔjī 推土机(機) 107

tuīxiāoyuán 推销员(員) 94

tuǐ 腿 162

tuǐfǎ 腿法 262

tuìchū 退出 182

tuìfáng 退房 207

tuìhuò 退货(貨) 123

tūn 吞 26

túnbù 臀部 163

tuōyùn xíngli 托运(運)行李 194

tuōchē 拖车(車) 189

tuōdì 拖地 68

tuōlājī 拖拉机(機) 109

tuōxié 拖鞋 55

tuō 脱 26

tuōmáo 脱毛 126

tuō yīfu 脱衣服 66

tuōzhī niúnǎi 脱脂牛奶 142

tuóniǎo 鸵鸟(鴕鳥) 276

tuǒyuánxíng 椭(橢)圆(圓)形 23

W

wāgōu 挖沟(溝) 107

wātǔjī 挖土机(機) 106

wāyǒng 蛙泳 261

Wǎzú 佤族 35

wàibì 外币(幣) 19

wàibì duìhuàn 外币(幣)兑换 181

wàibì duìhuànchù 外币(幣)兑换
处(處) 193

wàibì páijià 外币(幣)牌价(價) 181

wàibì yèwù 外币(幣)业(業)务
(務) 181

wàiguórén jiùyèzhèng 外国(國)
人就业(業)证(證) 31

wàiguórén jūliú xǔkězhèng 外国
(國)人居留许(許)可证(證) 31

wàikē 外科 158

wàimài 外卖(賣) 147

wàisūnnǚ 外孙(孫)女 49

wàisūnzi 外孙(孫)子 49

wàixiàng 外向 40

wàiyìcéng 外逸层(層) 270

wàiyǔ 外语(語) 82

wàiyǔ xuéyuàn 外语(語)学(學)院 76

wān 弯(彎) 26

wānyāo 弯(彎)腰 228

wánjù 玩具 55

wánpái 玩牌 75

wán yóuxì 玩游戏(戲) 66

wǎnlián 挽联(聯) 73

wǎnbèi 晚辈(輩) 75

wǎnlǐfú 晚礼(禮)服 120

wǎnshang 晚上 13

wǎn 碗 148

wǎnjià 碗架 57

Wànshèngjié 万圣节(萬聖節) 16

wǎngkǎ 网(網)卡 101

wǎngqiú 网(網)球 256

wǎngfǎn 往返 204

wǎng qián zǒu 往前走 186

wàngyuǎnjìng 望远(遠)镜(鏡) 214

wēishìjì 威士忌 141

wēibōlú 微波炉(爐) 57

wēifēng 微风(風) 238

wēixiào 微笑 224

wéijīn 围(圍)巾 116

wéiqún 围(圍)裙 57

Wéiduōlìyà Hú 维(維)多利亚(亞)
湖 290

wéishēngsù A 维(維)生素A 129

wéishēngsù C 维(維)生素C 129

Wéiwú'ěrzú 维(維)吾尔(爾)族 34

wéixiū 维(維)修 201

wěi 尾 275

wěidēng 尾灯(燈) 201

wěidù 纬(緯)度 236

wěixiàn 纬线(緯綫) 236

314

wèishēngjīn 卫(衛)生巾 61

wèishēngzhǐ 卫(衛)生纸(紙) 61

wèixīng 卫(衛)星 269

wèijīng 味精 138

wèi 胃 164

wèitòng 胃痛 169

wèifàn 喂饭(飯) 70

wèigǒu 喂狗 69

wèishí 喂食 109

wēndùjì 温度计(計) 172

wēnhé 温和 40

wēnnuǎn 温暖 238

wēnquán 温泉 273

wēnyì 瘟疫 283

wén chúnxiàn 文唇线(綫) 126

wénjiànguì 文件柜(櫃) 99

wénjiànjiā 文件夹(夾) 98

wénjùdiàn 文具店 114

wénjùhé 文具盒 86

wénshēn 文身 126

wénxué 文学(學) 83

wén 闻(聞) 230

wènhǎo 问(問)好 90

wèn jiàgé 问(問)价(價)格 121

wènxùnchù 问讯处(問訊處) 192

wènzhěn 问诊(問診) 175

wòshì 卧室 50

wòshǒu 握手 228

wūguī 乌龟(烏龜) 281

wūlóngchá 乌(烏)龙(龍)茶 153

wūyā 乌鸦(烏鴉) 276

wūyún 乌云(烏雲) 270

wūzéi 乌贼(烏賊) 275

Wūzībiékèzú 乌(烏)孜别克族 36

wūrǎn 污染 283

wúliáo 无(無)聊 232

wúmíngzhǐ 无(無)名指 161

wúrén kānshǒu tiělù dàokǒu 无(無)人看守铁(鐵)路道口 202

wúshéng diànhuà 无绳电话(無繩電話) 103

wúyānfáng 无(無)烟房 206

wúyānqū 无(無)烟区(區) 150

wúzhàng'ài shèshī 无(無)障碍设(設)施 214

wúyǔ 吴语(語) 289

wúgong 蜈蚣 279

wǔ 五 8

wǔ fēn 五分 18

wǔgǔlèi 五谷(穀)类(類) 128

wǔguān duānzhèng 五官端正 38

wǔguānkē 五官科 159

wǔ jiǎo 五角 18

wǔjīndiàn 五金店 114

wǔqiān qībǎi bāshíyī kuài sì máo liù fēn 五千七百八十一块(塊)四毛六分 19

wǔshí 五十 8

wǔshí yuán 五十元 19

wǔxiànpǔ 五线(綫)谱(譜) 247

wǔxíng 五行 175

wǔ yuán 五元 19

Wǔyuè 五月 15

wǔxiū 午休 84

wǔyè 午夜 13

wǔjǐng 武警 264

wǔshēng 武生 208

wǔ ěrduo 捂耳朵 225

wǔliǎn 捂脸(臉) 224

wǔzuǐ 捂嘴 225

wǔbàn 舞伴 222

wǔdǎojiā 舞蹈家 96

wǔdǎo xuéyuàn 舞蹈学(學)院 76

wǔdǎo yǎnyuán 舞蹈演员(員) 208

wǔjù 舞剧(劇) 208

wǔqǔ 舞曲 246

wǔtīng 舞厅(廳) 222

wùlǐ 物理 82

wù 雾(霧) 234

X

xī 西 186

Xībānyá 西班牙 32

Xībānyáyǔ 西班牙语(語) 32

xīběi 西北 186

xīcāntīng 西餐厅(廳) 146

xīguā 西瓜 131

xīhóngshì 西红(紅)柿 132

xīhúlu 西葫芦(蘆) 133

xīlánhuā 西蓝(藍)花 132

xīnán 西南 187

Xīzhōu 西周 286

xīzhuāng 西装(裝) 120

xīchén 吸尘(塵) 69

xīchénqì 吸尘(塵)器 64

xīguǎn 吸管 150

xīyān 吸烟 222

xīniú 犀牛 280

Xībózú 锡(錫)伯族 36

xīyì 蜥蜴 281

xīgài 膝盖(蓋) 162

xīshuài 蟋蟀 279

xǐ 洗 68

xǐchē 洗车(車) 201

xǐfà 洗发(髮) 124

xǐfàshuǐ 洗发(髮)水 63

xǐjiǎshuǐ 洗甲水 127

xǐjiéjīng 洗洁(潔)精 59

xǐliǎn 洗脸(臉) 67

xǐmiànnǎi 洗面奶 63

xǐshǒu 洗手 66

xǐshǒuchí 洗手池 61

xǐwǎn 洗碗 68

xǐwǎnbù 洗碗布 59

xǐwǎnjī 洗碗机(機) 57

xǐyīfěn 洗衣粉 64

xǐyījī 洗衣机(機) 123

xǐyīpén 洗衣盆 64

xǐzǎo 洗澡 66

xǐhuan 喜欢(歡) 233

xǐjùpiàn 喜剧(劇)片 250

Xǐmǎlāyǎ Shānmài 喜马(馬)拉雅山脉 290

xìjù xuéyuàn 戏(戲)剧(劇)学(學)院 76

xìshuǐ 戏(戲)水 239

xì 细(細) 24

xìxīn 细(細)心 40

xìyǔ 细(細)雨 238

xiā 虾(蝦) 135

xiágǔ 峡(峽)谷 273

xià 下 186

xiàba 下巴 161

xiàbān 下班 105

xiàbànchǎng 下半场(場) 256

xiàchē 下车(車) 199

xiàdǒupō 下陡坡 202

xià fēijī 下飞(飛)机(機) 195

xiàhégǔ 下颌(頜)骨 166

xiàkè 下课(課) 84

xiàpù 下铺(鋪) 197

xiàqí 下棋 42

xiàqiāng jīngmài 下腔静脉 164

xiàwǔ 下午 13

xiàxuě 下雪 241

Xià 夏 286

xiàtiān/xiàjì 夏天/夏季 239

xiàzhuāng 夏装(裝) 116

xiānwéi 纤维(纖維) 129

xiānhuādiàn 鲜(鮮)花店 114	xiǎojuǎnr 小卷儿(兒) 124	xīnzàngbìng 心脏(臟)病 168
xiānyàn 鲜艳(鮮艷) 22	xiǎoliào 小料 148	xīn 锌(鋅) 129
xián 咸(鹹) 139	xiǎolóngbāo 小笼(籠)包 146	xīnjiāpōyuán 新加坡元 182
xiáncài 咸(鹹)菜 146	xiǎomàibù 小卖(賣)部 115	xīnláng 新郎 72
xiányādàn 咸(鹹)鸭(鴨)蛋 135	xiǎomǐ 小米 136	xīnnián zhōngshēng 新年钟(鐘)声
xiǎnshìqì 显(顯)示器 100	xiǎomǔzhǐ 小拇指 161	(聲) 75
xiǎnwēijìng 显(顯)微镜(鏡) 89	xiǎonǎo 小脑(腦) 164	xīnniáng 新娘 72
xiànjīn 现(現)金 123	xiǎoniǎo 小鸟(鳥) 216	xīnshēng bàodào 新生报(報)到 93
xiànlùtú 线(綫)路图(圖) 198	xiǎopéngyou 小朋友 76	xīnshēng'ér 新生儿(兒) 71
xiànzhìgāodù 限制高度 203	xiǎoqì 小气(氣) 41	xīntáibì 新台(臺)币(幣) 183
xiànrbǐng 馅儿饼(餡兒餅) 136	xiǎoqū 小区(區) 51	xīnwén 新闻(聞) 251
xiànhuā 献(獻)花 73	xiǎoshāngfàn 小商贩(販) 95	Xīnxīlán 新西兰(蘭) 32
xiāngcūn yīnyuè 乡(鄉)村音乐(樂) 246	xiǎoshuō 小说(說) 81	xìnfēng 信封 176
xiāngqīn 相亲(親) 46	xiǎotānr 小摊(攤)儿(兒) 115	xìnhào 信号(號) 103
xiāng 香 24	xiǎotíqín 小提琴 249	xìnjiàn 信件 177
xiāngbīn 香槟(檳) 141	xiǎotōu 小偷 185	xìnxiāng 信箱 51
xiāngcháng 香肠(腸) 216	xiǎotuǐ 小腿 163	xìnyòngkǎ 信用卡 123
xiāngjiāo 香蕉 131	xiǎoxī 小溪 216	xīngfèn 兴奋(興奮) 232
xiāngshuǐ 香水 63	xiǎoxíngxīng 小行星 269	Xīngqī'èr/Zhōu'èr 星期二/周二 14
xiāngyóu 香油 139	xiǎoxué 小学(學) 76	Xīngqīliù/Zhōuliù 星期六/周六 15
xiāngzào 香皂 63	xiǎoxuéshēng 小学(學)生 76	Xīngqīsān/Zhōusān 星期三/周三 15
xiāngcàiguǎn 湘菜馆(館) 147	xiǎoyú 小鱼(魚) 216	Xīngqīsì/Zhōusì 星期四/周四 15
xiāngyǔ 湘语(語) 289	xiǎoyǔ 小雨 234	Xīngqītiān/Zhōurì 星期天/周日 15
xiǎngjiā 想家 233	xiàochuǎn 哮喘 168	Xīngqīwǔ/Zhōuwǔ 星期五/周五 15
xiàng yòu jíwānlù 向右急弯(彎)路 202	xiàochē 校车(車) 78	Xīngqīyī/Zhōuyī 星期一/周一 14
xiàng zuǒ guǎi 向左拐 186	xiàofú 校服 87	xīngxing 星星 270
xiàng zuǒ jíwānlù 向左急弯(彎)路 202	xiàohuī 校徽 87	xīngyún 星云(雲) 269
xiàngsheng 相声(聲) 152	xiàomén 校门(門) 78	xīngzuò 星座 269
xiàngliàn 项链(項鏈) 117	xiàoyī 校医(醫) 79	xínglichē 行李车(車) 192
xiàngpí 橡皮 87	xiàozhǎngshì 校长(長)室 79	xínglijià 行李架 196
xiàngpítǐng 橡皮艇 219	xiào 笑 230	xíngli lǐngqǔchù 行李领(領)取
xiāo 削 145	xiēzi 蝎子 278	处(處) 192
xiāopíqì 削皮器 59	xiézòuqǔ 协(協)奏曲 246	xínglishēng 行李生 207
xiāoqiú 削球 259	xié 斜 26	xíngli tuīchē 行李推车(車) 207
xiāodú 消毒 171	xiéshuā 鞋刷 64	xíngli yùnsòngchē 行李运(運)
xiāofángchē 消防车(車) 188	xiéyóu 鞋油 64	送车(車) 192
xiāofáng rényuán 消防人员(員) 264	xiě dìzhǐ 写(寫)地址 177	xíngshū 行书(書) 242
xiāofángyuán 消防员(員) 94	xiěshēng 写(寫)生 243	xíngxīng 行星 269
xiāoyányào 消炎药(藥) 173	xiěshēngdèng 写(寫)生凳 245	xíngyìquán 形意拳 262
xiāohù 销(銷)户 181	xiěxìn 写(寫)信 93	xìngqù àihào 兴(興)趣爱(愛)好 29
xiāo 箫(簫) 248	xiě yóujiàn 写(寫)邮(郵)件 104	xìng 杏 131
xiǎo 小 27	xiězì 写(寫)字 90	xìngrén 杏仁 131
xiǎobēi 小杯 155	xiězìtái 写(寫)字台(臺) 55	xìngmíng 姓名 28
xiǎocháng 小肠(腸) 164	xiězuò 写(寫)作 43	xìngbié 性别 28
xiǎochīdiàn 小吃店 146	xiě zuòyè 写(寫)作业(業) 91	xiōng'è 凶恶(惡) 39
xiǎochǒu 小丑 212	xièjué zìdài jiǔshuǐ 谢(謝)绝(絕)自带	xiōngbù 胸部 162
xiǎodāo 小刀 87	(帶)酒水 157	xiōnggǔ 胸骨 166
xiǎohào 小号(號) 249	xīndiàntúyí 心电(電)图(圖)仪(儀) 172	xiōngzhēn 胸针(針) 117
xiǎohuǒchē 小火车(車) 212	xīnlǐxué 心理学(學) 83	xióngmāo 熊猫 210
xiǎojī 小鸡(鶏) 109	xīnzàng 心脏(臟) 164	xiūxi 休息 66

316

xiūxishì 休息室　208

xiūlǐgōng 修理工　96

xiūméi 修眉　126

xiūmiàn 修面　124

xiūxiéjiàng 修鞋匠　94

xiūzhèngyè 修正液　99

xiū zìxíngchē 修自行车(車)　69

xùjiè 续(續)借　81

xuānzhǐ 宣纸(紙)　244

xuányá 悬(懸)崖　273

xuánlǜ 旋律　247

xuánzhuǎn fēijī 旋(轉)转飞(飛)
机(機)　212

xuánzhuǎn mùmǎ 旋转(轉)木马
(馬)　212

xuǎnkè 选课(選課)　93

xuǎnxiù jiémù 选(選)秀节(節)目　251

xuǎnzé cāndiǎn 选(選)择(擇)
餐点(點)　195

xuǎnzé fúwù xiàngmù 选(選)择
(擇)服务(務)项(項)目　182

xuǎnzé mùdìdì 选(選)择(擇)目的
地　204

xuǎnzé yǐnliào 选(選)择(擇)饮
(飲)料　195

xuǎn zhuānyè 选专业(選專業)　93

xuēzi 靴子　117

xuéwèi 穴位　175

xuélì 学历(學歷)　28

xuéqiánbān 学(學)前班　76

xuéshēngkǎ 学(學)生卡　199

xuéshēngpiào 学(學)生票　214

xuéshēng qiānzhèng 学(學)生签
(簽)证(證)　92

xuéshēng shítáng 学(學)生食堂　78

xuéshēng shǒucè 学(學)生手册　87

xuéshēngzhèng 学(學)生证(證)　30

xuéwèi 学(學)位　76

xuéwèizhèng 学(學)位证(證)　31

xuéxí yǔyán 学(學)习(習)语(語)言
93

xuéxiào dōngběibian 学(學)校东
(東)北边(邊)　187

xuéxiào duìmiàn 学(學)校对(對)
面　187

xuéxiào fùjìn 学(學)校附近　187

xuéxiào lǐbian 学(學)校里(裏)边
(邊)　187

xuéxiào pángbiān 学(學)校旁边
(邊)　187

xuéxiào qiánbian 学(學)校前边
(邊)　187

xuéxiào wàibian 学(學)校外边
(邊)　187

xuě 雪　234

xuěbēng 雪崩　283

xuěbì 雪碧　140

xuěqiāo 雪橇　241

xuězāi 雪灾　282

xuèyājì 血压(壓)计(計)　172

xuèyè 血液　159

xúnzhǎo xuéxiào 寻(尋)找学(學)校　92

xúnzhǎo zhùsuǒ 寻(尋)找住所　93

xúnwèn bìngqíng 询(詢)问(問)病
情　170

xùnshòu 驯兽(馴獸)　212

xùnshòuyuán 驯兽员(馴獸員)　212

Y

yālùjī 压(壓)路机(機)　106

yāsuìqián 压岁钱(壓歲錢)　75

yā 鸭(鴨)　109

yāròu 鸭(鴨)肉　134

yáchǐ 牙齿(齒)　161

yáchǐ jiǎozhèn 牙齿(齒)矫(矯)正　127

yágāo 牙膏　63

yákē 牙科　159

yáshuā 牙刷　63

yátào 牙套　172

yátòng 牙痛　169

yáxiàn 牙线(綫)　63

yáyī 牙医(醫)　97

yǎlíng 哑铃(啞鈴)　220

yàjūn 亚军(亞軍)　252

yàmá 亚(亞)麻　121

Yàmǎsūn Píngyuán 亚(亞)马(馬)
孙(孫)平原　290

Yàzhōu 亚(亞)洲　290

yàqì 氩气(氬氣)　270

yānhuā 烟花　74

yānhuīgāng 烟灰缸　53

yān 腌　144

yánjiāng 岩浆(漿)　272

yánshí 岩石　273

Yán-Huáng chuánshuō 炎黄传
(傳)说(說)　287

yánrè 炎热(熱)　238

yánjiūshēngyuàn 研究生院　76

yán 盐(鹽)　138

yánpíng 盐(鹽)瓶　150

yánliào 颜料　244

yǎndài 眼袋　126

yǎnhóng 眼红(紅)　226

yǎnjing 眼睛　160

yǎnjìng 眼镜(鏡)　172

yǎnjìngdiàn 眼镜(鏡)店　114

yǎnjìngshé 眼镜(鏡)蛇　281

yǎnkē 眼科　159

yǎnlèi 眼泪　73

yǎnshuāng 眼霜　63

yǎnxiànbǐ 眼线(綫)笔(筆)　63

yǎnyàoshuǐ 眼药(藥)水　173

yǎnyǐng 眼影　63

yǎnyuán 演员(員)　96

yǎnzòu 演奏　208

yàntai 砚台(硯臺)　244

yànhuì 宴会(會)　146

yànhuìtīng 宴会(會)厅(廳)　206

yànxí 宴席　72

yànchāojī 验钞机(驗鈔機)　181

yànguāngshī 验(驗)光师(師)　172

yànniào 验(驗)尿　171

yànhuǒ 焰火　16

yànzi 燕子　276

yángqín 扬(揚)琴　248

yángshā 扬(揚)沙　234

yáng 羊　14,109

yángròu 羊肉　134

yángròuchuàn 羊肉串　148

yángròupiàn 羊肉片　148

yángguāng 阳(陽)光　270

yánglì/gōnglì 阳历(陽曆)/公历
(曆)　14

yángsǎn 阳伞(陽傘)　219

yángtái 阳台(陽臺)　50

yángcōng 洋葱　132

yángjiǔ 洋酒　141

yǎngwòqǐzuò 仰卧起坐　221

yǎngyǒng 仰泳　261

yǎng chǒngwù 养(養)宠(寵)物　43

yǎnghuā 养(養)花　42

yǎngqì 氧气(氣)　270

yǎngqìpíng 氧气(氣)瓶　275

yāobù 腰部　162

yāozhuī 腰椎　167

yáogǔnyuè 摇滚乐(樂)　246

yáotóu 摇头(頭)　225

yáoyǐ 摇椅　53

yáokòngqì 遥控器　52

Yáozú 瑶族 34

yǎo yá qiè chǐ 咬牙切齿(齒) 227

yàodiàn 药(藥)店 115

yàofáng 药(藥)房 158

yàogāo 药(藥)膏 173

yàoguànzi 药(藥)罐子 175

yàojìshī 药剂师(藥劑師) 174

yàopiàn 药(藥)片 173

yàoshàn 药(藥)膳 175

yàowán 药(藥)丸 173

yàoshi 钥(鑰)匙 50

Yēsū Jīdū 耶稣(穌)基督 45

yēzi 椰子 131

yéye/zǔfù 爷爷(爺爺)/祖父 48

yěcān 野餐 216

yěcāndiàn 野餐垫(墊) 216

yězhànjūn 野战(戰)军(軍) 264

yèmáo 腋毛 162

yèwō 腋窝(窩) 162

yī 一 8

yīshēng 一声(聲) 288

Yīyuè 一月 15

Yīsīlánjiào 伊斯兰(蘭)教 44

yīchú/yīguì 衣橱/衣柜(櫃) 55

yījià 衣架 55

yīlǐngjìng 衣领(領)净 64

yīliáo bǎoxiǎn 医(醫)疗(療)保险
  (險) 112

yīshēng 医(醫)生 97

yīshī zīgézhèng 医(醫)师(師)资
  (資)格证(證) 31

yīwùshì 医(醫)务(務)室 79

yīxué 医学(醫學) 83

yícìxìng zhēntóu 一次性针(針)头
  (頭) 172

yí gè nǚshēng 一个(個)女生 10

yí gè shìjì 一个(個)世纪(紀) 12

yí gè yuè 一个(個)月 12

yí kèzhōng 一刻钟(鐘) 12

yí kuài liǎng máo sān fēn 一块(塊)
  两(兩)毛三分 19

yí shàn mén 一扇门(門) 10

yí tào chájù 一套茶具 10

yíwàn 一万(萬) 9

yíyì 一亿(億) 9

yí zuò lóu 一座楼(樓) 10

yímā 姨妈(媽) 49

yí 胰 164

yíshī 遗(遺)失 81

yízhào 遗(遺)照 73

Yíhé Yuán 颐(頤)和园(園) 287

Yízú 彝族 34

yǐdiàn 椅垫(墊) 57

yìbǎi 一百 8

yìbǎi wàn 一百万(萬) 9

yìbǎi yuán 一百元 19

yì bāng rén 一帮(幫)人 10

yì fēn 一分 18

yì fēnzhōng 一分钟(鐘) 12

yì fú huà 一幅画(畫) 10

yì jiǎo 一角 18

yìmǐxiàn 一米线(線) 181

yì miǎozhōng 一秒钟(鐘) 12

yì nián 一年 12

yìqiān 一千 9

yìqiān wàn 一千万(萬) 9

yì qún yáng 一群羊 10

yì suǒ xuéxiào 一所学(學)校 10

yì tiān 一天 12

yì xiǎoshí/yí gè zhōngtóu 一小时
  (時)/一个(個)钟(鐘)头(頭) 12

yì xīngqī/yì zhōu 一星期/一周 12

yì yuán 一元 18

yìhuá 易滑 202

Yìdàlì 意大利 32

yìdàlìmiàn 意大利面(麵) 151

Yìdàlìyǔ 意大利语(語) 32

yì 翼 277

yīn 阴(陰) 234

yīnlì/nónglì 阴历(陰曆)/农历(農曆)
  14

yīnyáng 阴阳(陰陽) 175

yīnyuè 音乐(樂) 82

yīnyuèjiā 音乐(樂)家 96

yīnyuè jiàoshì 音乐(樂)教室 79

yīnyuèjù 音乐(樂)剧(劇) 250

yīnyuètīng 音乐(樂)厅(廳) 208

yīnyuè xuéyuàn 音乐(樂)学(學)院 76

yīnxiāng 音箱 122

yīnxiàngdiàn 音像店 115

yínhéxì 银(銀)河系 269

yínmù 银(銀)幕 251

yínpái 银(銀)牌 252

yínsè 银(銀)色 22

yínhángkǎ 银(銀)行卡 181

yǐnqíng 引擎 190

yǐnqínggài 引擎盖(蓋) 201

yǐnliào 饮(飲)料 119

yǐnshuǐjī 饮(飲)水机(機) 57

yǐnxíng yǎnjìng 隐(隱)形眼镜(鏡) 172

Yìndù 印度 32

Yìndù Yáng 印度洋 290

yìnní 印泥 99

yìnzhāng 印章 99

yīngbàng 英镑(鎊) 182

yīngchǐ 英尺 20

yīngcùn 英寸 20

Yīngguó 英国(國) 32

yīnglǐ 英里 20

yīngmǔ 英亩(畝) 21

Yīngyǔ 英语(語) 32

yīng'ér 婴儿(兒) 71

yīng'érchuáng 婴儿(兒)床 54

yīng'ér shípǐn 婴儿(兒)食品 119

yīngtao 樱(櫻)桃 131

yīngwǔ 鹦鹉(鸚鵡) 277

yīng 鹰(鷹) 276

yínghuǒchóng 萤(螢)火虫(蟲) 278

yíngyǎng chéngfèn 营(營)养(養)
  成分 129

yíngyǎng jīnzìtǎ 营(營)养(養)金
  字塔 128

yíngyè zhízhào 营(營)业(業)执
  (執)照 30

yìngpìn zhíwèi 应(應)聘职(職)位 29

yìng 硬 24

yìngbì 硬币(幣) 18

yìngpán 硬盘(盤) 101

yìngwò 硬卧 196

yìngzuò 硬座 196

yōngbào 拥(擁)抱 228

yǒngdào 泳道 261

yǒng yǒng 泳蛹 279

yòngcān 用餐 195

yōuyù 忧郁(鬱) 232

yóuyù 犹(猶)豫 40

yóuchuō 邮(郵)戳 177

yóudìyuán 邮递员(郵遞員) 176

yóupiào 邮(郵)票 177

yóutǒng 邮(郵)筒 176

yóuzhèng biānmǎ 邮(郵)政编(編)
  码(碼) 177

yóuzhèngchē 邮(郵)政车(車) 176

yóucǎi 油彩 244

yóucài 油菜 132

yóuguànchē 油罐车(車) 188

yóuhuà 油画(畫) 243

yóuhuàbàng 油画(畫)棒 245

yóumén 油门(門) 200

yóunì 油腻(膩) 139

yóuqī 油漆 111
yóuqīgōng 油漆工 97
yóuqī shuāzi 油漆刷子 111
yóutiáo 油条(條) 146
yóuzhīlèi 油脂类(類) 128
yóulèchǎng 游乐(樂)场(場) 212
yóuxìjī 游戏(戲)机(機) 223
yóuyǒngchí 游泳池 79
yóuyǒngguǎn 游泳馆(館) 261
yóuyǒngjìng 游泳镜(鏡) 261
yóuyǒngkù 游泳裤(褲) 219
yóuyǒngmào 游泳帽 261
yóuyǒngyī 游泳衣 120
yǒuguǐ-diànchē 有轨(軌)电(電)车(車) 188
yòu 右 187
yòushǒu 右手 162
yòu'éryuán 幼儿(兒)园(園) 76
yòushī 幼师(師) 76
yòuzhì 幼稚 41
yòuzi 柚子 131
yūxiě 淤血 168
yú 鱼(魚) 135
yú'ěr 鱼饵(魚餌) 216
yúgān 鱼(魚)竿 216
yúgāng 鱼(魚)缸 52
yútáng 鱼(魚)塘 109
yúxiàn 鱼线(魚綫) 216
yúxiāng ròusī 鱼(魚)香肉丝(絲) 148
yúmín 渔(漁)民 94
yújiā 瑜伽 220
yújiādiàn 瑜伽垫(墊) 220
yǔzhòu kōngjiānzhàn 宇宙空间(間)站 269
yǔmáo 羽毛 277
yǔmáoqiú 羽毛球 256
yǔróngfú 羽绒(絨)服 120
yǔguā 雨刮 201
yǔjì 雨季 237
yǔjiāxuě 雨夹(夾)雪 234
yǔwén 语(語)文 82
yǔyán nénglì 语(語)言能力 29
yǔyánxué 语(語)言学(學) 83
yǔyīn dǎolǎn 语(語)音导(導)览(覽) 214
yùlán 玉兰(蘭) 238
yùmǐmiàn 玉米面(麵) 136
yùtou 芋头(頭) 133
yùjīnxiāng 郁金香 211
yùgāng 浴缸 60

yùjīn 浴巾 61
yùlián 浴帘(簾) 60
yùmào 浴帽 61
yùshì/wèishēngjiān 浴室/卫(衛)生间(間) 50
yùyè 浴液 63
yùbèi 预备(預備) 254
yùdìng jīpiào 预(預)订(訂)机(機)票 204
yùdìng jiǔdiàn 预(預)订(訂)酒店 204
Yùgùzú 裕固族 37
yuānyang 鸳鸯(鴛鴦) 277
Yuán 元 286
Yuándàn 元旦 16
yuánqǔ 元曲 287
yuánsù zhōuqībiǎo 元素周期表 88
yuánxiāo 元宵 16
Yuánxiāojié 元宵节(節) 16
yuán 元/圆(圓) 18
yuányì 园艺(園藝) 43
yuánshǐ shèhuì 原始社会(會) 286
yuánzǐdàn 原子弹(彈) 266
yuánguī 圆规(圓規) 86
yuánhào 圆号(圓號) 249
yuánxíng 圆(圓)形 23
yuánzhūbǐ 圆(圓)珠笔(筆) 86
yuánzhùtǐ 圆(圓)柱体(體) 23
yuánzhuītǐ 圆锥体(圓錐體) 23
yuǎn 远(遠) 24
yuēhuì 约会(約會) 46
yuèbing 月饼(餅) 16
yuèjì 月季 211
yuèliang 月亮 269
yuèpiào 月票 199
yuèshí 月食 269
yuèxīn 月薪 112
yuèzūfèi 月租费(費) 178
yuèduì 乐队(樂隊) 208
yuèpǔ 乐谱(樂譜) 247
yuèbīngshì 阅(閱)兵式 16
yuèlǎnshì 阅(閱)览(覽)室 80
yuècàiguǎn 粤菜馆(館) 147
yuèyǔ 粤语(語) 289
yuèwèi 越位 256
Yún-Guì Gāoyuán 云(雲)贵(貴)高原 284
yǔnshí 陨(隕)石 214
yùnfù 孕妇(婦) 159
yùnchāochē 运钞车(運鈔車) 181
yùndòngfú 运(運)动(動)服 120

yùndòngxié 运(運)动(動)鞋 116
yùndòngyuán 运动员(運動員) 97
yùnshūjī 运输机(運輸機) 266
yùnmǔ 韵母 288
yùn 熨 68
yùndǒu 熨斗 64
yùnyībǎn 熨衣板 64

Z

zágōng 杂(雜)工 148
zázhì 杂志(雜誌) 80
zàipiàn 载(載)片 89
zàihūn 再婚 47
zàntíng 暂(暫)停 258
zāng 脏(髒) 24
zànglǐ 葬礼(禮) 73
Zàngzú 藏族 34
záozi 凿(鑿)子 110
zǎoshang/zǎochén 早上/早晨 13
zàoxíngshī 造型师(師) 96
zàozhǐshù 造纸(紙)术(術) 287
zhá 炸 144
zhájiàngmiàn 炸酱(醬)面(麵) 136
zhǎyǎn 眨眼 230
zhàyào 炸药(藥) 266
zhàměng 蚱蜢 278
zhàzhījī 榨汁机(機) 59
zhǎi 窄 27
zhān xìnfēng 粘信封 177
zhǎngàir 盖盖儿(蓋蓋兒) 153
Zhànguó 战国(戰國) 286
zhànlüè huǒjiàn bùduì 战(戰)略火箭部队(隊) 264
zhànzhēngpiàn 战(戰)争片 250
zhàn 站 229
zhàntái 站台(臺) 198
zhàntáipiào 站台(臺)票 196
zhāngyú 章鱼(魚) 275
zhāngnǎoqiú 樟脑(腦)球 64
zhāngláng 蟑螂 278
zhǎngbèi 长辈(長輩) 75
zhǎngxiàng 长(長)相 38
zhǎngfǎ 掌法 262
zhǎnggǔ 掌骨 167
zhàng 丈 20
zhàngfu 丈夫 46
zhàngmuniáng/yuèmǔ 丈母娘/岳母 49
zhàngren/yuèfù 丈人/岳父 49

319

zhàngběn 账(賬)本 98
zhàngdān 账单(賬單) 178
zhànghào 账号(賬號) 181
zhàng'àisài 障碍(礙)赛(賽) 254
zhāoshēng bàngōngshì 招生办
　(辦)公室 79
zhāoshì 招式 263
zhǎo 爪 277
zhǎo liètóu 找猎(獵)头(頭) 112
zhǎo nǔpéngyou 找女朋友 46
zhǎo zuòwèi 找座位 194
zhǎozé/shīdì 沼泽(澤)/湿(濕)地 273
zhào jìngzi 照镜(鏡)子 67
zhàopiàn 照片 53
zhàoxiàngjī 照相机(機) 122
zhēyángbǎn 遮阳(陽)板 191
zhēyángsǎn 遮阳(陽)伞(傘) 239
zhédié cānzhuō 折叠餐桌 191
zhéxué 哲学(學) 83
zhézhēn 蜇针(螫針) 278
zhělǐshuǐ 啫喱水 124
zhēnjiǔ 针(針)灸 175
zhēnjiǔshī 针(針)灸师(師) 175
zhēnchá 斟茶 153
zhēnzi 榛子 131
zhěngǔ 枕骨 166
zhěnjīn 枕巾 54
zhěntào 枕套 54
zhěntou 枕头(頭) 54
zhènchǐ 镇(鎮)尺 244
zhèndìng 镇(鎮)定 27
zhēnghūn 征(徵)婚 46
zhēng 筝 248
zhēng 蒸 144
zhēngfā 蒸发(發) 237
zhēngguō 蒸锅(鍋) 58
zhēnglóng 蒸笼(籠) 59
zhēngqìshì 蒸汽室 220
zhěnglǐ wénjiàn 整理文件 104
zhěngqián 整钱(錢) 19
zhěngróng 整容 127
zhèng 正 26
zhèngfāngtǐ 正方体(體) 23
zhèngfāngxíng 正方形 22
zhèngmiàn 正面 18
zhèngshǒu 正手 259
zhèngjù 证据(證據) 185
zhèngshū 证书(證書) 29
Zhèng Hé xià xīyáng 郑(鄭)和下
　西洋 287

zhèngzhì 政治 82
zhèngzhìjiā 政治家 95
zhèngzhìxué 政治学(學) 83
zhīchí 支持 233
zhīpiào 支票 19
zhī máoyī 织(織)毛衣 43
zhīfáng 脂肪 126
zhīzhū 蜘蛛 278
zhí 直 26
zhíbǎn 直板 259
Zhíbùluótuó Hǎixiá 直布罗(羅)陀
　海峡(峽) 291
zhícháng 直肠(腸) 164
zhífà 直发(髮) 124
zhíshēngjī 直升(陞)机(機) 266
zhítǐ 直体(體) 261
zhíxiáshì 直辖(轄)市 285
zhíyè gāozhōng 职(職)业(業)高
　中 76
zhíwùyuán 植物园(園) 211
zhǐténgyào 止疼药(藥) 173
zhǐ 纸(紙) 87
zhǐbēi 纸(紙)杯 57
zhǐbì 纸币(紙幣) 19
zhǐhé 纸(紙)盒 178
zhǐhuī 指挥(揮) 208
zhǐjiadāo 指甲刀 127
zhǐjiayóu 指甲油 127
zhǐnánzhēn 指南针(針) 287
zhǐshì biāozhì 指示标(標)志(誌) 198
zhǐgǔ 趾骨 167
zhì 痣 38
zhìwùdài 置物袋 191
zhì 雉 277
zhōngbēi 中杯 155
zhōngcāntīng 中餐厅(廳) 146
zhōngchǎng xiūxi 中场(場)休息 256
zhōngchéngyào 中成药(藥) 174
Zhōngguó 中国(國) 32
zhōngjiāncéng 中间(間)层(層) 270
zhōngjiàng 中将(將) 264
zhōngjiè 中介 97
zhōngkǎo 中考 85
zhōngnǎo 中脑(腦) 164
zhōngnián 中年 71
zhōngpù 中铺(鋪) 196
Zhōngqiūjié 中秋节(節) 16
zhōngwèi 中尉 264
zhōngwǔ 中午 13
zhōngxiào 中校 264

zhōngxué 中学(學) 76
zhōngxuéshēng 中学(學)生 76
zhōngyī 中医(醫) 158,175
zhōngyī ànmó 中医(醫)按摩 175
zhōngyī zhěnsuǒ 中医(醫)诊(診)
　所 174
zhōngyǔ 中雨 234
zhōngzhǐ 中指 161
zhōngzhuǎn 中转(轉) 190
zhōngdiǎn 终点(終點) 254
zhòngshǔ 中暑 239
zhòng 重 24
zhōumò 周末 15
zhōu 粥 146
zhǒubù 肘部 163
zhòu méitóu 皱(皺)眉头(頭) 224
zhòuwén 皱纹(皺紋) 126
zhūbǎo shǒushì 珠宝(寶)首饰
　(飾) 117
Zhūmùlǎngmǎ Fēng 珠穆朗玛
　(瑪)峰 284
zhū 猪 14,109
zhūròu 猪肉 134
zhūtí 猪蹄 135
zhúsǔn 竹笋 133
zhǔcài 主菜 151
zhǔchírén 主持人 72
zhǔdòngmài 主动(動)脉 164
zhǔjī 主机(機) 101
zhǔjiào 主教 45
zhǔ 煮 144
zhǔguō 煮锅(鍋) 58
zhùyuànbù 住院部 159
zhùzhǐ 住址 29
zhùlǐ 助理 94
zhùshèqì 注射器 172
zhùyì fēijīdòngchē 注意非机(機)
　动(動)车(車) 203
zhùyì luòshí 注意落石 202
zhùyì wēixiǎn 注意危险(險) 203
zhùyì xìnhàodēng 注意信号(號)
　灯(燈) 202
zhùyì xíngrén 注意行人 202
zhùshòu 祝寿(壽) 74
zhuāyào 抓药(藥) 174
zhuānjí 专辑(專輯) 247
zhuānjiā ménzhěn 专(專)家门(門)
　诊(診) 159
zhuānyè 专业(專業) 28
zhuān 砖(磚) 107

zhuǎnchē 转车(轉車)	196	
zhuǎnjī 转机(轉機)	195	
zhuǎnshēn 转(轉)身	229,261	
zhuǎnxiàngdēng 转(轉)向灯(燈)	201	
zhuǎnsùbiǎo 转(轉)速表	200	
zhuàntái 转台(轉臺)	192	
zhuànkè 篆刻	242	
zhuànshū 篆书(書)	242	
zhuāngjia 庄(莊)稼	240	
zhuāngdìng 装订(裝訂)	105	
zhuāngjiǎbīng 装(裝)甲兵	264	
zhuāngjiǎchē 装(裝)甲车(車)	267	
zhuāngshìhuà 装饰画(裝飾畫)	53	
zhuāngxiū 装(裝)修	46	
Zhuàngzú 壮(壯)族	34	
Zhǔnyá'ěr Péndì 准噶尔(爾)盆地	284	
zhǔnkǎozhèng 准考证(證)	30	
zhuōbù 桌布	57	
zhuómùniǎo 啄木鸟(鳥)	277	
zī yá liě zuǐ 龇(齜)牙咧嘴	227	
zǐdàn 子弹(彈)	267	
zǐsè 紫色	22	
zǐwàixiàn 紫外线(線)	270	
zìdiǎn 字典	87	
zìmù 字幕	251	
zìdòng fútī 自动(動)扶梯	116	
zìdòng qiānbǐ 自动(動)铅(鉛)笔(筆)	86	
zìdòng qǔkuǎnjī 自动(動)取款机(機)	182	
zìdòng shòupiàojī 自动(動)售票机(機)	198	
zìdòng xuánzhuǎnmén 自动(動)旋转(轉)门(門)	207	
zìláishuǐ 自来(來)水	57	
zìrán bówùguǎn 自然博物馆(館)	214	
zìsī 自私	41	
zìxí 自习(習)	84	
zìxíngchē 自行车(車)	189	
zìyóuyǒng 自由泳	261	
zìzhìqū 自治区(區)	285	
zìzhùcān 自助餐	147	
zìzhùyóu 自助游	204	
zìzhù zhíjīguì 自助值机(機)柜(櫃)	192	
zōngjiào yīnyuè 宗教音乐(樂)	247	
zōnghé wéishēngsù 综(綜)合维(維)生素	173	
zōngyì jiémù 综(綜)艺(藝)节(節)目	251	
zōngsè 棕色	22	
zǒngcái 总(總)裁	94	
zǒng'é 总额(總額)	178	
zǒngjī 总机(總機)	103	
zòngzi 粽子	16	
zǒu 走	229	
zǒu gāngsī 走钢(鋼)丝(絲)	212	
zǒulù 走路	188	
zòu guógē 奏国(國)歌	253	
zúbèigǔ 足背骨	167	
zúliáo 足疗(療)	126	
zúqiú 足球	256	
zúqiúchǎng 足球场(場)	78	
zuānkǒng 钻(鑽)孔	107	
zuànshí 钻(鑽)石	117	
zuàntóu 钻头(鑽頭)	110	
zuǐba 嘴巴	161	
zuǐchún 嘴唇	161	
zuìdī xiāofèi 最低消费(費)	157	
zuótiān 昨天	14	
zuǒ 左	187	
zuǒshǒu 左手	162	
zuò bàogào 作报(報)告	91	
zuòcí 作词(詞)	247	
zuòjiā 作家	96	
zuòqǔ 作曲	247	
zuòzhě 作者	81	
zuò 坐	229	
zuòxià 坐下	90	
zuò bǐlù 做笔(筆)录(錄)	185	
zuò fàxíng 做发(髮)型	124	
zuòfàn 做饭(飯)	68	
zuò X guāng tòushì 做X光透视(視)	170	
zuò guǐliǎn 做鬼脸(臉)	225	
zuòkè 做客	93	
zuò miànmó 做面膜	126	
zuò túbiǎo 做图(圖)表	105	

Index in English | 英文索引

1st tone	288
20% off	123
2nd place	252
2nd tone	288
3rd place	252
3rd tone	288
4th tone	288
8 pm on Friday, August 8, 2008	15

A

academic building	78
academy of fine arts	76
accelerate	254
accelerator pedal	200
accepted currencies	182
accordion	249
accountant	97
accountant's certificate	30
account charge office	198
account number	181
accumulated snow	241
Achang	36
acid rain	282
acne	127
acre	21
action movie	250
actress	96
acupuncture	175
acupuncture points	175
acupuncturist	175
Adam's apple	160
adapt to the environment	93
address	29
administer drugs	171
admission notice	92
admissions office	79
adolescent	71
adult ticket	214
advertisement	251
aerolite	214
afraid	233
Africa	290
afternoon	13
age	28
agent	97

agree	233
agriculture	83
AIDS	168
air	270
airbag	201
airborne troops	264
air conditioner	53
aircraft carrier	266
air defense force	264
air force	264
airline company	205
airline ticket	193
airmail	176
airman	264
air mass	237
air mattress	219
airport shuttle	192
air purifier	122
air shipping	176
airsickness bag	191
aisle seat	191
alarm clock	54
album	247
alcohol burner	89
alien employment permit	31
alive	24
allergy	169
Alma Mater	28
almond	131
Alps	290
Amazon Plain	290
ambulance	158
American football	256
amplifier	122
amusement park	212
Andes	290
anesthesiologist	159
angry	232
animal show	212
animal trainer	212
animated movie	250
ankle	162
ankle bone	167
answer	90
answer the phone	104
ant	278

Antarctica	290
Antarctic Circle	236
antelope	280
antibacterial drugs	173
antique store	115
anxious	27
aorta	164
apartment complex	51
appearance	38
appendix	164
appetizer	151
apple	131
apple pie	151
appliances	116
apply	92
apply a facial mask	126
apply for a passport	92
apply for a position	112
apply for a visa	92
apply make-up	67
apply sunscreen	219
apricot	131
April	15
apron	57
aquarium	214
Arabian Peninsular	291
Arabian Sea	290
Arabic	32
arcade game	223
archery	253
architect	94
architecture	83
arch one's eyebrows	224
Arctic Circle	236
Arctic Ocean	290
area code	103
area map	198
Argentina	32
argon	270
arm	162,163
armed police	264
armored car	181,267
armored corps	264
armpit	162,163
armpit hair	162
arm stroke	261

army engineer	264	award ceremony	252	baseball	256
army uniform	267	axe	110	baseball cap	116
arrange documents	104	azalea	238	bashful	40
arrest	185			basin	273
arrive	190			basket	258
arrive at the airport	194	**B**		basketball	256
arrogant	41			basketball court	78
art	82	baboon	281	basketball stand	258
arthritis	169	baby food	119	bass guitar	249
artillery	264,267	back	163,187	bat	281
artillery shells	267	backboard	258	bathe	66
art museum	214	backhand	259	bathe the child	70
Art of War	287	backpack	86,216	bathroom	50
art supply box	244	backstroke	261	bath rug	60
ashtray	53	bad	24	bath towel	61
Asia	290	badminton	256	bathtub	60
ask a question	90	baggage claim	192	baton	254
asparagus	133	baggage rack	196	battery	123,201
assistant	94	baggage trailer	192	beach	219
asthma	168	bags under the eyes	126	beach chair	219
astrojet	212	Bai	35	be a guest	93
astronaut	269	bakery	115	beak	277
astronomical telescope	269	balance	89	beaker	89
astronomy	83	balcony	50	be all smiles	227
athlete	97	bald	38	beans	128
Atlantic Ocean	290	ballet	208	bean sprouts	132
ATM	182	ball rack	222	beard	124
atmosphere	270	ballroom	222	beat an egg	145
atmospheric circulation	237	balsam pear	133	beauty salon	115
atmospheric pressure	237	bamboo flute	248	become red to the ears in anger	226
atomic bomb	266	bamboo shoot	133	bed	55
attack aircraft	266	bamboo steamer	59	be damaged	81
attend a job fair	112	banana	131	bedding	116
attend gatherings	93	band	208	be demoted	113
audio guide	214	band-aid	173	bedroom	50
auditorium	78	bandage	173	bedside lamp	54
August	15	bangs	124	bedside table	54
aunt (father's sister)	48	bank card	181	bedspread	54
aunt (mother's sister)	49	banquet	72,146	bee	216
Australia	32	banquet hall	206	beef	134
Australian Dollar	183	bar	222	be employed	85
author	81	barbecue	216	beer	141
automated check-in machine	192	barbecued meat	216	Beijing opera	208
automatic pencil	86	barbecue rack	216	be in love	46
automatic revolving door	207	barbell	220	be jealous of	226
automatic ticket vending machines	198	barber shop	114	Belgium	32
autonomous region	285	barcode scanner	119	bellhop	207
avalanche	283	bar counter	222	bell pepper	132
award a medal	252	bargain	121	belly	162
		bartender	222		

belly dance	220	blind knife throwing	212	bowling ball	222
be lost	81	blink	230	bowling pins	222
belt	116	blister	169	box	178
bench	210	blizzard	282	boxing	263
bench player	258	block	259	box lunch	146
bench pressing	220	blood	159	boys' dorm	78
bend over	228	blood pressure cuff	172	bracelet	117
bent	26	blood transfusion	171	braces	172
be overdue	81	bloom	238	braids	124
be pregnant	47	blow dry	124	brain	164
be promoted	113	blowhole	275	braise	144
Bering Strait	291	blown sand	234	brake light	201
beside the school	187	blue	22	brake pedal	200
best man	72	blues	246	brandy	141
beverage	119	blue sky	270	Brazil	32
bicycle	189	blurred	24	bread	216
big	27	blush	63,227	break-dancing	220
bikini	219	board a bus	199	break a record	261
bill	19,178	board a plane	194	break between classes	84
bill counter	181	boarding gate	193	break out in a cold sweat	226
billiard room	222	boarding pass	193	breast augmentation	126
bill payments	178	boat race	253	breastbone	166
biluochun	153	Bodhisattva	44	breaststroke	261
bind	105	body-building	42	breathe	230
binoculars	214	body wash	63	breathe on one's hands for warmth	241
biological weapon	266	Bohai Sea	285	breeze	238
biology	82	boil	144	brew tea	153
birth certificate	31	boil water	68	bricks	107
birthday cake	74	bold	40	bride	72
birthday card	74	bolt	111	bridesmaid	72
birthday gift	74	bomber	266	bridge	210
birthday party	74	Bonan	37	bright-colored	22
bishop	45	bone	135,161	bring the child to school	70
bitter	139	bonus	113	bring the child to see the doctor	70
black	22	book	80	broad	27
black bear	280	book a flight	204	broad-minded and outspoken	40
blackboard	88	bookcase	55	broadsword	263
blackboard eraser	88	book shelf	81	broccoli	132
black coffee	154	bookstore	114	broker	97
black hole	269	boots	117	bronze medal	252
black rice	136	bored	232	brooch	117
Black Sea	290	borrow	81	brook	216
black tea	153	boss	104	broom	64
bland	139	botanical garden	211	brown	22
Blang	36	bottle opener	59	brown sugar	138
blanket	54	Bouyei	34	bruise	168
bleach	64	bow	228	brush	64
bleed	168	bowl	148,153	brush one's teeth	67
blender	59	bowling alley	222	brush rack	244

bucket	64	calendar	98	cash register	118
Buddha	44	calisthenics	220	Caspian Sea	290
Buddhism	44	calligraphy	242	casserole	59
Buddhist monk	44	calligraphy brush	86	cassia bark	139
Buddhist nun	44	calling card	102	cast a sidelong glance	227
buffet	147	call the police	185	caterpillar	279
bug spray	64	call the waitress	156	Catholicism	45
build a sand castle	219	calm	27,41,232	Catholic priest	45
build a snowman	241	calorie	129	cauliflower	132
building	51	camera	122	caution	203
bulldozer	107	camouflage	267	cautious	41
bulletin board	78	Canada	32	cavalry	264
bulletproof vest	267	Canadian Dollar	183	cave	273
bullets	267	canary	277	CD-ROM drive	100
bumper	201	cancer	168	CD player	123,200
bumper boat	212	candle	74	ceiling	50
bumper cars	212	candy	118	celebrate an anniversary	47
bumper harvest	240	canned food	119	celebrate an elder's birthday	74
bumpy road	202	can opener	59	celebrate lunar New Year	74
bun	124	cantaloupe	131	celery	132
burn	169	Cantonese dialect	289	cello	249
burp	231	Cantonese restaurant	147	cellphone	103
bus	188	canvas	244	cellphone number	28
business account services	180	canyon	273	cement	107
business administration	83	capital	285	Centigrade	21
business card	99	cappuccino	154	centipede	279
business center	207	capsule	173	cerebellum	164
business class	190	captain	190,264	cerebrum	164
business license	30	car	188,196	certificate	29
businessman	95	car attendant	196	certificate of deposit	181
Bus No. 332	199	carbohydrates	129	cervical vertebra	167
bus station	199	carbon dioxide	270	cha-cha	222
busy	240	careful	40	chalk	88
butter	142	careless	40	champagne	141
butterfly	216	cargo-transport plane	266	champion	252
butterfly stroke	261	cargo hold	190	change	19
buttocks	163	Caribbean Sea	290	change a light bulb	69
buy a house	46	carnation	16	change diapers	70
buy groceries	68	carpenter	94	change jobs	113
buy toys	70	carpet	53	change shoes	66
buzz cut	124	carrot	132	change size	121
		carry	228	change the sheets	68
C		carry-on baggage	192	changing room	220
		carry a bag	67,106	chapstick	63
cabinet	57	carry on one's back	229	charcoal stick	245
cable car	188	cartoon	243	charger	123
cafe	208	car wash	201	chat	42
calcium	129	cash	123	cheap	24
calculator	99	cashier	97,119	check	19

check an account balance	182	Chinese massage therapy	175	claw	277
check-in counter	192	Chinese medicinal food	175	clay sculpture	242
check-in date	204	Chinese medicine clinic	174	clean	24,75
check-out desk	80	Chinese movie	250	clean a room	206
check a flight	194	Chinese New Year	16	cleaning supplies	119
check blood pressure	171	Chinese New Year's Eve	16	cleanser	64
check e-mails	104	Chinese New Year painting	242	clean the toilet	69
check in	206	Chinese painting	242	clear	24
check luggage	194	Chinese pickles	146	clear the table	157
check out	207	Chinese prickly ash	138	cleaver	59
checkout counter	119	Chinese restaurant	146	clench one's teeth in hatred	227
cheek	160	Chinese rose	211	clergy	44
cheekbone	166	Chinese sorghum liquor	141	clerical script	242
cheerleader	258	Chinese staff	263	clerk	178
cheese	142	Chinese Valentine's Day	16	click	100
chef	95,148	Chinese zither	248	cliff	273
chemistry	82	Chinese zodiac	14	climb a ladder	106
cheongsam	120	chisel	110	clinic	79
cherry	131	chocolate	16	clip	99
chest	162	chocolate cake	151	close	26
chestnut	131	choose	121	close a book	90
chi	20	choose a destination	204	close an account	181
chick	109	choose a drink	195	close one's eyes	225
chicken	134	choose a major	93	closing ceremony	253
chicken breast	135	choose a meal	195	clothes store	115
chicken feet	135	choose a service	182	cloudy	234
chicken leg	135	choose a song	223	clove	238
chicken neck	135	choose classes	93	clown	212
chickenpox	168	chop	144,259	cm	20
chicken wing	135	chopstick holder	148	co-pilot	190
child	71	chopsticks	148	coach	79
children's program	251	Christianity	44	coarse	27
children's clothing	117	Christmas	16	coast	273
children's menu	150	Christmas tree	16	coastguard	264
children's ticket	214	chrysanthemum	240	coat	120
chili oil	149	chrysanthemum tea	153	cobbler	94
chimpanzee	280	church	45	cobra	281
chin	161	cicada	278	cockpit	190
China	32	cinema	208	cockroach	278
Chinese	32	circle	23	cocktail	141
Chinese cabbage	132	circular saw blade	110	cocoa powder	155
Chinese calligraphy ink	86	circus	212	coconut	131
Chinese character	288	city	204,285	coffee	140
Chinese dulcimer	248	civil servant	94	coffee beans	155
Chinese dumplings	146	claim baggage	195	coffee creamer	154
Chinese food therapy	175	clam	135	coffee cup	155
Chinese herbal medicine	174	clarinet	249	coffee machine	155
Chinese ID card	30	classical music	246	coffee pot	155
Chinese language	82	classroom	78	coffee powder	155

coffee shop	114	Confucius	287	crane	107
coffee table	52	congee	146	crawl	229
coffin	73	connect	103	crayons	87
coin	18	conservatory of music	76	cray pastel	245
cola	140	constellation	269	cream	142
cold	168,234,240	construction	203	credit card	123
cold air current	240	construction worker	94	crematorium	73
cold dish	148	contact information	28	crew cut	124
cold drink	155	contact lenses	172	crib	54
cold drink stand	211	contact lens solution	172	cricket	279
cold noodles	136	continent	273	crocodile	281
cold water	57	continental shelf	273	crops	109,240
cold wave	283	convenience store	115	cross	45
collarbone	166	cook	43,68	cross one's legs	229
collar cleanser	64	cooked	145	crossroad	202
colleague	104	cooked rice	136	crosstalk	152
collect homework	91	cooking oil	138	crow	276
collect stamps	43	cooking wine	139	crushed hot pepper	138
college entrance exam	85	cool	234,240	crust	273
college student	76	copy a text	90	crutches	159
colonel	264	coral	275	cry	230
color TV	122	cordless phone	103	cry hysterically	224
colorectum	164	core	273	cube	23
comb	63,124	corner kick	257	cuboid	23
combination lock briefcase	181	corn flour	136	cuckoo	276
combo	146	correct homework	91	cucumber	133
comb one's hair	67	correct the exam	91	cucurbit flute	248
come	26	correction fluid	99	cue rack	222
comedy	250	corridor	50	cumulonimbus cloud	270
comet	269	cosmetics	116	cun	20
compass	287	costume	208	cup	148,175
compasses	86	cotton	120	cupping method	175
complicated	27	cough	231	curious	232
composer	247	countdown	75	curlers	124
computer	98	counterfeit bill	181	curly hair	124
computer guide	214	counterfeit bill detector	181	currency exchange counter	193
computer room	79	country code	103	current position	29
computer technician	97	country music	246	cursor	101
computer tower	101	course rope	261	curtains	50
concert hall	208	court	185	cushion	57
concerto	246	covered bowl	152	customs	193
concrete mixer	106	cover one's ears	225	customs declaration form	193
condensed milk	143	cover one's face	224	cut	144,168
condiments	148	cover one's mouth	225	cut hair	124
condition	124	covertible	188	cutting board	59
conditioner	63	cow	109	cuttlefish	275
conductor	197,198,208	crab	135	cylinder	23
cone	23	crabapple blossom	238	cymbals	249
conference room	105	crackers	216		

D

dad	48
dagger	263
Dai	35
daily groceries	119
dairy product	119
dairy products	128
dam road	202
dance	42
dance academy	76
dance music	246
dancer	96,208
dancing partner	222
dangerous area	203
Danish Krone	182
dark-colored	22
dark brown	22
dark circles	127
dark cloud	270
dark color	22
dash	254
dash to the finish line	254
date of birth	28
date of deposit	181
daughter	49
Daur	36
dawn	13
day after tomorrow	14
day before yesterday	14
De'ang	37
dead	24
December	15
decide	123
decisive	40
decoct Chinese medical herbs	175
decorate a new home	46
decorative painting	53
deed	31
deep-fry	144
deep fried tofu	143
deer	280
defend	258
degree	76
degree certificate	31
delicate and pretty	39
deli food	118
delivery address	177
delivery man	97

delta	273
dental department	159
dental floss	63
dentist	97
depart	190
department of five sensory organs	159
department store	114
departure city	204
departure date	204
departure lobby	192
deposit amount	181
depressed	233
dermatology	159
Derung	37
describe one's illness	170
desert	273
desk	55,88,99
desk lamp	55
desktop computer	100
dessert	151
destination city	204
detain	185
diabetes	169
dial	102
dialect	289
diamond	117
diaper	54
diaphragm	164
diarrhea	169
dictation machine	123
dictionary	80,87
dig a trench	107
digital camera	122
diligent	24
dimples	38
dining area	50
dining car	197
dining chair	57
dining hall	147
dining table	57
dinosaur	281
dinosaur fossil	214
diploma	30
director	96
directory assistance	102
dirty	24
disaster caused by windstorm	282
disco	222
disco dance	222

discount airline ticket	205
discus	254
discuss	90,123
dish	148
dish for washing the brush	244
dish rack	57
dishwasher	57
dishwashing cloth	59
dishwashing liquid	59
disposable needle	172
dive	219,261
diver	219
divided lanes	203
diving goggles	219
diving suit	275
divorce papers	30
dizzy	169
dm	20
do a handstand	229
do an internship	85
dock	100
doctor	97,170
doctor of traditional Chinese medicine	175
document	98
documentary	250
dog	14
do homework	91
dolphin	275
dombra	248
domestic long-distance call	103
domestic mail	176
domestic remittance	178
domestic travel	204
Dong	34
Dongxiang	35
donkey	109
do not enter	203
doorbell	50
doorman	207
double-edged eyelid	38
double eyelid surgery	127
double room	206
doubles	259
down	186
down jacket	120
downstairs	186
dragon	14
Dragon Boat Festival	16

dragon boat race	16	
dragonfly	216	
dragon fruit	131	
drain	60	
drama	250,287	
drama school	76	
draw	43	
draw blood	171	
drawer	55	
drawing	243	
drawing board	244	
drawing ruler	244	
dress	120	
dress a wound	171	
dressing room	208	
dressing table	54	
dress the child	70	
dried tofu	143	
drill a hole	107	
drink	230	
drink alchoholic beverages	222	
drinking fountain	57	
drive	42,261	
driver	94	
driver's license	30,200	
driving school	201	
drizzle	238	
dropper	89	
drought	282	
drown	219	
drum	248	
dry	24,68,234	
dry cleaner	115	
dry cleaning	207	
dryer	123	
drying rack	64	
dry season	237	
duck	109,134	
dumb	24	
dumbbell	220	
dumpling	136	
dunk	258	
durian	131	
dusk	13	
dust	69	
dustpan	64	
dust storm	234	
duty free shop	193	
DVD player	122	

dye hair	124	
dynasty	286	

E

e-mail	101	
ear	161	
earlobe	160	
early morning	13	
earpick	63	
earrings	117	
Earth	269	
earthquake	282	
earthworm	278	
easel	245	
East	187	
Easter	16	
Easter egg	16	
East Sea	285	
eat	230	
eat breakfast	67	
eat dinner	66	
eat lunch	105	
eat New Year's Eve dinner	75	
eat snacks	152	
economics	83	
economy class	190	
editor	94	
education	83	
educational background	28	
egg	135,279	
eggplant	132	
Egypt	32	
eight	8	
eight trigram palm	263	
eighty	8	
elbow	163	
elder	75	
elderly	71	
electric crimper	124	
electrician	94	
electricity bill	178	
electric clippers	124	
electric kettle	57	
electric razor	63	
electric toothbrush	63	
electrocardiogram machine	172	
electromagnetic stove	58	
electronica	246	

electronic dictionary	123	
electronic journal	81	
electronic keyboard	249	
electronics store	115	
elegiac couplet	73	
elephant	210	
elevation	237	
elevator	51	
El Niño	282	
embarrassed	232	
embroider	43	
emergency exit	191	
emergency number	102	
emergency room	159	
emotional	41	
emperor	287	
employ	112	
employee ID	30	
empty the dustpan	69	
encourage	71	
encyclopedias	80	
endocrinology	159	
enfeoffment system	287	
engine	201	
engineer	94	
English	32	
engraving knife	245	
enjoy the cool	239	
enter a PIN	182	
entrance	196,198	
entrée	151	
entry	261	
envelope	176	
environmentally friendly bag	119	
equator	236	
equestrian	253	
eraser	87	
erase the board	90	
erhu (a two-stringed fiddle)	248	
escalator	116	
esophagus	164	
espresso	154	
Ethiopia	32	
ethnicity	28	
Euro	182	
Europe	290	
evaporation	237	
evening	13	
evening gown	120	

evidence	185	falling rocks	202	fighter plane	266
Ewenki	37	family of three	47	figure	38
exam booklet	91	family origins	28	figure drawing	243
examination admission card	30	famine	283	figure out a budget	204
examine	170	fan	52,239	file	110
excavator	106	far	24	file cabinet	99
exchange	123	fare	198	fill a prescription	171
excited	232	fare card	199	fillet	135
exercise	220	farm	109	fill in a form	178
exercise bike	221	farmer	94	fill or make up a prescription	174
exhausted	232	farmer's market	115	film	123
exhaust pipe	201	farmhouse	109	film festival	251
exit	182,198	farmland	109	fin	275
exosphere	270	fast	24	final exam	84
expensive	24	fast-food restaurant	146	finance	83
explosive	266	fasten a seat belt	194	financial management services	181
express mail	176	fat	38,126	find a headhunter	112
extension	103	fat-free milk	142	find one's seat	194
extra-curricular activities	84	father	48	fine	81
extra-marital affair	47	father-in-law (husband's father)	49	fine dried noodles	136
extra large cup	155	father-in-law (wife's father)	49	finger	163
extra time	256,259	fatty meat	134	fingernail	163
extroverted	40	faucet	57	finish a class	84
eye	160	fax	98	finish line	254
eyebrow	160	feather	277	finish school	84
eyebrow pencil	63	feather duster	64	finish work	105
eye chart	172	February	15	fire	113,283
eye cream	63	feed	70,109	firecrackers	74
eyedrops	173	feeding bottle	54	fire department emergency number	102
eyelash curler	63	feed the dog	69	fire engine	188
eyelashes	160	feel	230	firefighter	264
eye liner	63	feel good	24	firefly	278
eye shadow	63	feel sick	24	fireman	94
		female	26	fireworks	16,74
		female role	208	first	9
F		*fen*	18	first bus	199
		fencing	253	first class	190
fabric softener	64	fermented tofu	143	first half	256
face	160	Ferris wheel	212	first lieutenant	264
face brush	63	fertilize	109	first year high school Class 2	88
face tissues	63	feudal society	286	fish	135,216
facial cleanser	63	fever	169	fish bowl	52
facial cream	63	fiber	129	fisherman	94
facial pattern	208	fibula	167	fishing line	216
Fahrenheit	21	field army	264	fishing lure	216
fail	85	field hockey	256	fishing rod	216
fair	39	fierce	39	fish pond	109
fake nails	126	fifty	8	fist technique	262
fall	228,240	fifty *yuan*	19	fitness card	220
fallen leaves	240				

fitness center	206
fitness class	220
fitness equipment	51
fitting	110
five	8
five elements	175
five *fen*	18
five *jiao*	18
five past six	13
five thousand seven hundred eighty-one	
kuai four *mao* and six *fen*	19
five *yuan*	19
flamingo	276
flash drive	101
flashlight	110
flask	89
flat	27
flat bread	136
flea	279
flight attendant	190
flight information board	192
flight number	205
flippers	219
flip turn	261
flood	282
floor	50
floor drain	60
floor lamp	52
floor wax	64
floppy disk	101
flour	136
flower	216
flower bud	238
flowerpot	53
flower shop	114
flower tea	153
flower terrace	211
fly	278
fly a kite	210
flyswatter	64
fog	234
foldable stool	245
fold a quilt	69
folder	98
folk music	208,247
food bag	58
food pyramid	128
foot	20,163
football pitch	78

foot massage	126
forceps	89
forehand	259
forehead	160
foreign currency	19
foreign currency exchange	181
foreign currency exchange rate	181
foreign currency services	181
foreign language	82
foreign liquor	141
foreign movie	250
forest	273
fork	150
forty	8
foul	254
foundation	63
fountain	210
fountain-pen	86
four	8
fox	280
fracture	168
fragrant	24
frail	38
frame	172,245
France	32
freckles	126
free-throw	258
free admission	214
free fighting	263
free sample	119
freestyle	261
freeze	241
freezer	57,119
French	32
french fries	151
French horn	249
freshmen registration	93
Friday	15
fridge	57
fried dough sticks	146
fried noodles	136
fried rice	136
frog	216
front	187
frontal bone	166
front gate	50
frost	240,282
frown	224
frozen	100

frozen food	119
fruit	118,240
fruit knife	59
fruits and vegetables	128
fruit trees	109
frying pan	58
fry in shallow oil	144
fuel gauge	200
full	231
funeral	73
funnel	89
furnish	46
furniture	50
furniture store	115
fuselage	190

G

galaxy	269
gallbladder	164
Gan dialect	289
Gaoshan	35
garbage bag	61
garbage can	61
garbage truck	189
garble	101
garden	43,51
garlic	138
gas bill	178
gas station	201
gas stove	57
gauze	173
gearshift	200
Gelao	36
gender	28
general of the army	264
general store	115
generous	41
geography	82
geology	83
German	32
Germany	32
get a boarding pass	194
get divorced	47
get engaged	46
get off a bus	199
get off the plane	195
get paid	105
get ready	254

gift shop	115	go to bed	66	guitar	249
gills	275	go to school	84	gunpowder	287
Gin	37	go to the park	70	gymnastics	253
ginger	138	go to the toilet	66		
ginseng tea	153	go to work	104		
giraffe	210	gouache painting	242	**H**	
girls' dorm	78	graduate	85		
give an oral presentation	91	graduated cylinder	89	hail	234
give a shot	171	graduate program entrance exam	85	hair	161
give a speech	105	graduate school	76	hair dresser	96
give birth	70	graduate to a higher school	85	hairpin	124
give birth to a child	47	grains	128	hair spray	124
give New Year greetings	75	gram	21	Hakka dialect	289
glacier	272	granary	109	half a month	12
glass	50,57	granddaughter (daughter's daughter)	49	half past six	13
glass cleaner	64	granddaughter (son's daughter)	49	half time	256
glasses	172	grandson (daughter's son)	49	Halloween	16
gloves	116	grandson (son's son)	49	hamburger	151
glue	99,176	grapes	131	hammer	110
go	26	graphic design	243	hammer a nail	107
go abroad	92	grass	216	hammer throw	254
goal	257	grasshopper	278	hammock	216
goal kick	257	grassland	273	Han	37
goal line	257	grass script	242	hand-shake grip	259
goalpost	257	grave	73	handball	256
goat	14	gray	22	hand cream	63
go back to one's home country to visit relatives	93	greasy	139	handcuffs	185
go backward	26	green	22	hand drill	110
God	44	green beans	132	handicapped access	214
go forward	26	green onion	138	handicapped ID	31
gold	22	green tea	153	hand in homework	91
golden	240	greet	90	hand in the exam	91
golden monkey	280	greeting card	176	handle	55,152
goldfish	53	Gregorian calendar	14	hand out homework	91
gold medal	252	grenade	266	Han Dynasty	286
golf	256	grill	144	hang	68
gong	248	grimace	227	hanger	55
good	24	grind	155	hanging lamp	53
go on a business trip	113	grinder	155	hang one's head in dismay	227
go on a date	46	groom	72	hang up	103
go on a honeymoon	47	ground force	264	Hani	35
go online	100	ground meat	134	happiness character	74
goose	109	group ticket	214	happy	232
go out	67	grow	238	hard	24
gorilla	280	grow flowers	42	hard berth	196
go through a security check	194	grow up	47	hard disk	101
go to a temple fair	16	Guanshiyin Bodhisattva	44	hard seat	196
go to a tutorial class	84	guard	96	hardware store	114
		guest	72	harmonica	249
				harp	249

harvest	109	hike	216	hummingbird	277
harvester	109	hills	272	Hunanese restaurant	147
hate	233	Himalayas	290	hungry	231
haunted house	212	hip-hop	246	hurdles	254
have a bloody nose	168	hipbone	167	hurricane	283
have a class	84	hippo	280	husband	46
have a grandchild	47	hire	112	hydrogen	270
have a long face	226	history	82	hydrogen bomb	266
have a meal	195	history museum	214	hymns	247
have a meeting	105	hoe	111	hypertension	169
have a runny nose	231	hold	228		
have a snowball fight	241	hold a reunion	75		
have a worried look	227	hold a wedding	46		
hawk	276	hold in one's arms	228	**I**	
hazelnut	131	hole puncher	99		
head	160,163	Holy Bible	45	ice cascade	241
headache	169	homesick	233	ice cream	142
headboard	54	honey	155	ice cubes	150
header	256	Hong Kong Dollar	183	ice hockey	256
headlight	201	hood	201	ice lantern	241
headmaster's office	79	hook	61	ice sculpture	241
heads	18	horn	200	ice slide	241
headset	103	horror movie	250	ice tea	141
health certificate for international travel		horse	14,109	ice water	150
	31	horse cart	188	icicles	241
health status	28	horse-headed violin	248	ignition	200
health tea	153	hose	111	illustration	242
heart	164	hospital gown	159	imman	44
heart disease	168	hot	234	immortal being	44
heater	57	hot chocolate	154	in	26
heatstroke	239	hot dish	148	in-line skating	43
heavy	24	hot dog	151	inch	20
heavy-hearted	232	hot drink	155	index finger	161
heavy metal	247	hot pot	149	India	32
heavy rain	234	hot pot restaurant	147	Indian Ocean	290
hectare	21	hot spring	273	individual diving	261
hedgehog	280	hot water	57	infant	71
height	28	housekeeper	206	infantry	264
height limit	203	housekeeping cart	206	inferior vena cava	164
helicopter	266	house plant	53	inflated	27
helmet	107,185	HR department	29	information desk	192
help	71	Huai River	285	in front of the school	187
hen	109	hug	228	initial consonant of a Chinese	
Hezhen	37	Hui	34	syllable	288
high chair	150	Hui dialect	289	ink-slab	244
high cheekbones	38	human pyramid	212	ink stick	244
high heels	117	humerus	167	Inner Mongolia Plateau	284
high jump	254	humid	234	inpatient department	159
high school entrance exam	85	humidifier	122	inquire	175
				inquire about patient's illness	170
				inquire about the price	121

inscription	73	jazz	246	kiss	228
insectorium	214	jeans	120	kitchen	50
insert a bank card	182	jellied tofu	143	kitchen worker	148
inside the school	187	jellyfish	275	kiwi	131
install a door frame	107	Jesus Christ	45	km	20
install an operating system	101	jet-ski	219	knee	162
instant coffee	154	jet engine	190	knee cap	167
instant noodles	136	jewelry	117	kneel	229
institute of foreign languages	76	jiao	18	knife	87,150
institute of physical education	76	jin	21	knife block	59
insurance fee	178	Jin dialect	289	knit	43
intercom	181	Jingpo	36	koala	281
interest	181	Jino	37	Koran	44
interests	29	jog	42	Korean	34
internal medicine	158	join a funeral procession	73	Korean barbecue	147
international call	103	joint	161	Korean Won	183
international mail	176	judge	95	kuai (vernacular form of yuan)	18
international remittance	178	judo	262	kumquats	240
international travel	204	juice	140	kung fu	262
interpreter	94	July	15	kung pao chicken	148
interrogate	185	jump	229		
intersection	186	jump rope	221		
interview	112	June	15	**L**	
introduce	46	Junggar Basin	284		
introverted	40	junior high school	76	lab coat	170
iodine	129	Jupiter	269	label	99
ionosphere	270			laboratory	79
iron	64,68,129			Labor Day	16
ironing board	64	**K**		ladle	58,145
irresolute	40			ladybug	278
irritable	40	kangaroo	281	Lahu	35
Islam	44	karaoke music	223	lake	272
island	219,272	karaoke room	223	lamb	134
isotherm	237	Karate	263	lamb kebab	148
Italian	32	katydid	278	lamb slices	148
Italy	32	kayak	212	lamp shade	52
		kayaking	253	land	195
		Kazak	35	landmine	266
J		ketchup	150	landscape	243
		kettle	57	landslide	282
jack-o-lantern	16	key	50	lane	222
jacket	120	keyboard	100	language skills	29
janitor	96	kg	21	Lantern Festival	16
January	15	kick	229,261	laptop	100
Japan	32	kick a ball	42	large cup	155
Japanese	32	kidnap	185	large intestine	164
Japanese cuisine	147	kidney	164	lark	276
Japanese Yen	182	kind and amiable	39	lasagna	151
jasmine tea	153	kingfisher	276	laser disc	101
javelin	254	Kirgiz	36	laser gun	267

laser pointer	88	lie on one's stomach	229	long distance rate	178
last bus	199	lieutenant colonel	264	long-distance running	254
latex gloves	170	lieutenant general	264	longevity noodles	74
Latin dance	220	life-saver	219	long hair	124
latitude	236	lifeguard	219	longicorn	279
latitude line	236	life jacket	191	longitude	236
latté	154	light	24,139	longitude line	236
laugh	230	light color	22	*longjing*	153
laugh foolishly	224	lighter	52	long jump	254
laugh wildly	224	lighting	208	loofah	133
laundry basin	64	lightning	234	Look after your belongings.	156
laundry detergent	64	light rain	234	look around	226
lavatory	190	like	233	look at the menu	156
law	83	limbs	160	look for a girlfriend	46
lawn	210	Line 1	198	look for a school	92
lawyer	95	linen	121	look for housing	93
lawyer's certificate	31	linguistics	83	look in the mirror	67
lay bricks	107	lion	210	loop	259
lazy	24	liposuction	126	loose	24
lean meat	134	lips	161	loquat	131
learn the language	93	lipstick	63	lose weight	126
leather	120	listen	230	lotus	239
leather bag	117	listen to music	66	lotus root	132
leave	157	listen to the lecture	90	lounge	208
lecture	90	Lisu	35	love	233
lecture theatre	79	liter	21	low-fat milk	142
ledger	98	literature	83	lower a tray table	195
left	187	little bird	216	lower berth	197
left hand	162	little fish	216	lower jaw	166
leg	162	little kid	76	luggage carousel	192
legend of Dayu harnessing rivers	287	*liuqin* (a kind of plucked stringed		luggage cart	192,207
legends of the Yellow Emperor and the		instrument)	248	lumbar vertebra	167
Yan Emperor	287	live drawing	243	lunar calendar	14
leg technique	262	live fish	148	lunar eclipse	269
lemon	131	liver	164	lunch box	216
lenses	172	living room	50	lunch break	84
leopard	281	lizard	281	lungs	164
letter	177	loathe	233	lute	248
lettuce	132	lobby	207	lychee	131
Lhoba	37	lobster	135	lyric	247
li	20	local call	103	lyricist	247
Li	35	local rate	178	
liang	21	lock	50	
librarian	81	Loess Plateau	284	**M**
library	78	logo	252	
library card	80	lonely	233	Macau Dollar	183
license plate	201	long	27	machine gun	267
lid	58,153	longan	131	magazine	80
lie	229	long distance bus	198	magician	212
				magma	272

magnet	89	masseur	97	microphone	223
magnifying glass	89	master of ceremonies	72	microscope	89
magpie bridge	16	Masters	76	microwave oven	57
mail	177	match	216	Mid-Autumn Festival	16
mailbox	176	matchmaker	46	mid-term exam	84
mailboxes	51	maternal grandma	48	midbrain	164
mail truck	176	maternal grandpa	48	middle-aged	71
maintenance	201	mathematics	82	middle berth	196
major	28,264	mattress	55	middle finger	161
major general	264	May	15	midnight	13
make-up sponge	63	measure	106	mild	40
make a chart	105	measure height	171	mile	20
make a deposit	182	measure weight	171	military academy	76
make a face	225	meat	118	military museum	214
make a phone call	104	meat and eggs	128	military officer ID	31
make a photocopy	104	meatball	134	military parade	16
make dumplings	75	meat pieces	134	military ranks	264
make eyes with someone	226	medals	252	milk	109,140,155
make friends	93	media	83	milk powder	143
make the bed	68	medical examination	112	milkshake	143
male	26	medical insurance	112	millet	136
manager	94	medical license	31	Min dialect	289
Manchu	34	medicine	83	minerals	129
Manchurian tiger	280	Mediterranean	290	mineral water	140
mandarin	131	medium cup	155	Ming Dynasty	286
Mandarin dialect	289	meet a prospective mate for marriage	46	mini-train	212
mandarin duck and drake	277	meet clients	105	minimum purchase	157
mango	131	meet the parents	46	minorities	34
manicure	127	megilp	245	minor planet	269
mantis	279	melody	247	mirror	61
mantle	273	member	220	missile	266
mao (vernacular form of jiao)	18	membership card	30,118	ml	21
Maonan	36	membership consultant	220	mm	20
mapo tofu	149	memory card	123	mocha	154
marathon	254	men's group	261	model	245
March	15	men's clothing	116	moderate rain	234
march	246	menu	149	modest	41
marinate	144	Mercury	269	mole	38
marine corps	264	meridian	175	mom	48
marital status	28	merry-go-round	212	Monba	37
marriage certificate	30	mesosphere	270	Monday	14
Mars	269	metacarpal bones	167	money given to children	
martial art moves	263	metal detector	192	as a lunar New Year gift	75
martial male role	208	metatarsal bones	167	Mongol	34
mascara	63	meteor	270	monitor	100
mascot	252	meter	20,198	monkey	14,210
mask	170	Mexico	32	monosodium glutamate (MSG)	138
Mass	45	mg	21	monsoon	237
massage	126	Miao	34	monthly pass	199

monthly rate	178	music chart	247	newborn	71
monthly salary	112	music classroom	79	news	251
moon	269	musician	96	newspaper	80
mooncake	16	Muslim	44	newspaper stand	115
mop	64	Muslim restaurant	147	New Taiwan Dollar	183
mop the floor	68	must turn	203	New Year's Day	16
morin khur	248	mynah	276	New Year's bell	75
morning	13			New Year's couplets	74
mosque	44			New Zealand	32
moth	279	**N**		Niacin	129
moth ball	64			nine	8
mother	48	nail	111	nineteen *kuai* and five *fen*	19
mother-in-law (husband's mother)	49	nail clipper	127	ninety	8
mother-in-law (wife's mother)	49	nail file	127	nitrogen	270
Mother's Day	16	nail polish	127	nod	225
motorcycle	189	nail polish remover	127	no honking	203
mountain bike	189	naive	41	noisy	27
mountain range	272	name	28	no left turn	203
Mount Qomolangma	284	name of a hotel	204	noncommissioned officer	264
mourn	73	nanny	96	non-prescription drugs	172
mouse	100,281	napkin	57	noodles	146
mouse pad	100	narrow	27	noodles with soy bean sauce	136
mousse	124	narrow one's eyes	227	noon	13
mouth	161	narrow road ahead	202	No Outside Beverages!	157
mouth numbing	139	nasal bones	166	no parking	203
mouthparts	278	natatorium	261	normal university	76
movable-type printing technology	287	National Day	16	North	186
move	69	naughty	41	North America	290
movie for Chinese New Year	250	nauseated	169	North China Plain	284
movie screen	251	nautical mile	20	Northeast	186
mu	21	naval air force	264	northeast of the school	187
mud flap	201	naval surface vessel	267	Northeast Plain	284
mudslide	282	navel	162	Northern China	285
Mulam	36	navel orange	131	north frigid zone	236
multimedia console	88	navy	264	North Sea	290
multivitamins	173	Naxi	35	north temperate zone	236
mumps	169	near	24	Northwest	186
municipality directly under the central government	285	near the school	187	Norwegian Krone	182
mural painting	243	nebula	269	nose	160
murder	185	neck	160,163	no smoking area	150
muscle	161	necklace	117	nostril	161
museum of agriculture	214	neckties	116	notebook	87
museum of folk art	214	negate	233	notepad	99
museum of natural history	214	negotiate	105	no U-turn	203
museum of science and technology	214	neighbor	50	novel	81
mushroom	132	Neptune	269	November	15
music	82	nervous	232	nozzle	61
musical	208,250	net	259	Nu	36
		network adapter card	101	nuclear radiation	283
		neutral tone	288		

nuclear warhead	266
number dispenser	180
nurse	70,170
nursery school	76
nursery school teacher	76
nurse the child to sleep	70
nut	111
nutrition facts	129

O

obedient	41
obey	233
oboe	249
observe a patient's color	175
obstetrics and gynecology	159
occipital bone	166
Oceania	290
ocean shipping	176
October	15
octopus	275
offer tea	153
offside	256
(of wind) blow	234
oil paint	244
oil painting	243
oils	128
ointment	173
older brother	49
older sister	49
Olympic flag	252
Olympic Games	252
one	8
one-meter line	181
one building	10
one century	12
one day	12
one door	10
one *fen*	18
one flock of sheep	10
one fourth	9
one girl	10
one group of people	10
one half	9
one hour	12
one hundred	8
one hundred million	9
one hundred percent	9
one hundred *yuan*	19

one *jiao*	18
one *kuai* two *mao* and three *fen*	19
one million	9
one minute	12
one month	12
one painting	10
one percent	9
one school	10
one second	12
one tea set	10
one thousand	9
one way	203
one way trip	204
one week	12
one year	12
onion	132
only child	47
oolong tea	153
open	26
open a book	91
open an account	181
opening ceremony	253
opening hours	214
open one's eyes widely	224
opera	208
opera house	208
operate	106
operating room	159
operating table	159
operator	103
ophthalmology	159
oppose	233
opposite the school	187
optician	114
optimistic	40
optometrist	172
oracle bone inscriptions	287
oral cavity	160
orange	22
orange juice	141
orbit	269
orchard	109
order dishes	156
Oroqen	37
Orthodoxy	45
ostrich	276
ounce	21
out	26
outpatient department	158

outpatient specialist	159
outside the school	187
oval	23
overcast	234
overhead compartment	190
overpass	186
owl	277
ox	14
oxygen	270
oyster	135
oyster sauce	139
ozone layer	270

P

Pacific Ocean	290
pacifier	54
pack	178
package	176
pack a luggage	92
packing tape	178
padded mattress	54
paddle	259
paid vacation	113
painkiller	173
paint	111,244
paint a wall	106
paintbrush	111,245
painter	96,97
painting case	245
painting folder	244
paint roller	111
pajamas	55
palette	244
palm technique	262
pancreas	164
panda	210
pangolin	280
pants	120
papaya	131
paper	87
paper-cuts	74
paper-cutting	43
paper clips	99
paper cups	57
paper currency	19
papermaking technology	287
paper shredder	98
paperweight	244

338

paragraph	289	penguin	276	picture book	80
parasol	219,239	pen ink	86	pie	136
parent	76	peninsula	273	pig	14,109
parents	48	peony	211	pigeon	276
parietal bone	166	pepper	138	pig feet	135
parking lot	50	pepper shaker	150	pike	261
parrot	277	perform an X-ray	170	Pilates	220
partial solar eclipse	269	perform magic	212	pill	173
pass	30,256	perfume	63	pillow	54
passbook	181	periodical	80	pillowcase	54
passenger	192,196	periodic table	88	pilot	94
passenger exit	192	permanent lip liner	126	pinch	145
passport	30	perm hair	124	pinch one's nose	225
pastry	118	Permit for Traveling to and from Hong		pineapple	131
pastry board	58	Kong and Macau	31	ping-pong	256
patella	167	persimmon	131	Pinghua dialect	289
paternal grandma	48	personal account services	180	pink	22
paternal grandpa	48	personal trainer	221	pink eye	169
patient	159,170	person having birthday	74	pinkie	161
pattern	126	pessimistic	40	pinyin (phonetic system for	
pave a road	107	Ph.D. program entrance exam	85	transcribing Chinese characters)	288
pavilion	210	Ph.D.	76	pipe	57
pay	121	phalanges	167	pipe wrench	111
pay a bill	178	pharmacist	174	pirate ship	212
pay slip	105	pharmacy	115,158	pistachio vera	131
pay the bill	155,156	pheasant	277	pistol	185
pay tuition	84	Philippine Peso	183	pizza	151
pay water and electricity bills	69	philosophy	83	place of birth	28
peach	131	phone book	103	plague	283
peach-shaped birthday cake	74	phosphorus	129	plain	273
peach blossom	238	photocopier	98	plain-clothes police	185
peacock	210	photocopy	104	Plain on Middle and Lower Reaches of	
peanut	131	photocopying room	81	Yangtze River	284
pear	131	photograph	53	plan a trip	204
pedestrian crossing	186,202	photographer	97	plane	188
pedestrian overpass	186	photo of the deceased	73	plane crash	283
pediatrics	159	photo of the whole family	49	planet	269
peel	145	phrase	288	planetarium	214
peeler	59	physical education	82	plane wood	107
Peking Man	287	physical exam center	170	plant diseases and insect pests	283
pelvis	167	physics	82	plaster	175
pen	86	piano	249	plaster model	245
pen-hold grip	259	pick	109	plastic bag	118
penalty area	257	pick up a phone	102	plastic food container	58
penalty kick	257	pick up food with chopsticks	145	plastic surgery	127
pencil	86	pick up shells	219	plastic wrap	59
pencil case	86	pick up the child from school	70	plate	150
pencil lead	86	picnic	216	plateau	273
pencil sharpener	86	picnic blanket	216	platform	88,198,261

platform ticket	196	poor performance	113	probationary period	112
play a national anthem	253	pop music	246	professor	76
play ball	42	popsicle	142	projector	100
play cards	75	pork	134	prop room	208
play chess	42	portable music player	122	props	208
player	258	position applied for	29	protect	71
play *erhu*	43	postcard	176	protein	129
playground	51,78	postdoctoral	76	Protestantism	45
play in the water	239	postman	176	protractor	86
play mahjong	75	postmark	177	proud	232
play music	208	potato	133	province	285
play piano	43	pot for decocting medical herbs	175	provincial capital	285
play video games	66	pot stickers	136	psychology	83
play with the child	70	pottery and porcelain	242	Pu'er	153
pliers	110	pound	21	public bus	189,198
pluck eyebrows	126	Pound	182	public telephone	102
plug	53	pour	145	publisher	80
plum	131	pour tea into a cup	153	pudding	151
plum blossom	238	pout	227	pull	26
plum blossom pile boxing	262	powder	63	pull into the station	196
plunger	61	practice T'ai Chi	210	pull out of the station	196
plywood	107	practice the yangko dance	210	pulse diagnosis	175
poetry	287	pray	45	pumpkin	132
pointer	88	precipitation	237	punch in	104
polar light	270	pregnant woman	159	punk	247
pole vault	254	premiere	251	pupa	279
police baton	185	prepared Chinese medicines	174	purple	22
police car	185	preschool	76	purse one's lips	227
police department emergency number	102	prescribe	170	push	26
police dog	185	prescription drugs	172	push-up	221
police emblem	185	present a dish	156	push a cart	107
police hat	185	present flowers	73	put hands on hips	228
police ID	30	present tea to a customer	156	put on	26
police motorcycle	185	preserved duck egg	135	put on a hat	67
police officer	185	president of a company	94	put on a stamp	177
police station	185	pressure cooker	58	put on a stern expression	225
police uniform	185	pretty	27	put on clothes	67
polish nails	127	price list	196	put one's hands behind one's back	228
political science	83	price range	204	put on headphones	195
politician	95	priest	45	put on shoes	67
politics	82	primary school	76	put someone on a drip	171
pollution	283	primary school student	76	put the leftovers in a doggy bag	157
pomegranate	131	Primi	36	puzzled	233
pond	239	primitive society	286	pyramid	23
ponytail	124	print	100		
pool	210	printer	100		
pool cue	222	print services	114	**Q**	
pool rack	222	prison	185	q-tips	173
pool table	222	private room in a restaurant	156	Qardam Basin	285

Qiang	36	read a book	42	remitter's name	178
qigong	175	read blueprints	107	remitter's signature	178
Qin Dynasty	286	reading room	80	remote control	52
Qing Dynasty	287	read job advertisements	112	remove a card	182
Qinghai-Tibet Plateau	284	read the newspaper	66	remove hair	126
Qinling Mountains	284	reagent	89	renew	81
quail	276	real estate developer	97	repairman	96
quail egg	135	reap	240	repeat a grade	85
quarrel	47	rearview mirror	200	reply	112
quarter of an hour	12	receipt	123,178,198	report	99
quarter past six	13	receiver	102	report a loss	181
quarter to seven	13	reception	78,207	reporter	94
queue	170	rechargeable battery	123	rescue	219
quiet	27,40	recipient's name	177,178	research papers	80
quilt	55	recite a text	91	reserve a hotel room	204
quilt case	55	recommendation letter	92	reserve a room	206
		record	72,247	reserve a table	156
		rectangle	22	residence booklet	30
		rectum	164	residence permit for a foreigner in China	
R		red	22		31
rabbit	14	red and swollen	169	rest	66
race walking	254	red card	256	restart	101
racing car	188	red-crowned crane	276	restaurant	115,146
rack	61	red envelope	72	return	81,123
radar	267	redial	103	return address	177
radiation	237	red ink	99	return a phone call	104
radiator	201	red scarf for Young Pioneers	87	return date	205
radical (one piece of a Chinese		Red Sea	290	return home	66
character)	288	red wine	141	returns desk	81
radio	123	reef	275	return to the bride's home	47
radius	167	referee	254	reverse curve	202
rafting	212	reference books	81	rhinoceros	280
rag	57	refrigerator	57	rhinoplasty	126
railway police	197	reggae	247	rhombus	23
rainbow	270	register	84,170	rhythm and blues	246
rainy season	237	register a marriage	46	ribs	135,167
raise a national flag	253	registered letter	176	rice	136
raise a pet	43	registrar's office	79	rice ball	136
raise a tray table	195	registration office	158	rice cooker	59
raise one's head	228	regular features	38	rice paddle	59
raise one's hand	91	regular script	242	ride a bicycle	43
rally	259	rehearsal room	208	rifle	267
RAM	101	reinforcing bar	107	right	187
ranch	109	reject	112	right hand	162
rape	132	relay race	254	ring	117
rash	169	remarry	47	ring finger	161
rat	14	remit money	178	ring tone	103
rational	41	remittance amount	178	ring toss	212
raw	145	remittance date	178	rinsing cup	63
razor	63				

ripe	240	salesman	94	scoop up	145
rise	90	sales promotion	122	scorching hot	238
river	273	salt	138	score	256
RMB	19	salt shaker	150	scorpion	278
road	186	salty	139	scowl	226
roadside stalls	147	samba	223	scrape meat off bone	145
roast	144	sand	106	scraper	111
roast duck	148	sandals	117	scraping	126
rob	185	sandpaper	111	screen	88
rock	273	sandstorm	234	screw	111
rock and roll	246	sandwich	151	screw cap	111
rocket	266	sanitary napkin	61	screwdriver	110
rocking chair	53	Santa Claus	16	script	251
rocks	106	sapphire	117	scroll	244
Rocky Mountains	290	satellite	269	scuba tank	275
role of an elderly gentleman	208	saturated fat	129	sculptor	96
roller-skate	211	Saturday	15	sculpture	242
roller coaster	212	Saturn	269	sea anemone	275
rolling pin	58	saucepan	58	seabed	275
roll one's eyes	227	saucer	153	seafood	119
romance movie	250	Saudi Arabia	32	seagull	276
Roman nose (nose with a high bridge)	38	sauna	207	sea horse	275
room service	206	sausage	216	seal	99,275
rooster	14,109	savings account	181	seal an envelope	177
rose	16	savor tea	153	seal cutting	242
rosy cloud	270	saw	110	sea level	275
roundabout	202	saw wood	106	sea lion	275
round trip	204	saxophone	249	seal script	242
rowing machine	221	say goodbye	121	search	81,101
ruan (a plucked stringed instrument)	248	scaffolding	106	seat belt	191
rubber boat	219	scale	119	seat pocket	191
rubber gloves	64	scales	275	sea urchin	275
ruby	117	scallop	135	seaweed	275
rug	53	scan	100	second	9
ruler	86	scanner	100	secondary school	76
running script	242	scapula	166	secondary school student	76
runway	191	scar	38	second half	256
Russia	32	scarab beetle	279	second lieutenant	264
Russian	32,37	scarf	116	secretary	94
RV	189	schedule	82	security camera	181
		scholarships and awards	29	security guard	50
		school badge	87	sedan	189
S		school bus	78	seek marriage	46
		school gate	78	seesaw	211
sacrum	167	school nurse	79	see somebody off	192
sad	232	school uniform	87	self-service travel	204
safe	181	science-fiction movie	250	self-willed	40
Sahara	290	scientist	94	selfish	41
salad	151	scissors	86	semi-trailer	189
Salar	36				

send a fax	104	shoe polish	64	single-edged eyelid	38
send an e-mail	104	shoe shining brush	64	single-parent family	47
send a package	178	shoot	256,258	single bed	55
send a resume	112	shooting	253	single room	206
senior citizen ID	30	shooting range	212	singles	259
senior citizen ticket	214	shop	43,93	sink	57,61
senior colonel	264	shopping assistant	119	siren	185
senior high school	76	shopping basket	118	sit	229
sentence	288	shopping cart	118	sit-up	221
September	15	short	27,38	sit down	90
serve	259	short hair	124	six	8
service charge	178	shorts	120	six fifteen	13
service desk	119	shot put	254	six fifty	13
service window	178	shoulder	162	six forty-five	13
sesame oil	139	shoulder blade	166	six o'clock	13
sesame seed cake	136	shoulder-length hair	124	sixty	8
set off firecrackers	16	shovel	111	sizzling beef	149
set the table	156	shovel sand	106	skate	241
seven	8	shower cap	61	sketch	242
seventy	8	shower curtain	60	sketching paper	245
sew	43	shower room	220	sketch pad	86
sew a button	68	show ID	194	ski	241
sew stitches	171	shredded meat	134	skilled worker	94
shaddock	131	shredded pork with garlic sauce	148	skimmer	58
shake hands	228	shrimp	135	skin	134,161
shake one's hands	228	shy	232	skincare	126
shake one's head	225	Sichuan Basin	285	skin color	38
shampoo	63	Sichuan restaurant	147	skin damage	239
Shang Dynasty	286	sideburns	124	skirt	120
Shanghainese steamed dumplings	146	sidewalk	186	skull	166
shape-intent fist	262	sigh	230	slanted	26
shark	275	sign	198	slave society	286
sharp left turn	202	sign a contract	105,112	sled	241
sharp right turn	202	signal	103	sleep	67
shave	67,124	silk	121	sleepy	231
She	35	Silk Road	287	sleet	234,282
shed tears	231	silkworm	278	slender	39
sheep	109	silver	22	slide	89,211
sheet	55	silver medal	252	slide a credit card	123
sheet music	247	simmer	144	slide projector	88
sheng (a reed pipe wind instrument)	248	simple	27	slim tea	153
shield	263	simplified Chinese character	288	slippers	55
shin	163	sing	42	slippery road	202
shin bone	167	sing a lullaby	70	slow	24,203
shine upon	239	sing an opera	210	small	27
ship	189	Singapore Dollar	182	small business owner	95
shipwreck	283	singer	96	small cup	155
shirt	120	sing Happy Birthday	74	small curls	124
shiver	231	sing karaoke	223	small intestine	164

smart	24	Southern China	285	Spring and Autumn Period	286
smash	259	south frigid zone	236	springboard	261
smell	230	South Korea	32	sprinkle salt	145
smile	224	south temperate zone	236	Sprite	140
smoke	222	Southwest	187	sprout	238
smoke-free room	206	souvenir shop	212	square	22
smooth	27	sow	109	square meter	21
snack	118	soy bean flour	143	squash	133
snack bar	146	soy milk	140,143	squat	229
snake	14	soy sauce	139	squeegee	64
sneakers	216	soy sauce bottle	149	squirrel	280
sneer	224	spa	126	stable	109
sneeze	231	space	269	stadium	78
sniper	264	space shuttle	269	staff	247
snorkel	219	space station	269	stairs	51
snow	234,241	space suit	269	stall	115
snowstorm	234	spaghetti	151	stamp	177
soap	63	Spain	32	stand	229
sob	224	Spanish	32	Standard Chinese	288
soccer	256	sparrow	276	standard room	206
social insurance	112	spatula	58	stapler	99
sociology	83	speak	230	staples	99
socket	53	spear	263	star	270
soda water	140	special administrative region	285	star anise	138
sodium	129	special forces	264	starch	138
sofa	52	special skills	29	stare open-mouthed	226
sofa cushion	52	specimen	214	starfish	275
soft	24	speedboat	219	star rating	204
soft berth	197	speedometer	200	start	254
soft drink	140	sphere	23	starting gun	254
software	101	spice jar	59	starting line	254
soil	109	spicy	139	start school	84
solar elevation angle	237	spider	278	stationery shop	114
solar system	269	spinach	132	station exit	196
soldier	94	spine	167	statistics	83
solo	208,247	spit	26,227,231	statue	210
son	49	splash	261	stay	206
Song Dynasty	286	spleen	164	steak	151
soprano	208	sponge	64	steam	144
sound box	122	spoon	149,150	steamed bun	136
soup	151	sporting goods shopping center	114	steamed sponge cake	136
soup noodles	136	sports car	188	steamed stuffed bun	136
sour	139	sports shoes	116	steamer	58
sour and spicy soup	148	sports show	251	steamroller	106
South	187	sportswear	120	steam room	220
South Africa	32	spouse	49	steep downhill slope	202
South America	290	spout	152	steeplechase	254
South China Sea	285	sprain	168	steep uphill slope	202
Southeast	187	spring	238	steering wheel	200

stepfather	47	student handbook	87	SUV	189
stepmother	47	student ID	30	swallow	26,276
sterilize	171	student pass	199	swamp	273
sternum	166	student ticket	214	swan	277
stethoscope	172	student visa	92	sweat	231
stew	144	study by oneself	84	sweater	120
stew after frying	144	study room	50	Swedish Krona	182
stewardess	190	stuffy	234	sweep	68
stick out one's tongue	225	style hair	124	sweet	139
sticky rice	136	stylist	96	sweet and sour pork	148
sticky rice balls	16	submachine gun	267	swimming cap	261
sticky rice dumplings	16	submarine	267	swimming goggles	261
stinger	278	substitute a player	258	swimming lane	261
stingy	41	subtitle	251	swimming pool	79
stinky	24	subway	189	swimming trunks	219
stinky tofu	143	subway map	198	swimsuit	120
stir	144	subway station	198	swing	211
stir-fry	144	subwoofer	122	Swiss Franc	182
stock pot	58	sugar	138,155	switch	53
stomach	164	sugar jar	150	switchboard	103
stomachache	169	suggestion form	196	sword	263
stop	203	Sui	35	symphony	208
storage	50	suit	120	synchronized diving	261
stork	276	suite	206	syringe	172
storm surge	283	summer	239	syrup	173
storytelling	152	summer clothes	116		
storytelling interspersed with ballads	152	Summer Palace	287	T	
stow a bag	194	summer vacation	85		
straight	26,261	sun	269	T-shirt	120
straighten	124	sunbathe	219	table	152,259
straighten a seat	195	Sunday	15	tablecloth	57
straight hair	124	sunflower seeds	131	table napkin	150
Strait of Gibraltar	291	sunglasses	116	tablet	173
Strait of Malacca	291	sun hat	216	tachometer	200
strategic rocket force	264	sunny	234	taekwondo	263
stratosphere	270	sunscreen	63	tail	190,275
straw	150	sunshine	270	tail light	201
strawberry	131	suona horn	248	tailor	94
stretch	231	superior vena cava	164	tails	18
stretcher	158	supermarket	114	Tajik	36
stretch one's legs	228	supervise an exam	91	take-out	147
strike a vital point	262	support	233	take a bath	66
string beans with garlic sauce	148	surf	219	take an exam	91
stroke	288	surfboard	219	take a shower	66
stroke order	288	surf the web	100	take a statement	185
strong	24	surgery	158	take a walk	211
struggle against	233	surprised	232	take medicine	170
stubborn	41	suspect	185	take notes	90
student cafeteria	78	sutra	44	take clothes off	66

take off	26,195	telephone number	103	three stars	11
take out the garbage	69	tell a story	70	thriller	250
take photos	42	teller	97	throat inflammation	169
take temperature	171	temperature	237	throw	228
talent show	251	temple	44	throw away	228
talk	103	temporal bone	166	throwing technique	262
talk about working experience	112	ten	8	throw pillow	52
talk show	251	ten million	9	thrush	276
tall	38	tennis	256	thumb	161
Tang Dynasty	286	ten percent	9	thumbtack	99
tango	223	tentacle	279	thunder	234
tank	266	ten thousand	9	thunder and lightning	282
tanker	188	ten to seven	13	thundershower	234
Taoism	44	ten *yuan*	19	thunderstorm	234
Taoist	44	terminal	192	Thursday	15
Taoist temple	44	termite	279	thyroid gland	164
tap dance	220	terracotta warriors	287	Tianshan Mountains	284
tape	99,110	test eyesight	171	Tibetan	34
tape measure	110	test tube	89	tibia	167
tap water	57	test urine	171	ticket counter	192
Tarim Basin	284	textbook	86	ticket inspector	196
taro	133	Thai Baht	183	ticket window	196,198
taste	145	Thailand	32	*tieguanyin*	153
Tatar	37	Thangka	242	tiger	14,210
tattoos	126	Thanksgiving	16	tight	24
taxi	189	theater	208	tightrope bicycling	212
taxi stand	192	thermometer	172	tightrope walking	212
tea	140	thermos	57	tile	61
tea bag	153	thermosphere	270	timber	107
tea ceremony	153	thick	24,26	time-out	258
teacher	76,96	thief	185	tire	201
teacher's office	78	thigh	162	tired	231
teachers' accommodations	78	thigh bone	167	title	81
teachers' cafeteria	78	thin	24,26,38	titmouse	276
teaching certificate	30	think	90	toast	72
tea cup	152	third	9	toaster oven	57
teahouse	115	thirsty	231	today	14
tea leaves	152	thirty	8	toe	163
teapot	152	thousand year egg	135	toenail	163
tears	73	three	8	tofu	143
tea set	53	three-point line	259	tofu roll	143
tease the newly-weds	72	three books	11	tofu sheet	143
tea with milk	140	three cats	11	tofu sticks	143
technical school	76	three cellphones	11	toilet	60
teeth	161	three flowers	11	toilet brush	61
teeth straightening	127	three hundred *kuai* and eight *mao*	19	toilet cleaner	64
telephone	53	three knives	11	toilet cover	61
telephone bill	178	three leaves	11	toilet paper	61
telephone line	103	three pills	11	toilet seat	60

toilet tank	61	trapeze show	212	turn signal	201
tomato	132	trapezoid	23	tutor	71
Tomb-Sweeping Day	16	travel	42	tuxedo	72
tombstone	73	travel agency	204	TV	53
tomorrow	14	tray	146	TV guide	251
ton	21	tray table	191	TV series	250
tone of a Chinese syllable	288	treadmill	220	TV stand	53
tongue	161	tree	216	twenty	8
toothache	169	trench	275	twenty *yuan*	19
toothbrush	63	trench coat	120	twice cooked pork	148
toothpaste	63	triangle	22	twist	261
topography	237	triathlon	254	twisted roll	136
torch	252	triple jump	254	two	8
to repair the bike	69	trolley	188	two-finger meditation	262
tornado	282	trophies	253	two-way traffic	202
torso	160	tropical cyclone	282	two articles	11
tortoise	281	tropical zone	236	two *fen*	18
total solar eclipse	269	tropic of Cancer	236	two fish	11
total sum	178	tropic of Capricorn	236	two horses	10
tough	38	troposphere	270	two overcoats	10
tour group	204	trough	109	two oxes	10
tour guide	97	trowel	111	two pair of socks	11
tourist guide license	30	truck	189	two pairs of chopsticks	10
towel	61	trumpet	249	two photographs	10
towel used to cover a pillow	54	trunk	201	two pieces of cheese	11
tow truck	189	try	185	two servings of fast food	10
toy	55	try on	121	two thirds	9
toy store	114	tsunami	282	two trees	11
trachea	164	Tu	36	two *yuan*	19
track and field	254	tuck	261	type	105
tracks	196	Tuesday	14	typewriter	99
tractor	109	Tui Na massage therapy	175	typhoon	282
traditional Chinese character	288	Tui Na masseuse	175		
traditional Chinese costume	120	Tujia	35		
traditional Chinese medicine	158	tulip	211		
traditional Chinese system	20	tummy	163	**U**	
traffic accident	283	tunnel	202		
traffic lights	186	Turkey	32	ugly	27,39
traffic police	185	turkey	16	UK	32
traffic signal ahead	202	turn around	229	ulna	167
train	189,196	turnip	133	ultrasound	172
train schedule	196	turn left	186	ultraviolet rays	270
train station	196	turn off	26	umbrella	116
train ticket	196	turn off a cellphone	194	uncle (father's older brother)	48
trampoline	253	turn off the light	66	uncle (father's younger brother)	48
transcript	92	turn on	26	uncle (mother's brother)	48
transfer	190,195,196,199	turn on a computer	104	unconscious	169
transplant	109	turn one's head	229	underground supermarket	117
transport luggage	192	turn on the overhead light	195	underpass	186
				understand the culture	93
				underwear	120

unfasten a seat belt	195	virgin boy kung fu	262	watch a safety video	195
unguarded railway crossing	202	visit a patient	159	watch for bicycles	203
unicycle	212	vitamin A	129	watch movies	42
university	76	vitamin C	129	watch TV	66
university majors	83	vocational high school	76	water	109,140
unsaturated fat	129	vodka	141	water ballet	261
up	186	volcanic eruption	283	water bill	178
upper berth	196	volcano	272	water bottle	216
upper jaw	166	volleyball	256	watercolor painting	242
upstairs	186	vomit	168	watercolors	86
Uranus	269	vowel of a Chinese syllable	288	waterfall	272
urethra	164			water heater	61
urinary bladder	164	**W**		watermelon	131
urinary tract	164			water park	212
urn	73	wage	112	water polo	256
USA	32	waist	162	water ski	219
US Dollar	182	wait	194	water slide	212
usher in a customer	156	waiting lounge	193	water spinach	132
Uygur	34	waiting room	158,196	water the plant	69
Uzbek	36	wait in line	182	wave	219,228
		waitress	149	wavy	124
V		wait to see a doctor	170	wax apple	131
		wake up	67	wax museum	214
Va	35	walk	188,229	weak	24,41
vacuum	69	walkie-talkie	185	wear glasses	38
vacuum cleaner	64	walk straight	186	weather forecast	251
Valentine's Day	16	walk the dog	211	webcam	100
valley	272	wall	50	wedding	72
variety show	251	wall clock	53	wedding dress	72
vase	53	wallet	116	wedding photo	72
vault	181	wall lamp	53	wedding ring	72
VCD player	122	walnut	131	Wednesday	15
vegetable	118	waltz	223	wee hours	13
vegetable garden	109	ward	159	weekend	15
vending cart	197	wardrobe	55	weeping willow	239
vent	57	warm	238	weigh	178
Venus	269	war movie	250	weightlifting	253
vest	120	warranty	123	weld	106
veterinarian	97	Warring States Period	286	welfare and benefits	112
victim	185	wash	68	West	186
Victoria Lake	290	washboard	64	Western restaurant	146
victory podium	252	washer	123	West Zhou Dynasty	286
video arcade	223	wash hair	124	wet	24
video camera	123	wash hands	66	whale	275
video store	115	wash one's face	67	wheelchair	158
vinegar	139	wash the dishes	68	whiskers	38
vinegar bottle	149	wash the windows	68	whisky	141
violin	249	wasp	279	white	22
VIP lounge	208	watch	117,230	white cloud	270

white gourd	133	work experience	29	Yao	34
white wine	141	work hard	113	yard	20
whole milk	142	work overtime	105	yawn	231
wholesale market	115	world record	261	yearly salary	112
wife	46	worried	233	yellow	22
wig	124	worship	45	yellow card	256
wild goose	277	wrap	145	yellow rice wine	141
willful	40	wreath	73	Yellow River	285
winding road	202	wrench	110	Yellow Sea	285
window blind	191	wrestling	263	yesterday	14
windows	50	wrinkles	126	Yi	34
window seat	191	wrist	162	yield	203
window sill	51	write	43	yin and yang	175
windpipe	164	write a letter	93	yoga	220
windshield	201	write an address	177	yoga mat	220
windshield wiper	201	write an e-mail	104	yogurt	142
wine glass	150	write a receipt	157	young adult	71
wing	190,277,279	write characters	90	younger brother	49
wink	224	write on the blackboard	90	younger person	75
wink at someone	225	writer	96	younger sister	49
winter	240	written exam	112	*yuan*	18
winter clothes	117	Wu dialect	289	Yuan Dynasty	286
winter vacation	84			Yugur	37
wire	107,110			*yulan* magnolia	238
withdraw	181	**X**		Yunnan-Guizhou Plateau	284
withdrawal cash	182				
witness	185	X-ray machine	192		
wok	58	Xia Dynasty	286	**Z**	
wolf	280	Xiang dialect	289		
women's clothing	117	*xiao* (a vertical bamboo flute)	248	zebra	210
women's group	261	Xibe	36	zero	8
wonton	136	*xuan* paper for Chinese painting		*zhang*	20
woodcarving	242	and calligraphy	244	Zheng He's voyages	287
woodcut	243			Zhuang	34
woodpecker	277			zinc	129
wool	121	**Y**		zip code	177
word	288			zoo	210
worker	95	yacht	219		
		yak	280		
		Yangtze River	285		

图书在版编目(CIP)数据

汉语图解词典/(美)吴 F　　　　　鬼令查等译.
—北京:商务印书馆,2
ISBN　978 - 7 - 1

Ⅰ.汉… Ⅱ.①　　　　　　'又语—对外汉语
教学—图解词典

中国版本图　　　　　　　　　　 j 155339 号

HÀNYǓ TÚJIĚ CÍDIǍN

汉 语 图 解 词 典

吴月梅　主编

商 务 印 书 馆 出 版
(北京王府井大街36号　邮政编码100710)
商 务 印 书 馆 发 行
北京中科印刷有限公司印刷
ISBN 978 - 7 - 100 - 06079 - 0

2008年10月第1版　　　　开本 889×1194　1/16
2009年4月北京第2次印刷　　印张 22
定价:298.00 元